思想
REFLEXION 44

記疫共同體

編輯委員會

總 編 輯：錢永祥

編輯委員：王智明、白永瑞、汪宏倫、林載爵
　　　　　周保松、陳正國、陳宜中、陳冠中

聯絡信箱：reflexion.linking@gmail.com

網址：www.linkingbooks.com.tw/reflexion/

思想44
記疫共同體

2022年1月初版　　　　　　　　　　　　　　　　　　定價：新臺幣360元
有著作權・翻印必究
Printed in Taiwan.

編　　著	思 想 編 委 會	
叢書主編	沙　淑　芬	
校　　對	劉　佳　奇	
封面設計	蔡　婕　岑	

出　版　者	聯經出版事業股份有限公司	副總編輯　陳　逸　華
地　　　址	新北市汐止區大同路一段369號1樓	總編輯　涂　豐　恩
叢書主編電話	(02)86925588轉5310	總經理　陳　芝　宇
台北聯經書房	台北市新生南路三段94號	社　長　羅　國　俊
電　　　話	(02)23620308	發行人　林　載　爵
台中分公司	台中市北區崇德路一段198號	
暨門市電話	(04)22312023	
台中電子信箱	e-mail：linking2@ms42.hinet.net	
郵政劃撥帳戶第0100559-3號		
郵撥電話	(02)23620308	
印　刷　者	世和印製企業有限公司	
總　經　銷	聯合發行股份有限公司	
發　行　所	新北市新店區寶橋路235巷6弄6號2樓	
電　　　話	(02)29178022	

行政院新聞局出版事業登記證局版臺業字第0130號

本書如有缺頁，破損，倒裝請寄回台北聯經書房更換。　　ISBN　978-957-08-6185-3 (平裝)
聯經網址：www.linkingbooks.com.tw
電子信箱：linking@udngroup.com

國家圖書館出版品預行編目資料

記疫共同體/思想編委會編著 . 初版 . 新北市 .
　聯經 . 2022年1月 . 352面 . 14.8×21公分（思想：44）
　ISBN　978-957-08-6185-3（平裝）

　1.言論集

078　　　　　　　　　　　　　　　110022237

目 次

思想評論

新冠疫情下的中國「舉國體制」制度秩序

「舉國體制」和其背後的制度秩序，在許多事項上看來績效足以掩蓋代價。而抗疫工作短期內也確實展現了其優勢。不過在三個方面存在困境。

抽象的歷史反思與失焦的現實批判：
「體制新左批評」思潮審視

體制新左批評領袖，強調要重回具體歷史語境，整體性地把握文學、把握歷史。然而，他們的文章大多不僅未達此境，反而往往深陷於闡釋的悖論與歷史的抽象之中。

「去政治化」的政治理論：
汪暉的左翼立場與「國家主義」

汪暉不可以簡單地歸類為國家主義者，比如他對官僚化以及權力和資本的交易是批判的，對言論自由、組織多樣化、政治參與和社會運動是持肯定態度的。然而他的許多論述是曖昧不清的，甚至是自相矛盾的。

致讀者

政治視域下的中國知識分子問題

王長江

在大多數研究者的認知中，知識分子是一個社會學或文化學的問題。雖然實際地討論這個問題時都避不開政治方面的內容，但對知識分子在政治體系中究竟是何種定位、何種功能，定位、功能的錯配會給一國政治經濟社會發展帶來什麼樣的影響，尤其是，中國屢屢出現的政治曲折和知識分子境遇究竟是什麼關係，往往缺乏深入的研究。正因為此，所能聽到的對中國知識分子狀況的談論，大抵都是感歎多於理性。有同情，有激勵，有惡其犬儒，有怒其不爭，不過如此而已。這顯然是不夠的。筆者當然並不幻想用一篇文章就能給出答案，只是想根據自己的思考，特別指出把知識分子放到政治體系政治框架中去認識的必要性和極端重要性，提示不應繼續忽略這個被長期忽略的問題，並以自己的一點體會求教於各位同仁，期望將探討引向深入。

一、知識分子的政治功能

關於「知識分子」概念的來源，大多數研究者採納了如下說法：這個概念來自歐洲，有兩個源頭，一是19世紀中期的俄國，二是19世紀末20世紀初的法國。對此，筆者別無他論。只是非常有意思的

是，這兩個源頭，使「知識分子」這個概念一開始就和政治緊緊地捆綁在了一起。例如，從俄國這個源頭看，「知識分子」是指彼得大帝時期一些對俄國政治體制持激進批評態度的貴族青年組成的群體。彼得大帝為了改變俄國社會的落後狀況，選派了這些貴族青年去西歐學習。回國後，這些青年試圖以西歐的科學文化、思想觀念、社會秩序乃至生活方式改造俄國。余英時曾經概括了這個「知識階層」的五條特徵，每一條都有鮮明的政治色彩：「一、深切地關懷一切有關公共利益之事；二、對於國家及一切公益之事，知識分子都視為他們個人的責任；三、傾向於把政治、社會問題視為道德問題；四、有一種義務感，要不顧一切代價追求終極的邏輯結論；五、深信事物不合理，須努力加以改正。」[1]在法國這個源頭，「知識分子」更無可置疑地意味著對政治的介入，它直接就是1898年曾經轟動歐洲的政治事件——「德雷福斯事件」的產物。德雷福斯作為法軍的一名有猶太血統的軍官，因被指控向德國出賣情報而獲刑。雖經事後證明這是個冤案，政府和軍方卻拒絕重審。於是，以著名作家左拉為代表的一大批作家、藝術家、學者和教師為此打抱不平，為維護社會公正和正義，共同簽署了後來被稱為「知識分子宣言」的信件提出抗議，最終促使冤案得以平反。「知識分子」這個用詞也因此流傳開來。

為什麼知識分子與政治如此密切？說到底，這是由知識分子不同於其他人群的特質決定的。

腦力勞動者是知識分子的一個最基本的標識。這意味著，知識分子是社會分工，即腦力勞動和體力勞動分工的產物。如我們所知，

1　余英時，《士與中國文化》（上海：上海人民出版社，1987），頁3注1。

能夠思想，即進行腦力勞動，這是人作為高級智慧動物區別於其他絕大多數動物的一個基本特徵。但人的思想、觀念、意識並不單獨存在，而是伴隨著每個人的活動而產生。馬克思曾如是說：「思想、觀念、意識的生產，最初是直接與人們的物質活動，與人們的物質交往，與現實生活的語言交織在一起的。觀念、思維、人們的精神交往在這裡還是人們物質關係的直接產物。表現在某一民族的政治、法律、道德、宗教、形而上學等的語言中的精神生產也是這樣。人們是自己的觀念、思想等等的生產者」，[2]只要是活著的健全的人，都會有思考的能力。正是在這個意義上，葛蘭西才有「所有的人都是知識分子」的論斷。[3]只是到了後來，隨著社會向前發展，人們對精神產品的需求增長，物質財富的逐漸豐富也使得養活專門的腦力勞動者成為可能，才出現了物質勞動和精神勞動的分工。「從這時候起，意識才能擺脫世界而去構造『純粹的』理論、神學、哲學、道德等等。」[4]與此相應，也就有了獨立的、區別於體力勞動者的腦力勞動者，知識分子才逐步成為一個特定的社會群體。

　　知識分子是腦力勞動者。然而，根據當代人們對知識分子更加精細化的理解，並非所有的腦力勞動者都可稱為知識分子。國內通常看到的定義，往往把具有一定文化科學知識的腦力勞動者都叫做知識分子，其實是不對的。研究者普遍認為，知識分子分布在各行各業，但作為一個群體，知識分子有兩個共同的特點。一是以腦力

2　馬克思，《德意志意識形態》，《馬克思恩格斯全集》第3卷（北京：人民出版社，1960），頁29。

3　[意]安東尼奧·葛蘭西，《獄中劄記》（北京：中國社會科學出版社，2000），頁4。

4　馬克思，《德意志意識形態》，《馬克思恩格斯全集》第3卷（北京：人民出版社，1960），頁35-36。

勞動謀生。以知識為業，不是指一個人擁有知識和運用知識，而是指他以教授知識、傳播知識、研究知識、生產知識乃至創造知識作為謀生的手段。二是對公共事務的關懷。知識分子把思考落腳在人本身的發展，也就必然視改善全社會乃至全人類的命運為己任。美國文化學者薩義德在對大量關於知識分子的觀點進行考察後指出，「知識分子是社會中具有特定公共角色的個人，不能只化約為面孔模糊的專業人士，只從事他那一行的能幹成員。我認為，對我來說主要的事實是，知識分子是具有能力『向（to）』公眾以及『為（for）』公眾來代表、具現、表明訊息、觀點、態度、哲學或意見的個人。」[5]這兩個特點相互依託，相輔相成。職業上的獨立保證了思想和精神產品生產的「獨立性」，思想的獨立性反過來要求職業的獨立。同時具備二者，才可稱為知識分子。所以英國社會學家齊格蒙·鮑曼指出：「『知識分子』這一術語並非是對於一個業已存在的種類的描述，而是『一種廣泛開放式的邀請』。」[6]

美國學者湯瑪斯·索維爾進一步把腦力勞動產品的特性納入知識分子概念，力求使這一概念更加準確。在他看來，知識分子這一概念的核心是「理念的處理者」，他們的工作「開始於理念並終結於理念，不管這些理念可能會對具體事情帶來何種影響」。「知識分子的成果，即其終端產品，是由其理念所構成的。」「理念本身不僅是知識分子功能的核心，而且也是知識分子成就的評判標準，同時還是這種職業經常具有的危險誘惑力的根源。」知識分子也會運用理念，但「其對普遍理念的運用僅僅是要產生出關於社會政策

5　[美]愛德華·W·薩義德，《知識分子論》（北京：生活·讀書·新知三聯書店，2002），頁16-17。

6　轉引自[美]布魯斯·羅賓斯編，《知識分子：美學、政治與學術》（南京：江蘇人民出版社，2002），頁17。

的更具體的理念，而那些具體理念的付諸實施則交由其他人來完成」。[7]突出「理念」的生產，就把那些雖然也是腦力勞動者、但實際上不是理念的生產者、而只是理念的消費者的人和知識分子區分開來了。停留在掌握自然知識、並且只是消費科學技術知識的腦力勞動者最多只能稱為專業技術人員。例如，建造高樓大廈或機械裝置的工程師，腦外科醫生，金融家以及多數在商學院、工程學院或體育部門的人們，雖然都從事複雜的腦力勞動，但實際上很少被看做是知識分子。

　　在前述學者對知識分子的描述中，薩義德提出的「向」和「為」是兩個非常重要的概念。之所以能夠「向」和「為」，是因為他們「有」產品。而這個產品的內容是由他們勞動的性質所決定的。知識分子的思考由物及人，逐步變成對人類命運、公共事務和公共利益的思考。在思考過程中有了價值判斷，形成了一套道理，這就是他們的產品。這個產品要得到認可，不但要在邏輯上自洽，而且必須從公共利益出發，不管最後的結果和實際效果是不是滿足這一點。為全社會服務，是知識分子思考問題的著眼點。正因為此，社會學家希爾斯給近代知識分子下的定義被視為經典：

> 每個社會中……都有一些人對於神聖的事物具有非比尋常的敏感，對於他們宇宙的本質、對於掌理他們社會的規範具有非凡的自省力。在每個社會中都有少數人比周遭的尋常夥伴更探尋、更企求不限於日常生活當下的具體情境，希望經常接觸到更廣泛、在時空上更具久遠意義的象徵。在這少數人之中，有

7　[美]湯瑪斯・索維爾，《知識分子與社會》（北京：中信出版社，2013），頁5。

需要以口述和書寫的論述、詩或立體感的表現、歷史的回憶和
書寫、儀式的表演和崇拜的活動，來把這種內在的探求形諸於
外。超越當下具體經驗之螢幕的這種內在需求，標示了每個社
會中知識分子的存在。[8]

知識分子這種「向」大眾和「為」大眾的取向，也即人們通常
所說的人文關懷和社會責任，歷來為那些在歷史上具有無可爭議地
位的知識分子代表人物所強調，也成為人們衡量和評價知識分子的
通用標準。而當人們指責知識分子的墮落時，也往往是因為他們在
重要的和關鍵的時刻在這些方面失責和缺乏擔當。

無論是從「理念生產者」的角度，還是從超出自己專業知識而
進行人文思考的角度，其實最終都和哲學相聯繫。思想的生產按自
身的邏輯展開、深入，自有其規律性。最初，人為了生存，要向自
然索取。這種活動，直接促進了對自然的思考和認識，自然科學知
識逐步形成和發展起來。隨著思考更進一步，人開始了對人本身及
與之相關的社會、國家等等的認識和反思，於是，哲學出現了。帕
森斯也正是基於這種規律性，從結構功能主義角度來解釋知識分子
起源的。他認為，知識分子的產生有兩個條件，一是文字的出現，
二是「哲學的突破」。有了文字，人們就有了可以思想和交流的符
號。能夠掌握這種符號的人便逐漸形成了一個特殊階層，是為知識
分子的雛形。哲學的突破則是指，在西元前800年至西元前200年這
個時代，包括古希臘、希伯來、中國、印度在內的幾大文明都出現
了人的自我意識的覺醒，哲學思想普遍發展。在帕森斯看來，只有

8　轉引自[美]愛德華・W・薩義德，《知識分子論》（北京：生活・
　　讀書・新知三聯書店，2002），頁35。

在這時候，知識分子才獲得了自身存在性，即以一種體系的方式獲得了思想的形式。當然，這裡所說的哲學，不能狹隘地理解為一門學科，狹隘地只把哲學家看做知識分子。它是指能使任何一門學科都越過學科本身而進入人文思考的哲學思考方法。正因為此，知識分子才成為分布於各行各業的群體。對這「哲學的突破」，余英時在他的《論天人之際》中有專門闡述，並作為他對中國文化特色整體構想的開端。[9]

知識分子的這些特點，使得他們的活動具有一系列其他階級和階層所不具備的特徵。其中一個典型特徵，就是批判性。這種批判性，既來自他們承擔的人文關懷和社會責任，也來自思考活動本身。

首先，思想的本質決定了知識分子的批判性。

思想總要回答「應該怎麼辦」的問題。之所以會有這個問題，就是因為，在現實中人們會遇到種種迷惘和困惑，許多尚未解決的問題和挑戰擺在人們的面前，或是人們已經嘗試了一些途徑和方法，卻效果不彰。在這種情況下，每當人們要提出新的理念，構建新的理論，探索新的思路，都必然意味著對現實和現有觀念的批判：新理念挑戰既有習慣，新思想挑戰既有傳統，新構想挑戰既有體制，新思路挑戰既有模式。如李普塞特所指出的，知識分子的批判性「與他們的工作有關，因為他們工作的本質強調創造力、獨到的見解和『突破』」。[10]正是思想發展的這種特性，我們會聽到對知識分子還出現一些更加容易引起誤解的說法，如「否定性的傳播者」，「邊

9　余英時，《論天人之際》代序（台北：聯經出版，2014），頁1-70。他在其中談到了前述帕森斯闡發的「哲學的突破」觀點與他對中國文化整體構想的關係。

10　[美]西摩・馬丁・李普塞特，《一致與衝突》（上海：上海人民出版社，1995），頁115。

緣化的批評者」，甚至「社會的攪局者」等等。但是，這種批判的
特性其實是由思想的本質決定的。有思想，就必然有批判；思想要
創新，社會要發展，人類要進化，都繞不過批判這個環節。只是由
於知識分子這種職業，批判性在他們身上顯得更加突出而已。

　　其次，人文關懷決定了知識分子的批判性。

　　從啟蒙運動開始的近現代文明的一個根本取向，就是把人作為
中心。人性、人道、人的自由、人的生命，進而公平、正義、民主
等等，都是人文關懷的基本議題。從人文關懷出發，知識分子對於
人與人之間的不容忍、戰爭與暴力以及國家對人的自由權利的限制
等現象往往持批評和保留態度，因而和現實中的國家、政府、制度
及其行為之間存在一定的矛盾。就像薩義德所說的，知識分子的行
為「根據的是普遍的原則：在涉及自由和正義時，全人類都有權期
望從世間權勢或國家中獲得正當的行為標準；必須勇敢地指證任何
有意無意地違反這些標準的行為。」[11]這裡提到的「勇敢」無疑是
指，知識分子在堅持自己的理念時，往往會和不認同的人群、特別
是掌握著國家機器和各種資源的政權發生衝突，這會給自己的生活
乃至生存帶來各種風險。真正的知識分子寧肯冒這些風險也依然堅
持真理，他們也因此被譽為「社會良知」和「社會的良心」。18世
紀法國啟蒙運動的代表人物伏爾泰，就因其對於啟蒙運動的卓越貢
獻，被譽為「歐洲的良心」。美國作家斯陀夫人也是典型一例：在
美國黑奴買賣制度猖獗之時，斯陀夫人寫成傳世名作《湯姆叔叔的
小屋》（舊譯黑奴籲天錄），深刻描述了黑奴們的悲慘境遇，揭露
黑奴買賣的不人道。南方奴隸主對她恨之入骨，百般攻擊。但斯陀

---

11 [美]愛德華‧W‧薩義德，《知識分子論》（北京：生活‧讀書‧
　　新知三聯書店，2002），頁17。

夫人不畏其險，始終堅持為解放黑奴疾聲呼籲。她的努力，對黑奴解放事業、人權運動和女權主義運動都有著不可磨滅的貢獻。

再次，社會責任決定了知識分子的批判性。

腦力勞動使知識分子能夠比其他人掌握更多的知識和資訊，在此基礎上對事物作出更有研究、更具說服力的判斷。也正因為這一點，知識分子提出的理論和主張要比一般人有更大的號召力。這使得知識分子有義務有責任對公共事務作出研判，協助公眾認清形勢，辨明前進的方向。在歷史發展的緊要關頭，知識分子更是要批判過去，思考未來，義無反顧地承擔起引導社會的責任。歐洲的文藝復興運動，殖民地國家的民族解放運動，都是最好的證明。在中國現代知識分子身上，這一點體現得尤為突出。新文化運動和五四運動即是由中國先進知識分子發起和領導的愛國救亡運動。它高舉「科學」和「民主」的旗幟，批判舊文化、舊制度，「反帝反封建」，成為中國結束千年帝制、走向共和的開端。文革十年動亂結束後的解放思想和改革開放，中國逐步接受市場經濟，事實上都離不開知識分子的批判性。

知識分子在政治體制中的基本功能，正是由這種批判性決定的。可以從三個方面來理解這一點。其一，如前所述，追求完美，追求更好，意味著對現實的批判。事實上，知識分子批評的內容遠不只是政府，而是社會政治經濟文化生活的方方面面無所不包。但是，國家和政府是掌握著巨大權力的主體，擔負著管理公共事務的主要責任，因而也就自然成為知識分子評頭論足的最主要的對象。知識分子往往充當著現行政策評判者和批評者的角色。

其二，歷史證明，對公權力的監督、批評和約束，是政治體制的可持續發展所不可或缺的。中國幾千年皇權專制，最大的特點就是皇權至高無上，不受約束，因而總是難以避免由盛而衰、周而復

始地改朝換代的歷史循環。但是，雖然缺乏權力約束和制衡的體制機制，開明的、有遠見的統治者往往懂得權力約束帶來的好處，有意發揮作為約束力量的士大夫階層的作用。典型者如諫官制度。中國秦漢以來一直實行官學合一，「學而優則仕」，所以「士」不是現代意義的知識分子，但諫官制度確實使士大夫有了某些現代知識分子的功能。其作用的大小、有無，取決於皇帝個人，卻和權力約束有直接的關聯，進而和王朝興衰有著直接的關聯。

其三，知識分子是現代國家權力監督功能的主要承載者。現代國家的一個基本特徵是，它有系統而強大的權力約束和監督機制。這個系統既包括公權力內部的分權、制衡和履責追責體系，也包括社會對公權力無所不在的監督，如政黨監督、公民和社會組織的監督、輿論監督等等。在這個龐大的監督系統的幾乎每個部分，知識分子都是監督功能的主要承載者，是其中起關鍵作用的、最積極最主動的那部分人。

當然，批判性並不意味著任何時候都在批評，更不是為批評而批評。常有的一種誤識是，知識分子似乎喜歡和公權力作對。其實，知識分子對公權力的批評，與其說是知識分子的偏好，不如說是公權力的性質使然。如薩義德所言：「這並不總是要成為政府政策的批評者，而是把知識分子的職責想成是時時維持警覺狀態，永遠不讓似是而非的事物或約定俗成的觀念帶著走。」[12]正是在這個意義上可以說，知識分子是現代國家治理的理所當然的組成部分，是保證國家權力受到監督的必不可少的制度性因素。

---

12 [美]愛德華・W・薩義德，《知識分子論》（北京：生活・讀書・新知三聯書店，2002），頁26。

二、知識分子的二元困境

知識分子的政治功能和所擔當的社會責任，理應使之有崇高的地位和聲譽。但是在現實中，對知識分子的評價卻是分裂的，並且還有裂痕越來越大的趨勢。

對知識分子持否定性評價者，美國學者湯瑪斯・索維爾可算是一個代表。在他看來，知識分子遠沒有人們想像得那麼高尚。

> 在20世紀，幾乎沒有一個濫殺無辜的獨裁者缺乏知識分子支持者；這些獨裁者不僅擁有自己國家內部的知識分子支持者，而且也擁有自己國家之外的民主國家內的知識分子支持者；因為在那些民主國家裡，人們可以自由表達其思想。在西方民主國家的知識分子中，史達林和希特勒都有各自的崇拜者、捍衛者和辯護者，儘管存在著這些事實：這些獨裁者中的每個人最終都以前所未有的規模屠殺過本國人民，更甚於之前的專制政權。[13]

索維爾甚至斷言：「要將哪些被知識分子搞砸了的事情（無論是我們時代的還是其他時代的）列舉出來，這毫不困難；然而，要將知識分子看作是社會利益的貢獻者卻是非常困難的。我們很難把知識分子這種理念生產者看作是為最廣泛的大眾帶來重大、長期的利益的人，他們所帶來的些許利益很難與其他智力職業中的人們所

---

13 [美]湯瑪斯・索維爾，《知識分子與社會》（北京：中信出版社，2013），頁4。

創造的利益等量齊觀，甚至也比不上一些世俗職業中的人們所創造出的利益。」「知識分子可能會真誠地相信他們自己所說的信念，但是那些信念的背後通常沒有什麼實質性內容，更重要的是那些信念也不會面臨任何驗證。」「在知識階層的影響下，我們這個社會已經變成這樣：以敬慕來回報那些違反了其自身規範、將社會攪亂成不和諧碎片的人。知識分子詆毀他們自己社會的歷史或現存缺陷，除此以外，他們還經常為自己所在的社會設定標準。但從來就沒有任何人類社會能夠滿足或者有可能會達致那些標準。」索維爾還有更尖刻的評論：「社會的不完美或無效率，很少能將一個國家毀滅。但是社會紐帶的瓦解、人民信心和忠誠的喪失，卻能夠將一個國家毀滅。知識分子在拆散社會紐帶、破壞人民的信心和忠誠方面，做出了極大的貢獻。」[14]這些觀點，把知識分子說得幾乎一無是處。這就難怪有人要把索維爾明確歸入反智主義了。

　　這些觀點是否有理，我們暫且不論。更重要的問題或許是，對知識分子為什麼會存在如此截然相反的看法。站在不同的立場、觀點和角度看問題，固然會得出很不一樣的結論，但究其根本，對知識分子的不同觀感，還是由知識分子本身固有的二元狀態決定的：就知識分子承擔的角色和責任而言，他們是人類對自身和所處環境之間的關係所進行的思考的主要承擔者，人們自然期許他們有超然於社會、超然於他們自身地位的獨立的思想；就每個知識分子個體而言，他們又都生活在特定的時代、特定的環境中，依附於社會，不可避免地會受到時代和環境的局限。正是這種應然和實然、超然性和局限性、獨立性和依附性的矛盾，造成了知識分子評價的強烈

---

14 [美]湯瑪斯・索維爾，《知識分子與社會》（北京：中信出版社，2013），頁357、359、366。

反差。

（一）關於知識分子的超然性

　　這裡所說的「超然」，既不是指知識分子不食人間煙火，對其他群體而言高高在上，也不是指他們的思想產品和哪個階層、群體也沒有關係，或是對任何人都適用，而是指，由思想的本質所決定，知識分子的思考不會畫地為牢、止於某一個階層或群體，而往往力圖超越所有群體，指向全社會乃至全人類，不管他們實際上身處何種境遇。知識分子要生產的不是一個階層、群體或集團的思想。他必須按照思想的規律來生產，儘管不可避免地受時代、地位、眼光局限，可能為其中一個群體所認同而得不到其他群體的支持，但著眼點仍然是全社會、全人類。這種超然性具體表現為：第一，它思考的問題是社會各群體普遍關心、超越個別群體和集團而涉及全社會全人類的問題；第二，它解決問題的方案不是只為哪一個階層或集團，而是力圖調和、平衡各方利益。當然，這種調和和平衡不是簡單地把各種利益相加之後得出一個平均數。哈耶克強調：「使思想獲得生命，是具有不同知識和不同見解的個人之間的相互作用。理性的成長就是一個以這種差異的存在為基礎的社會過程。」[15]他認為，這就是知識分子應當起的作用。

　　這種超然性，為絕大多數研究者所認可。開闢了知識社會學領域的德國社會學家曼海姆講到了這種超然性的來源。按照曼海姆的看法，政治應該是整體性的，即把社會的各個方方面面加以整合。「有效的綜合必須立足於一種政治地位，這種地位將構成這種意義

　　15　[英]哈耶克，《通往奴役之路》（北京：中國社會科學出版社，1997），
　　　　頁157。

上的漸進的發展，即它能保持和利用大量積累起來的文化成果和前
一階段的社會能量。」[16]什麼樣的政治利益集團會把著手解決綜合
問題作為己任？誰將致力於在社會上實現這種綜合？曼海姆的回答
是：「只能是一個相對不具有階級性的，沒有被太牢固地安排在社
會地位上的階層」。[17]這個不安定的、只有相對的階級性的階層，
就是知識分子。「這個階層在很大程度上不附屬於任何社會階級，
而且從日益廣泛的社會生活領域裡吸收成員」。[18]曼海姆認定，「知
識分子」是一個自由的游離的階層，是「自由漂浮的」、「非依附
性的」、以追求普遍的、公正的判斷和真理的特殊社會階層。他們
能夠擺脫其自身境遇的局限，達到一種非意識形態的近乎全面的認
識。曼海姆使用一系列詞彙來體現知識分子的這種超然性，如：社
會關懷；基於同情的社會良知謀劃；用他人的立場來看問題；超然
的觀察者；超利益衝突的社會同情；客觀的階級性；等等。

　　研究者考察知識分子問題各有不同的角度，但在超然性這一點
上，認識似乎大體一致。如馬克斯‧韋伯強調知識分子「無社會依
附」，是學院化的價值中立社會立場的學術工作者。英國社會學家
齊格蒙特‧鮑曼認為，知識分子經歷了一個從傳統社會下立法者到
現代性條件下僅僅承擔一種社會闡釋者的角色的轉變過程，他們的
社會責任感源自於一種獨特的世界觀，即這個世界由觀念構造並受
到觀念的統治，屈服於觀念的力量。這種類型的知識分子基本上可
以概括為「思想觀念性的精神群體」。美國學者李普塞特和巴蘇認
為，知識分子之所以往往對現體制採取批判態度，是因為他們「從

---

16 [德]卡爾‧曼海姆，《意識形態和烏托邦》（北京：商務印書館，
　　2000），頁157。
17 同上，頁157-158。
18 同上，頁159。

一種自命高明的，以為放之四海皆準的理想觀念出發」看問題。還
有一種觀點，以美國學者古德納為代表，認為知識分子是一個新階
級。但這個「新階級」是「自由主義」，強調自主性，主張將自己
置身於經濟和政治利益之外。他們擁護集體的或普遍的利益，相信
自己代表的是「社會整體」。[19]

　　我們不妨以黑格爾為例，來稍微深入地分析一下這種超然性。
眾所周知，黑格爾的學說長期被看作普魯士的國家哲學。如梅林所
說：「黑格爾把國家尊崇為倫理觀念的化身，尊崇為絕對合乎理性
的東西和絕對的目的本身。因此他認為國家對個人具有無上的權
威，而個人的最高義務則是成為國家的一員。這種國家學說極其適
合普魯士官僚的口味，因為它使追究『煽動者』這樣的罪惡行為也
蒙上了光彩。」[20]所以，把黑格爾的學說定位在「統治階級的學說」，
應當是沒有任何問題的。但是，正如馬克思指出的，這個學說中卻
包含著變革的內容。黑格爾思想的核心是絕對觀念，而不是普魯士
國家。在黑格爾看來，絕對觀念是整個世界的創造精神，而歷史事
件不過是絕對觀念的不同發展階段，是一個不斷形成著的、從低級
向高級發展的過程。這裡明確表達了這樣的含義：普魯士國家也非
一成不變，它同樣需要變革，需要從低級向高級發展。後來在黑格
爾學說下發展起來的青年黑格爾派，從青年黑格爾派中發展起來的
馬克思主義學說，都沿著這個思路深化了對普魯士專制制度的批
判。顯然，在黑格爾那裡，「絕對觀念」是超越普魯士統治階級的
更高的價值。所以梅林才強調，「黑格爾的哲學絕不是偽善的」，

19　周琪，《當代西方社會結構：理論與現狀》（北京：中國社會科學
　　出版社，1995），頁209。

20　[德]弗・梅林，《馬克思傳》（北京：人民出版社，1985），頁24。

「黑格爾的哲學和弗里德里希—威廉王朝之間的聯盟只是一種有利
害打算的婚姻」。[21]如果認定黑格爾學說就只是普魯士統治階級的
思想，其內含的否定只是由不能自圓其說帶來的矛盾，那就未免太
膚淺了。

　　超然性意味著超越階級性。其實，即使是比較強調階級性的馬
克思，也是看到了知識分子的這種超然性的。關於知識分子的作用，
馬克思特別強調，統治階級往往要把自己的思想描繪成具有普遍意
義的思想。這個階級中那些積極的、有概括能力的思想家，把編造
這一階級關於自身的幻想當作謀生的主要泉源。至於為什麼統治階
級要把自己的思想描繪成有普遍意義的思想，有一個理由馬克思講
得並不充分，那就是思想規律的要求。因為，一旦有了體力勞動和
腦力勞動的分工，思想成了一些人的職業，它便按照自己的邏輯發
展，從而突破階級局限對他們的約束。馬克思自己也是這樣說的：
「從這時候起，意識才能擺脫世界而去構造『純粹的』理論、神學、
哲學、道德等等。」[22]他發現，即使身為貴族也同樣如此。「一旦
貴族變成文化的載體，它在許多方面便會突破階級制約的意識的固
定性」。而分工更加普遍、更加徹底的資本主義階段更是毋庸置疑，
「直到資產階級上升時期，文化生活的水準才愈來愈脫離某一特定
的階級」。[23]當然，馬克思使用「編造」這個詞很容易使人產生誤
解，似乎知識分子的思想產品主觀上就是有目的地為他們所服務的
那個階級生產的，只是給他們穿上了「普遍性」的外衣而已。事實

21　同上。

22　馬克思，《德意志意識形態》，《馬克思恩格斯全集》第3卷（北
　　京：人民出版社，1960），頁35-36。

23　[德]卡爾・曼海姆，《意識形態和烏托邦》（北京：商務印書館，
　　2000），頁159。

可能相反，知識分子主觀上想為整個社會生產思想（只有這樣，他的身分才能得到認可），但客觀上由於各種局限（這一點後面還要談到），生產出的正好是統治階級需要的產品。無論如何，馬克思一方面指出了知識分子思想產品的實際局限性，另一方面，這又不妨礙他看到知識分子思想產品的超然性。放到這樣兩個維度中來理解為什麼知識分子作為勞動者會生產出統治階級的思想、為什麼統治階級的思想要採用「普遍性的形式」、為什麼「資產階級」知識分子會生產出和本階級對抗的無產階級的理論等問題，才能得到合乎邏輯的回答。

（二）關於知識分子身上應然和實然的矛盾

　　超然性體現知識分子的「應然」。但是，現實狀況卻與應然有相當的距離。如前所述，兩者之間的矛盾表現在：一方面，思維的邏輯和規律對知識分子有特定的要求（我們不妨稱之為行業的要求），否則的話，縱使這個「開放的邀請」的開放度很大，生產不出符合起碼要求產品的人也不一定得到接納；另一方面，知識分子是存在於現實中的活的個體，能夠做到的程度，實際上又會受到相當的限制。既有客觀環境的限制，又有自身學識、能力、思維方式等等的限制。

　　這種應然和實然、獨立性和依附性的矛盾，在現實生活中同時存在，並經常同時體現在同一個個體身上。正如曼海姆準確描述的那樣：知識分子「當然不是懸在沒有滲入社會利益的真空之中，相反，它包羅了社會生活中的所有利益。」[24]所以，在實踐中，知識分子往往會不自覺地站在對某個群體有利的立場上。當他們的產品

24　同上，頁160。

出現的時候，人們也會很自然地判定，他們的思想產品對哪個群體、階層或集團更有利。但是，正是這種對思想產品的群體性審視，促使知識分子和利益集團保持距離。一些人會力圖否認關於他們有特殊立場的指責，另一些人則會力圖證明，他們之所以站在特定階級和集團的立場上，是因為該立場不僅僅維護那個階級或集團，更代表全社會、至少是社會大多數的利益。社會也據此對他們作出評判：如果事實確實如他們所言，那麼即使人們對他們的立場和觀點有保留，他們也仍然被視為知識分子，或者說，他們依然保留著作為知識分子的信用；如果事實並非如此，那麼他們就要冒失去信用的風險。李普塞特將這種狀況概括為知識分子「自身的合法性危機」。

　　所以，可以這樣說：如果知識分子表現出某種階級偏向，那並非因為知識分子本質如此，而是因為客觀上他們難以超越時代的局限性。或者反過來說，是由於他們的思想和其他人一樣受時代和歷史的制約，而難以超越階級、真正站到全社會和全人類的立場上。眼界受限於特定的階級，這就是曼海姆所說的「客觀的階級性」和「相對的階級性」。知識分子的這種局限性不但不被人們看作正常，相反卻歷來是人們詬病的對象。薩義德尖銳抨擊道：「權勢對知識分子的收編和納入依然有效地將他們消音，而知識分子偏離行規的情形依然屢見不鮮。」[25]至於列寧所說的知識階層被收買或被豢養的情況，以及許多作家描寫的知識分子被金錢、名利所腐蝕的情況，在歷史上顯然也都並不少見。

　　論及知識分子這種局限性、依附性的原因，除了他們的個人經歷、涵養、品行和知識結構等起著決定作用之外，所處的文化環境和制度都有極大的影響。用馬克思的觀點講就是存在決定意識。研

25　同上，頁22。

究者揭示了其中的某些規律性。例如，人們發現，在前現代社會，知識分子比較明顯地依附於統治階級。其中的道理在於，在那個時代，經濟不夠發達，只有有閒階級才有從事腦力勞動的時間和財力。這時候的知識分子，確實是由統治階級養活的，因而也就會自覺不自覺地站在統治階級一邊。到了資本主義社會，勞動分工深化，腦力勞動的獨立性增強，知識分子職業的獨立性隨之增強，知識分子的超然性也就有了更多的體現。許多知識分子都對資本主義持批判態度，身在當時知識分子之列的馬克思恩格斯進而還創立了預見資本主義必然滅亡的學說。

　　對於知識分子生產的合乎自己口味的思想產品，統治階級出於需要，往往願意把它說成是全社會的產品，即努力強調其超然性而掩蓋其依附性的一面。對於這種狀況，馬克思採取了毫不留情地予以揭露的態度，屢屢指出知識分子思想產品的傾向性和對特定階級的依附性。這無疑有助於人們對事物的本質進行更加深入的思考。但這裡需要提出的問題是：馬克思的這種揭露，究竟是要提醒人們注意知識分子及其思想產品的局限性，還是要否認知識分子的超然性？這個問題很重要。對它的回答，涉及對思想產品性質的判斷。如果否認知識分子的超然性，那就意味著，他們進行思想生產本身就有很強的政治目的：維護統治階級利益，欺騙被統治階級。這樣的產品，性質是可疑的，生產該產品的知識分子的身分也是可疑的，把他們歸類到某個階級中完全正確。反過來，如果承認知識分子的超然性，則意味著在承認知識分子思想產品局限性的同時，不應該把他們簡單地劃歸某個階級。曼海姆對知識分子理論的一個重要貢獻，就是他把學說的相對性與學說的政治目的分離開來了。在曼海姆看來，馬克思在討論知識的社會功能時指出了知識的相對性：總是受一定歷史條件和環境的制約，具有意識形態的傾向性。但是，

由此來否定知識分子的超然性和他們思想的社會價值與普遍意義卻
是不對的。

遺憾的是，這恰恰是馬克思主義認識知識分子的立足點。它不
但影響了對知識分子的判斷，而且很大程度上影響了知識分子在中
國當下制度中的命運。

三、馬克思主義分析中的邏輯問題

知識分子作為一個事實上存在、人們也承認其存在的群體，和
其他階級是什麼關係？知識分子的應然—實然二元矛盾，不可迴避
地體現在這個問題上。我們前面闡述的知識分子的超然性，內在地
包括了知識分子超越其他階級之外的含義。但是人們可以舉出無數
的例子，來證明知識分子的立場和觀點其實往往和特定的階級或集
團相聯繫。弄清馬克思主義在這個問題上的觀點尤其重要，它相當
程度上影響了後來共產黨執政的國家對待知識分子的態度和政策。

按照相當數量的人都一直秉承的傳統觀點，這個問題似乎已有
定論：知識分子只是一個階層，不是一個獨立的階級。他們從事腦
力勞動，為不同的階級服務，因而有不同的階級屬性。然而，綜觀
馬克思關於知識分子的各種判斷、評價和論述，我們不難發現，問
題並非那麼簡單。

知識分子是腦力勞動和體力勞動分工的產物。知識分子作為腦
力勞動者也是生產者，思想是他們的產品。這是馬克思認識知
識分子問題的起點。馬克思指出：「資本主義生產方式的特點，
恰恰在於它把各種不同勞動、因而也把腦力勞動和體力勞動，
或者說，把以腦力勞動為主或者以體力勞動為主的各種勞動分

離開來，分配給不同的人。但是，這一點並不妨礙物質產品是所有這些人的共同勞動的產品，或者說，並不妨礙他們的共同勞動的產品體現在物質財富中；另一方面，這一分離也絲毫不妨礙，這些人中的每一個人對資本的關係是雇傭勞動者的關係，是在這個特定意義上的生產工人的關係。[26]

馬克思把資本主義生產過程中的生產管理人員、工程技術人員、做監督工作者，都列入「生產勞動者」：「有的人多用手工作，有的人多用腦工作，有的做管理者、工程師、工藝師等等的工作，有的做監督者的工作，有的人做直接手工勞動者的工作或者做十分簡單的粗工，於是勞動能力的愈來愈多的職能被列在生產勞動的直接概念下，這種勞動能力的擔負者也被列在生產勞動的直接概念下，這種勞動能力的擔負者也被列在生產勞動者的概念下。」[27]就是說，無論是具體的管理者、技術人員，還是籠統的知識分子，和雇傭工人比較，在受雇勞動這一點上並無區別，只是勞動的形式有區別而已。

既然都是勞動者，那麼，是不是都可以歸到「勞動階級」這一個概念之下？中國改革開放以後，有人依據馬克思的這個觀點，來論證「知識分子是工人階級的一部分」。但是，至少在馬克思那裡，不存在這樣的邏輯。相反，馬克思似乎證明，當時的知識分子屬於統治階級。從他的論述中，至少可以看到下面三層意思。

首先，思想作為產品，是每個階級都需要的。這些需要各不相

26　馬克思，《剩餘價值理論》，《馬克思恩格斯全集》第26卷第1分冊（北京：人民出版社，1972），頁444。

27　馬克思，《直接生產過程的結果》（北京：人民出版社，1964），頁100-101。

同，因此在腦力勞動和體力勞動分工的條件下，每個階級應該有自己的精神產品生產者。「現在，分工也以精神勞動和物質勞動的分工的形式出現在統治階級中間。因為在這個階級內部，一部分人是作為該階級的思想家出現的（他們是這一階級的積極的、有概括能力的思想家，他們把編造這一階級關於自身的幻想當作謀生的主要泉源），而另一些人對於這些思想和幻想則採取比較消極的態度，他們準備接受這些思想和幻想，因為實際上該階級的這些代表才是它的積極成員，所以他們很少有時間來編造關於自身的幻想和思想。」[28]這裡，「統治階級思想家」可以看作是馬克思對為統治階級服務的那部分知識分子階級屬性的概括。

其次，馬克思指出：「統治階級的思想在每一個時代都是占統治地位的思想。這就是說，一個階級是社會上占統治地位的物質力量，同時也是社會上占統治地位的精神力量。」[29]在馬克思看來，和其他產品一樣，精神產品的生產，同樣需要生產資料。由所有制狀況決定，精神生產資料和物質生產資料一樣，都掌握在統治階級的手中。「因此，那些沒有精神生產資料的人的思想，一般地是受統治階級支配的。占統治地位的思想不過是占統治地位的物質關係在觀念上的表現，不過是表現為思想的占統治地位的物質關係；因而，這就是那些使某一個階級成為統治階級的各種關係的表現，因而這也就是這個階級的統治的思想。」[30]知識分子在生產思想產品時，使用的是統治階級的生產資料，按照統治階級的要求來生產。既然如此，他們的思想產品也屬於統治階級範疇。

28　馬克思，《德意志意識形態》，《馬克思恩格斯全集》第3卷（北京：人民出版社，1960），頁53。
29　同上，頁52。
30　同上。

　　再次，這樣看來，被統治階級不但在社會經濟地位上處於被奴役、剝削、壓迫的狀態，在精神上同樣處在被剝奪被壓制的狀態。那麼，身處這種弱勢狀態，怎麼會有推翻統治階級的可能？馬克思斷定，在資本主義之前的奴隸社會和封建社會，知識分子基本上屬於佔有生產資料的統治階級，所以他沒有回答這個問題。對於資本主義社會這一段，他認為，資本主義生產方式把大多數知識分子變成了無產者，即資本主義生產方式把原來統治階級中的整個階層拋到無產階級隊伍裡去了，這當然也包括知識分子階層。馬克思特別提到資本主義社會的狀況：

> 在階級鬥爭接近決戰的時期，統治階級內部的、整個舊社會內部的瓦解過程，就達到非常激烈、非常尖銳的程度，甚至使得統治階級中的一小部分人脫離統治階級而歸附於革命的階級，即掌握著未來的階級。所以，正像過去貴族中有一部分人轉到資產階級方面一樣，現在資產階級中也有一部分人，特別是已經提高到從理論上認識整個歷史運動這一水準的一部分資產階級思想家，轉到無產階級方面來了。

　　在這裡，我們不知道馬克思是不是把自己的情況也算在裡面，但是如我們所知，列寧一直是把馬克思作為資產階級知識分子轉變為無產階級思想家的典型來看待的。「現代科學社會主義的創始人馬克思和恩格斯本人，按他們的社會地位來說，也是資產階級的知識分子。」[31]

31　列寧，《怎麼辦？》，《列寧選集》第1卷（北京：人民出版社，1972），頁247。

　　馬克思之後，以俄共為代表，所有後來的馬克思主義政黨都把馬克思的觀點解釋為：知識分子是依附在不同階級之上的階層，分屬於不同的階級。然而，對馬克思的原意作這樣的解讀，存在不少難以說清楚的問題。

　　第一，怎樣理解知識分子既作為勞動者、又可以作為剝削階級一分子的雙重身分？

　　馬克思用資本主義的生產方式看待意識形態的生產過程，把參與生產的知識分子稱為「腦力勞動者」。在人們的觀念中，勞動者是和不勞動者即剝削者相對而言。既然是腦力勞動者，自然應當歸類於勞動階級（如農民階級、工人階級）。從這個角度講，知識分子當屬勞動階級無誤。但是，他們生產出來的思想卻是各式各樣的，品種繁多。其中既有勞動階級的思想，也有像前面馬克思所說的剝削階級、統治階級的思想。這裡面就出現了一個問題：為什麼勞動者生產出來的思想，可以是剝削階級的思想？道理上講不通。

　　如果在承認腦力勞動者也是勞動者的同時，又不把他們歸入勞動階級，而要根據他們生產出來的思想來定性，那就意味著，他們的階級屬性不是由勞動者的身分決定的，而是由他們生產的產品性質決定的。即是說，確定知識分子屬於哪個階級，不能看他們是不是勞動者，而要看他們為誰生產。譬如，為資產階級生產思想，就是資產階級知識分子，為無產階級生產思想，就是無產階級知識分子。馬克思就使用了「資產階級思想家」這樣的概念。這樣一種認定階級屬性的方法看似有理，但又會帶來其他問題。首先，如果腦力勞動要回答為誰而生產，那麼，體力勞動同樣有為誰而生產的問題。如果腦力勞動者為哪個階級生產就屬於哪個階級，那麼，體力勞動者能不能作這樣的區分？顯然不能，否則，替資本家勞動的工人全部變成了資產階級，這是很荒唐的。但是，為什麼腦力勞動者

可以這樣定性，而體力勞動者不可以這樣定性，這裡面的道理，恐怕靠三兩句話已經很難說清了。其次，腦力勞動者生產的產品，固然可以用來為不同的階級服務，但是，也有相當數量的產品並不特定屬於每一個階級，而是屬於全人類。如果知識分子都只能依附於某個階級，那麼，生產全社會都適用的產品的知識分子依附於哪個階級？這個問題同樣不好回答。

第二，怎樣理解無產階級的思想和理論由資產階級知識分子來生產和創造？

我們再換一個角度來看。如果不以是否是勞動者來判定知識分子的階級屬性，而是理解為每個階級內部也有體力勞動和腦力勞動的分工，每個階級都有自己的腦力勞動者為本階級生產思想（如馬克思所說的，統治階級的思想家為統治階級「編造」自己的幻想和思想），那麼，在無產階級內部，理當有無產階級知識分子來從事理論創造。但是，無產階級既然「無產」，不佔有生產資料（既包括物質生產資料，也包括精神生產資料），它如何雇用腦力勞動者為自己生產？我們暫且不說無產階級能不能作為一個實體機構進行這種雇用，就算可以，和當時佔有全部政治經濟社會資源的統治階級相比，無產階級也始終處於絕對劣勢。從這個角度無法說明，無產階級如何生產出強大的、能最終戰勝非無產階級思想的思想，並幫助自己上升為統治階級。

所以，通常的解釋是，不是無產階級內部的知識分子生產了無產階級思想，而是資產階級知識分子承擔了這個使命。他們中的一些人（典型如馬克思恩格斯）在實踐鬥爭中完成了從唯心主義者向唯物主義者、從革命民主主義者向共產主義者的轉變，創立了無產階級解放學說。這個解釋作為經典寫進了我們的教科書。但是，就知識分子的階級屬性而言，其實這個說法也是很費解的。是不是說，

無產階級根本就沒有自己的知識分子，或者即使有，也無法生產無產階級自己的思想，反倒只有資產階級知識分子才能完成這個使命？或者再回到馬克思說的，只有資本主義生產方式把知識分子「整個階層」拋到了無產階級隊伍中，無產階級思想才由此得到了迅速發展？

第三，統治階級為什麼要把自身的幻想和思想編造成「普遍的形式」？

馬克思在闡述了「統治階級的思想在每一個時代都是占統治地位的思想」之後，接著指出，「占統治地位的將是愈來愈抽象的思想，即愈來愈具有普遍形式的思想」。馬克思從取得統治之前說起，來闡明這種現象的原因：「每一個企圖代替舊統治階級的地位的新階級，就是為了達到自己的目的而不得不把自己的利益說成是社會全體成員的共同利益，抽象地講，就是賦予自己的思想以普遍的形式，把它們描繪成唯一合理的、有普遍意義的思想。」[32]他從實踐和理論兩個方面進行了論證：在實踐上，進行革命的階級不是以一個階級的名義，而是作為全社會的代表反對唯一的統治階級。這時候他們的利益確實和其他所有非統治階級的共同利益多少有一點聯繫，況且他們還沒有發展出自己需要保護的特殊利益。在理論上，把自己的思想描述成一般的、具有普遍意義的思想，就很容易使人感到這些思想自古以來一直占著統治地位。這樣一來，用今天的話說就是，這些思想就被永恆化、神聖化了。馬克思舉了不少這方面的例子，如貴族統治時期占統治地位的是忠誠信義等觀念，資產階級統治時期占統治地位的是自由平等觀念等。

32 馬克思，《德意志意識形態》，《馬克思恩格斯全集》第3卷（北京：人民出版社，1960），頁53。

　　這裡面涉及的問題是：統治階級在上臺前為了贏得更多的支持，會對公共利益的實現作出承諾。如果統治階級僅僅是為了取得統治地位就對其他階級施以承諾，那麼，取得政權以後它是否兌現這種承諾？如果不打算兌現，就肯定有損信用，所付出的代價，是否值得它爽約？[33]馬克思的判斷是：這種衝突不可避免。「每一個新階級賴以建立自己統治的基礎，比它以前的統治階級所依賴的基礎要廣闊一些；可是後來，非統治階級和取得統治的階級之間的對立也發展得更尖銳和更深刻。這兩種情況，使得非統治階級反對新統治階級的鬥爭在否定舊社會制度方面，又比過去爭得統治的階級要更加堅決、更加激進。」[34]在這一點上，馬克思對階級鬥爭的判斷體現了他早期那種不妥協的精神，不相信統治階級會讓渡自己的利益換取統治的鞏固。不過，後來發展的事實有點出乎他們的意料：統治階級通過妥協、讓步，使資本主義的矛盾得以緩和，保持在不發生爆炸以致摧毀整個資本主義制度的界限內。正是根據這一事實，如我們所知，到了晚年，馬克思的思想有所改變。當然，在恩格斯那裡，這種改變更為明顯。

　　上述種種，都是一旦把知識分子階級屬性明確化就很容易陷進去的認識困境。馬克思力圖擺脫這種困境。所以，在《德意志意識形態》中，馬克思只是強調了，在考察歷史運動時不能把統治階級的思想和統治階級分割開來，並批判了試圖分割它們的企圖。他是要揭開問題的實質，拂去掩蓋在上面的那層煙霧。但他並未因此給知識分子的階級屬性下定論。在這個問題上，馬克思依然為人們留

33　同上，頁53。
34　同上。

下了很大的探索空間。因為有「統治階級思想家」的提法就斷定馬克思明確了知識分子的階級屬性，至少是簡單化的。不應該把這個提法視為馬克思對知識分子的定性，只是他看到了當時那些知識分子提出的思想、理論、觀念得到了統治階級的支持和認同，從而被統治階級所利用，如此而已。

四、列寧主義思想體系中的知識分子

直接給知識分子確定階級屬性的最重要的人物是列寧。他的觀點對後來執政的各國共產黨有極大的影響。但遺憾的是，列寧並未對他的觀點進行系統的論證。對上述我們提到的相關問題，他沒有作出有說服力的回答。

列寧把資本主義社會的知識分子基本上都歸入了資產階級知識分子的範疇。列寧得出這一結論的主要依據是：

> 知識分子接受的是資產階級社會的教育，從頭到腳浸透著資產階級的世界觀；其社會地位和生活方式是資產階級的。也就是說同產業工人相比，他們的社會地位較高，生活條件沒有那麼低下，從事的不是繁重的體力勞動而是腦力勞動，接近或在某些方面更像「體面的」上等人；他們不直接從事物質生產，沒有獨立的經濟地位，要生存就必然依附於某個有力量的階級。而在資本主義社會，只有經濟上和政治上占統治地位的資產階級才可能「豢養」他們；他們的政治思想、政治立場「代表著一般資產階級的利益」，「比較能夠反映整個資產階級的廣義

的根本利益」，等等。[35]

列寧也承認，「個別資本家以及個別知識分子是可能整個投身到無產階級的階級鬥爭中去的。在這種情況下，知識分子也就改變自己的性質」，但在他看來，那只是例外。[36]

從列寧的立論依據看，他對知識分子階級屬性的定位，既沒有按照馬克思的標準，也沒有按照他自己對階級的定義。從馬克思到列寧都十分明確地認為，階級是一個經濟範疇。馬克思說：「階級對立是建立在經濟基礎上的，是建立在迄今存在的物質生產方式和由這種方式所決定的交換關係上的。」[37]恩格斯也說：「社會階級在任何時候都是生產關係和交換關係的產物，一句話，都是自己時代的經濟關係的產物。」[38]列寧給階級下的定義是：「所謂階級，就是這樣一些大的集團，這些集團在歷史上一定的社會生產體系中所處的地位不同，同生產資料的關係（這種關係大部分是在法律中明文規定了的）不同，在社會勞動組織中所起的作用不同，因而取得歸自己支配的那部分社會財富的方式和多寡也不同。所謂階級，就是這樣一些集團，由於它們在一定社會經濟結構中所處的地位不同，其中一個集團能夠佔有另一個集團的勞動。」[39]

以階級劃分的標準，實際上是無法給知識分子定性的。因為列

---

35 楊鳳城，〈列寧的知識分子理論述論〉，《首都師範大學學報》（社會科學版）2005年第2期，頁43。

36 列寧，《進一步，退兩步》，《列寧全集》第8卷（北京：人民出版社，1995），頁322。

37 《馬克思恩格斯全集》第5卷（北京：人民出版社，1958），頁53。

38 《馬克思恩格斯選集》第3卷（北京：人民出版社，1995），頁739。

39 《列寧選集》第4卷（北京：人民出版社，1995），頁11。

寧也看到，用這個標準衡量，知識分子只是一種受雇傭的「勞動者」。
列寧承認：「知識分子和其他階級相比佔有獨特的地位，就他們的
社會關係、觀點等等來說，在某種程度上接近於資產階級；由於資
本主義逐漸愈來愈剝奪他們的獨立地位，把他們變成從屬的雇傭
者，使他們受到降低生活水準的威脅，這在某種程度上又使他們接
近於雇傭工人。」可惜的是，論述到此，列寧沒有繼續沿著這個思
路向前推論，回答為什麼知識分子不屬於勞動階級，而是把話峰轉
到了他們的思想狀態上。「這一社會階層的過渡的、不穩定的和矛
盾的地位的反映，就是在他們中間特別流行種種不徹底的、折衷主
義的觀點，種種對立原則和對立觀點的大雜燴，種種誇誇其談、玩
弄詞藻並用空話掩蓋歷史上形成的各居民集團之間的衝突的傾向。」
40從這裡可以看出，列寧承認知識分子具有雇傭勞動者的屬性，受
資本家的剝削，他們未來的命運正在同雇傭工人階級日益密切地聯
繫在一起。在這一點上，列寧的分析和馬克思一致。但是列寧強調
的是，由於知識分子的生活和社會地位還沒有達到或者「過渡到」
像產業工人那樣悲慘，所以，便在一系列問題上顯出折衷、調和的
特點。這個特點確實存在，但從這裡我們並不能作出知識分子是屬
於工人階級還是屬於資產階級的判斷。

　　對於其他相關的重大問題，列寧也未能給出明確的答案。例如，
無產階級的理論為什麼不能在無產階級內部產生？在布爾什維克黨
的初期建設階段，列寧曾尖銳批判不重視理論的經濟派，把向工人
階級進行理論「灌輸」作為黨的重要任務。他指出，「各國的歷史
都證明：工人階級單靠自己本身的力量，只能形成工聯主義的意識，
即必須結成工會、必須同廠主鬥爭、必須向政府爭取頒布工人所必

40　《列寧全集》第3卷（北京：人民出版社，2013），頁183-184。

要的某些法律等等的信念。而社會主義學說則是由有產階級的有教養的人即知識分子創造的哲學、歷史和經濟的理論中成長起來的。」[41]大概是當時社會主義學說已經存在的緣故，列寧沒有去論證為什麼工人階級單靠自己的力量不能產生這樣的學說，也沒有去回答為什麼社會主義學說要從資產階級知識分子創造的理論中成長出來，而只說「各國的歷史都證明」，而且用馬克思恩格斯做例子來論證。

　　列寧其實也感覺到很難用一個「資產階級思想」的概念來概括知識分子的全部思想。他能夠看到知識分子超越階級、從全社會角度去思考問題的努力，只是他通常以否定的態度看待這一點：「他們自視為整個社會的良知代表，抱持超階級的立場」，「有時還出於真誠的愚蠢把自己所處的跨階級地位奉為超階級政黨和超階級政策的原則」。[42]列寧對知識分子的否定性評價，可以放到當時的俄國政局中去理解。俄羅斯知識分子產生於變革的年代，是一個高度政治化的群體，而且按照對社會發展的不同認識和看法，組織在不同的社團裡。列寧要宣揚自己的主張，免不了要和他們進行激烈的論爭。把他們整體視為資產階級，多半有這種論爭的因素在起作用。十月革命勝利後相當一個時期，知識分子仍然對於布爾什維克政權採取不合作態度，更使列寧把知識分子視為敵人。儘管在當時可能有種種不得已的因素導致了這樣的結果，但鑒於它給後來馬克思主義政黨的活動帶來的巨大的影響，我們今天不能不重新審視列寧這些觀點的局限性。

　　列寧對知識分子的看法後來雖然有所改變，總體上說越是到他

41　列寧，《怎麼辦？》，《列寧選集》第1卷（北京：人民出版社，1972），頁247。

42　列寧，〈紀念葛伊甸伯爵〉，《列寧全集》第16卷（北京：人民出版社，1995），頁36。

生命晚期，情況越緩和，但對知識分子的定性卻沒有太大的變化。
例如他認為，對知識分子不能「依靠」，而是因為進入建設時期，
「不得不」「利用」他們，要讓他們在工人組織的監督下擔任他們
能勝任和熟悉的工作。「勝利了的無產階級要學會用資本主義的磚
頭建設共產主義，迫使資本主義的、資產階級的專家為我們工作」。
[43]「他們在資產階級社會裡為資產階級服務，……在無產階級社會
裡是會為我們服務的」。[44]「我們不能趕走和消滅資產階級知識分
子，我們應當戰勝他們，改造他們，重新陶冶和重新教育他們」。[45]
這些思想和認識，大概就是中國共產黨後來發明的「知識分子改造」
政策的理論淵源。

在馬克思主義一支，對知識分子問題的探討未止於列寧。列寧
之後在這個問題上獨樹一幟的是義大利共產黨領袖葛蘭西。葛蘭西
不僅被譽為「最近五十年中最有獨創性的馬克思主義思想家」[46]，
其思想成為後來盛行一時的「歐洲共產主義」思潮的一個重要的思
想源，而且在學界也獲得了很高的聲譽。

葛蘭西指出了在知識分子劃分標準問題上傳統認識的方法論錯
誤：「最普遍的方法上的錯誤便是在知識分子活動的本質上去尋求
區別的標準，而非從關係體系的整體中去尋找，這些活動（以及體
現這些活動的知識分子團體）正是以此在社會關係的總體中佔有一

43　《列寧選集》第3卷（北京：人民出版社，1995），頁482。

44　同上，頁768。

45　列寧，《共產主義運動中的「左派」幼稚病》，《列寧選集》第4
　　卷（北京：人民出版社，1972），頁266。

46　[英]戴維·麥克萊倫，《馬克思以後的馬克思主義》（北京：中
　　國社會科學出版社，1986），頁262。

席之地的。」[47]這裡所說的「活動的本質」，可以理解為活動的特性，即不同於其他階級、階層的活動方式，也就是腦力勞動。而這裡所說的「關係體系的整體」，應當是指知識分子與其他階級、階層的關係。在他看來，僅僅以腦力勞動這一點來給知識分子定位是錯誤的，應該聯繫他們和其他階級、階層的關係來認定他們。

那麼，葛蘭西怎樣認定這種關係？他首先引入了「社會—國家」的分析框架。葛蘭西認為，上層建築由兩個部分構成。一是市民社會，二是政治社會。市民社會即通常所說的「私人」組織的總和，政治社會則是指揮和強制機構，即政府，也即狹義的國家。要維持一個國家的統治，統治階級就必須設法把市民社會和政治社會結合起來。知識分子是組織市民社會的一個要素。像法國政治學家、社會學家迪韋爾熱指出的那樣，在葛蘭西那裡，「對市民社會的領導以及統治階級通過市民社會行使的領導權主要是由知識分子這個階層來承擔的。」[48]在葛蘭西看來，知識分子是社會結構和上層建築的仲介、市民社會的主角、領導權的主要行使者。他把能夠自覺認識並承擔這一使命的知識分子叫做「有機知識分子」：「每個新階級隨自身一道創造出來並在自身發展過程中加以完善的『有機的』知識分子，大多數都是新的階級佔優勢的新型社會中一些重要活動的『專業人員』。」[49]

葛蘭西的知識分子理論形成於十月革命後。結合時代背景來

47　[意]安東尼奧・葛蘭西，《獄中劄記》（北京：中國社會科學出版社，2000），頁3-4。

48　[法]莫里斯・迪韋爾熱，《政治社會學：政治學要素》（北京：華夏出版社，1987），頁241。

49　轉引自仰海峰，〈葛蘭西論知識分子與霸權的建構〉，《吉林大學社會科學學報》2006年第6期，頁91。

看，葛蘭西依循的仍然是馬克思主義的無產階級革命學說，因而不能不站在認同列寧學說的立場上。所以，他強調知識分子的階級屬性。他這樣看待知識分子的階級性：他們不構成一個階級，而是與不同階級有聯繫。「有些人與統治社會經濟基礎的階級聯結在一起，另一些人與過去的統治階級有聯繫，還有一些人與上升的階級聯結在一起。」[50]葛蘭西強調，知識分子「與最重要的社會集團有一定的關係」，並且受到統治集團廣泛的和複雜的雕琢，最後成為「統治集團的『職員』，履行社會領導和政治統治的下屬職能」。[51]從政治統治的角度，葛蘭西還指出，知識分子是執行著特殊社會職能的人，他們是「統治集團的『代理人』，所行使的是社會霸權和政治統治的下級職能」。[52]

然而，知識分子之所以能夠起到把市民社會和政治社會聯繫起來的作用，並不是因為他們有明確的階級屬性和堅定的階級立場。在葛蘭西看來，有機知識分子，即現代知識分子以知識的合理性為依託，反對權威，這種價值取向與現代經濟生活的取向相一致，並滲透到現代經濟生活中，其知識與現代經濟生活相一致。這是他們能夠獲得認同的基礎。葛蘭西認為，知識分子事實上一開始就面臨選擇：是不帶批判意識地去「思考」，即接受由外部環境所機械地「強加」的世界觀，還是有意識地、以批判的態度設計自己的世界

---

50 同上，頁241。

51 葛蘭西《獄中劄記》。轉引自馬斯泰羅內主編，《一個未完成的政治思索：葛蘭西的《獄中劄記》》（北京：社會科學文獻出版社，2000），頁165。

52 [意]安東尼奧‧葛蘭西，《獄中劄記》（北京：社會科學文獻出版社，2000），頁7。

觀並積極參與世界歷史的生產活動。[53]顯然，這裡面包含著一個前提，即：知識分子對於自己的思想朝什麼方面發展是有選擇權的。其原因在於，他們的使命「並不僅僅意味著個體取得『獨到的』發現，而且特別意味著以批判的態度傳播已經發現的真理，『使之社會化』，從而使之成為生活行為的基礎，成為協調的因素，精神和道德性的因素。」[54]在這裡，我們又看到了知識分子超越階級之外的那些特質：批判性，超然性，以及隱藏其後的思想形成規律。

所以，在葛蘭西的知識分子理論中，是包含了對知識分子的應然和實然、超越和局限、獨立性和依附性等等這些問題的認識的。這些認識，和列寧對知識分子的思考有若干不相同的地方。

第一，葛蘭西把知識分子看作一個整體，強調他們的整體作用，這種整體作用是那些與不同社會階級相聯繫的知識分子的思想、觀念和觀點相互滲透、相互影響的結果。通過這種相互作用，我們所說的超然性和局限性在宏觀層面實現了結合。葛蘭西認為，知識界與生產界之間是通過知識分子發揮作用的，知識分子處於整個社會的中間環節，充當著宣傳意識形態的主角地位。他還特別指出，「知識界與生產界之間的相互關係，決不是基本社會集團所具有的直接的相互關係；他們在各種程度上是全社會的『仲介』的結構，是上層建築的綜合，知識分子也就是上層建築的『活動家』。」[55]葛蘭西承認知識分子個體為不同的階級服務，但把知識分子整體定位在全社會的「仲介」上，這和列寧把知識分子整體看作資產階級就有很大的區別了。

---

53 [意]薩爾沃‧馬斯泰羅內主編，《一個未完成的政治思索：葛蘭西的《獄中劄記》》（北京：社會科學文獻出版社，2000），頁165。

54 同上，頁166。

55 同上，頁424。

　　第二，在社會與國家的互動中，他強調了統治階級通過知識分子的文化領導權，實施國家對社會的控制，以此突出上層建築的能動作用，並用來分析西方發達國家不能像蘇聯那樣發生社會主義革命的原因。但他也強調了，統治階級的意識形態之所以能得到被統治階級的認同，是因為統治階級在意識形態上吸收了被統治階級意識形態的內容。即是說，實踐中並非只是統治階級對社會的控制，還有被統治階級向統治階級提出自己的訴求而產生的壓力，兩者之間是有互動和博弈的。正是這種互動和博弈，使得統治階級不得不接受被統治階級的訴求。這就意味著，工人階級不但可以通過推翻資本主義制度達到自己的目標，而且在資本主義制度範圍內也可以積極爭取自己的利益和地位的改善。在這種情況下，階級矛盾雖然沒有被消除，但烈度是可控的，資本主義的滅亡不說遙遙無期，也被大大推後了。工人階級還可以通過知識分子，逐步建立自己的文化領導權，來實現自己的目的。

　　第三，按照葛蘭西的理論，知識分子是社會的中堅力量和領導力量。葛蘭西把知識分子定位在市民社會和政治社會的連接環節上，視為新社會的領導者和組織者，這意味著，葛蘭西是把知識分子當做整個國家政治體制的關鍵來看待的。「要是沒有知識分子，也就是說，沒有組織者和領導者，換句話說，沒有由於存在著一個『專門』從概念上和哲學上研究思想的集團，而從理論—實踐的關係中具體地區分出來的理論方面，也就不可能成為有組織的群體」。[56]在葛蘭西設想的未來社會和為實現未來社會鬥爭的過程中，知識分子都有非常高的地位。

---

56 [意]安東尼奧・葛蘭西，《獄中劄記》（北京：中國社會科學出版
　　社，2000），頁245。

和列寧的思想、尤其是經史達林解釋的列寧主義有區別的葛蘭西的思想，成為今天西方馬克思主義學派的重要思想來源之一。

五、中國知識分子的過去和現在

在對知識分子的認識上，中國共產黨接受的是列寧和蘇共的思路：強調知識分子的階級屬性，以階級分析方法評判知識分子的思想、觀點和行為。因此，雖然對知識分子的定性有過從最初的資產階級到當下的「工人階級一部分」的變化，但這些認識，都首先以給定的知識分子階級屬性為基礎，在確認知識分子只是一個階層而不是獨立階級的前提下，突出知識分子的被動依附性，認為他們是依附在不同的階級這些「皮」上的「毛」。無論是知識分子能在不同階級之間進行跨越的特點，或是我們前面所說的由思想規律決定的超然性，最終都被納入這個「皮毛說」的框架裡去加以解釋。這種思維定勢，對於中共處理和知識分子的關係問題，對於中國知識分子的命運，乃至對於整個國家的發展，都有著極其重大的影響。

其實，即使在古代，為全社會思考的那種超然性在中國知識分子身上還是體現得非常突出的。這裡所說的古代知識分子，是我們稱之為「士」的那部分人。學者余英時指出，雖然「士」和今天所說的知識分子不完全相同，「但是無可爭辯的，文化和思想的傳承與創新自始至終都是士的中心任務。」[57]「士」「必須深切地關懷國家、社會以至世界上一切有關公共利害之事，而且這種關懷又必須是超越於個人（包括個人所屬的小團體）的私利之上的。」在這

57　余英時，《士與中國文化》（上海：上海人民出版社，1987），〈自序〉，頁1。

一點上，「士」的特徵和現代知識分子完全一致。所以他認為，「如果根據西方的標準，『士』作為一個承擔文化使命的特殊階層，自始便在中國史上發揮著『知識分子』的功用。」[58]按照古人的概括，這些古代知識分子承擔「通古今，決然否」的責任，即「以道自任」。「道」是中國政治文化中一個非常重要的概念，代表中國的先哲們對天地人進行思考的最高成果。先秦三大學派儒、墨、道儘管各道其所道，但在代表「道」說話這一點上卻並無例外。「天下有道」，「道」就是他們價值判斷的依據。也正因為此，我們看到，中國歷史上最有「士」的精神的，是那些為了維護「道」而敢於「犯龍顏」的人。大儒家荀子就有「從道不從君」之論。當然，我們可以說，皇權專制條件下的「士」，本身依靠統治階級而生存，其所謂「道」實際上也不外乎皇權專制制度的秩序和道統，因而歸根結柢屬於統治階級。但很顯然，這裡說的是「士」的局限性。主觀而論，真正的「士」始終具有超然性，追求的是「道」的境界而非維護具體的「君」。這種「士志於道」的精神，也為後來的近現代知識分子所繼承。

正是「士」的這種「從道不從君」的傳統，使他們對現實能夠保持一種獨立批判的態度。我們知道，中國從秦以來的社會是皇權專制社會。從理論上講，國家是皇帝的個人財產，國家權力屬於皇帝，不受任何制約。但是，不受約束的權力太容易出錯，這是被歷史屢屢證明的。所以為長久計，那些比較清醒有理性的帝王往往希望有人出來約束一下權力。「士」這個階層的存在，補上了這個缺。「士」通常會以「道」和「理」為標，縱論大勢，評議政事，督促帝王守道遵理。客觀地看，「士」對皇權的監督，總是以帝王許可

58　同上，〈自序〉，頁2-3。

為前提，也意味著他可以隨時取消監督，所以並未改變制度本身的專制性質，但這大概已經是皇權專制社會下最力所能及的制度安排了。

把知識分子納入階級的思維定勢形成以後，直接的結果，就是知識分子的這種獨立性、批判性和超然性不斷被否定，知識分子對公權力的約束，轉而變成對知識分子的管束並一再得到強化。

毛澤東明確地把知識分子歸入資產階級。1952年6月，在審閱修改中共中央統戰部起草的《關於民主黨派工作的決定（草稿）》時，毛澤東將決定稿中的「中間階級、中間階層」提法改為「資產階級、城市上層小資產階級（即雇有少數幾個工人或店員的小資本家）、一部分從地主階級分化出來帶有資本主義色彩的分子以及和這些階級、階層相聯繫的知識分子」。1957年2月17日毛澤東在最高國務會議上講話，更加明確地強調，我國大多數知識分子屬於資產階級知識分子的範圍，並且在3月的中共全國宣傳工作會議上講了一番理由：「我們現在的大多數的知識分子，是從舊社會過來的，是從非勞動人民家庭出身的。有些人即使是出身於工人農民的家庭，但是在解放以前受的是資產階級教育，世界觀基本上是資產階級的，他們還是屬於資產階級的知識分子。」[59]

比較一下前面馬克思、列寧、葛蘭西等在知識分子階級屬性問題上的思考，毛澤東講到的理由，有兩點值得注意。第一，他提到了知識分子非勞動人民的「家庭出身」。儘管是順便帶過，但從後來的實踐看，「出身」無疑是他一直認為的給知識分子定性的指標之一。第二，最重要的是，他明確地把「世界觀」作為判定知識分子階級屬性的標準。當時作為黨的總書記的鄧小平也沿用了這個標

59　《毛澤東選集》第5卷（北京：人民出版社，1977），頁409。

準，並作了發揮：「世界觀的重要表現是為誰服務。一個人，如果愛我們社會主義祖國，自覺自願地為社會主義服務，為工農兵服務，應該說這表示他初步確立了無產階級世界觀。」[60]把世界觀作為給知識分子定性的標準，意味著可以根據知識分子的觀點，甚至可以根據其觀點對誰有利（即為誰服務），來判斷他屬於哪一個階級，這就客觀上為把知識分子整體打入另冊、為打擊所有對公權力有批評的人打開了方便之門。

黨內周恩來為代表的一些領導人意識到知識分子在國家建設中的重要作用，試圖對知識分子的社會政治地位加以肯定。1956年1月，中共中央專門召開知識分子問題會議，周恩來在會議的講話中明確表示，知識分子「已經是工人階級一部分」。他提出了兩個根據：一是，我國知識分子的絕大部分「已經成為國家工作人員，已經為社會主義服務」；二是，「政治上思想上知識界的面貌在過去六年來已經發生了根本的變化」。[61]這兩個根據，前一條落腳在「為社會主義服務」，引用的是前面毛澤東和鄧小平都說過的標準；後一條則顯然是想說明，中共1951年發起的知識分子思想改造是成功的，取得了實質性成果。然而，儘管周恩來是代表黨中央去作這個講話的，但從後來的情況看，關於知識分子是工人階級一部分的判斷並未得到毛澤東和黨內相當一部分人的認可。會後發表的《中共中央關於知識分子問題的指示》沒有寫進這一判斷，9月份召開的黨的八大，還恢復了「資產階級、小資產階級的知識分子」的提法。

1956年4月，中共號召知識分子幫助黨整風，以「大鳴大放」的

60　《鄧小平文選》第2卷（北京：人民出版社，1993），頁89。

61　龔育之，〈周恩來和建國以來黨的知識分子政策〉，《中共黨史研究》1998年第2期，頁4。

方式鼓勵他們向黨提意見。意見的激烈程度大出執政黨的意料之外。這種情況，觸動了黨內高層頭腦中的「階級鬥爭」那根弦。本來的提意見，旋即被判定為資產階級右派對共產黨的「猖狂進攻」，「整風運動」迅速變臉為「反右派運動」。根據官方的數字，在這場殘酷的運動中，55萬多人被打成「右派分子」。這樣的氛圍，把知識分子推回到「資產階級」的定位。1957年9月，中共中央召開八屆三中全會，對反右運動進行總結和評述。鄧小平在會上作的〈關於整風運動的報告〉對知識分子的性質作出了論斷：「就我國目前的情況來說，多數知識分子是資產階級和小資產階級出身的，所受的教育也是資產階級式的。所以為方便起見，同資產階級放在一起說。」其依據，和毛澤東前面的說法完全一致。報告全文後來發在1957年10月19日的《人民日報》上。和過去不同的是，右派的性質這時已升級為敵我矛盾，黨和知識分子的關係也被提升到階級鬥爭的高度來認識。例如，報告強調，「消滅資產階級的問題是社會主義革命的一個根本問題。資產階級，特別是它的知識分子，是現在可以同無產階級較量的主要力量。他們還有政治地位、政治資本和政治影響，而無產階級也需要他們的知識。但是如果他們不堅決進行社會主義改造，他們同無產階級的衝突是不可避免的。資產階級知識分子的唯一出路就是改造自己，為社會主義的經濟基礎服務」62。

　　此後，在知識分子問題上，中共黨內的觀點又有過一些反覆，但總體上沒有大的改觀。比較明顯地存在兩種傾向：一種傾向強調工農的優越性，自覺不自覺地把知識分子當做對應面來看待，不情願把知識分子看作和自己同階級的成員；另一種傾向著眼於國家建

62　鄧小平，〈關於整風運動的報告〉，《人民日報》1957年10月19日。

設的需要，希望給知識分子更高的地位和更多的信任。兩種傾向又
和政治上的左和右有著千絲萬縷的聯繫：在出現左的錯誤時，往往
同時也把知識分子當作異己力量；在政策出現所謂右擺的時候（其
實是從左的錯誤回歸理性，因為建國後實際上稱得上是路線性的右
的錯誤是不存在的），往往同時也意味著知識分子地位的改善。所
以，到上個世紀60年代，在大躍進和「共產風」給國家帶來嚴重危
害、促使執政黨進行反思的背景下，如何對待知識分子的問題又被
重新提起。1961年中共中央反思大躍進的教訓，開始進行調整，先
後制定並頒發了《工業七十條》、《科學十四條》、《高教六十條》
和《文藝八條》等，其中提到要糾正在對待知識、對待知識分子問
題上的片面認識。1961年6月，在文藝工作座談會和故事片創作會議
上，周恩來重申他1956年關於知識分子已經是工人階級一部分的結
論，並對當時對待知識分子的簡單粗暴現象進行了尖銳批評。1962
年3月初在廣州召開的一次會議上，周恩來、陳毅都明確提出要給知
識分子摘掉資產階級的帽子。在3月底的全國人大二屆三次會議上，
周恩來在經中央政治局討論同意的《政府工作報告》中強調：「知
識分子中的絕大多數，都是積極地為社會主義服務，接受中國共產
黨的領導，並且願意繼續進行自我改造的，毫無疑問，他們是屬於
勞動人民的知識分子。我們應該信任他們，關心他們，使他們很好
地為社會主義服務。如果還把他們看作是資產階級知識分子，顯然
是不對的。」[63]但是，黨內的不同聲音也很強，兩種意見之間顯然
發生了爭論。爭論到底有多激烈，沒有看到確切的文字材料，但還

63　龔育之，〈周恩來和建國以來黨的知識分子政策〉，《中共黨史研
　　究》1998年第2期，頁6。顯然是因為黨內有不同看法，這段話並未
　　被收錄到《周恩來選集》的有關篇目中。

是可以間接地感覺到。例如，周恩來在《政府工作報告》中用的是「勞動人民的知識分子」的概念，明顯是要避開使用「工人階級」可能會帶來的刺激。即使如此，這個提法也仍然沒有被反對者接受。遲至11月，周恩來還在一次中央書記處會議上說：「對知識分子，說我們提勞動人民的知識分子是沒階級分析，我是代表黨作報告的，是黨批准的，不是我一個人起草的，少奇在憲法報告上講過有工人階級知識分子，勞動人民知識分子，資產階級知識分子，我不認為我在廣州會議上講勞動人民知識分子有什麼錯誤。」[64]這句話的口氣，帶有很強的辯解和反駁的意味，說明連周恩來都不得不直接面對反對的聲音。尤其是，面對爭論，毛澤東用沉默的方式，表達了自己的保留態度。胡喬木後來這樣評述這段歷史：「黨中央對思想政治上的『左』傾觀點沒有做出徹底清理。周恩來、陳毅在廣州會議上關於知識分子問題的講話，在黨中央內部有少數人不同意甚至明確反對，在周恩來要求毛澤東對這個問題表示態度時，毛澤東竟沒有說話。這個情形是後來黨對知識分子、知識、文化、教育的政策再次出現大反覆的徵兆。」[65]這裡的「後來」，自然指的文革，它讓知識分子再度經歷了極其悲慘的遭遇。直到改革開放，對知識分子的迫害才停止下來，知識分子才重又回到了「工人階級的一部分」。

知識分子地位的任何改善，都值得充分肯定。把知識分子看作工人階級的一部分，對於知識分子的地位是一個很大的提升。但是，必須清醒地看到，無論把知識分子歸入哪個階級，都依然是對知識

---

64 薄一波，《若干重大決策和事件的回顧》下卷（北京：中央黨校出版社，1993），頁1007。

65 陳晉，《文人毛澤東》（上海：上海人民出版社，1997），頁500-501。

分子本質的壓抑。把知識分子歸類於資產階級，使他們成了改造的
對象，知識分子的獨立性、批判性、超然性幾近完全喪失，這一點
無需論證，歷史早已有證明。更需要指出的反倒是，即使把知識分
子歸為「工人階級的一部分」，得到的依然是同樣性質的結果。其
中的道理，其實也顯而易見。一方面，雖然成了「一部分」，但知
識分子既非可以和工人階級平起平坐的成員，更不是葛蘭西所說的
工人階級的領導者、組織者，而是依附者，需要不斷改造自己、脫
胎換骨，才能被接受和認可。在這裡，知識分子的身分是改造對象
（後來稱作「統戰」對象），而另一部分原來意義的工人階級，才
是改造的主體。這就是說，工人階級其實是分成改造者和被改造者
兩部分的。這樣，領導著工人階級的黨理所當然地要擔負起教育、
改造知識分子的使命。另一方面，在共產黨執政的條件下，獨立性、
批判性、超然性都不可避免地是對共產黨而言。這在理論上就更無
立足之地了。皇權專制社會的知識分子雖然依附於皇權，但尚可依
「道」而行其獨立性、批判性、超然性。但在社會主義體制下，執
政黨就是「道」的化身。服從這個「道」，知識分子才能生存下去。
這樣一來，獨立性、批判性和超然性也就再無法存在。如果在實踐
上繼續堅持知識分子的獨立性、批判性和超然性，就很容易被等同
於挑戰黨的執政地位。當然，不能說對權力的批評和監督就完全消
失了。批評和監督仍然存在，但不能不承認，這種批評和監督只是
被允許被批准的行為，即缺乏功能性，更缺乏制度保證。

　　中共執政以來屢屢遭遇挫折，一個最為關鍵的原因是權力缺乏
監督和約束。而知識分子由於長期處於被壓抑狀態造成的缺位，又
是關鍵中的關鍵。這是歷史留給我們的最應該汲取的教訓之一。

簡短的結論

通過以上從政治學角度對知識分子問題的反思，不難得出結論：讓知識分子回歸應有的地位，重新擔起應有的責任，使之確實成為當下國家治理的多元主體之一，對國家政治社會建設具有重大意義，是國家治理現代化的一個重大主題。為此：
——需要重新確認知識分子的主體。

思想的生產和意識形態直接相關聯，因而在出現對知識分子的壓制和管制時，社會科學領域的知識分子往往首當其衝。於是，幾十年下來形成的局面是，一方面，知識分子的概念被泛化到腦力勞動者的範疇，進而被泛化到文藝工作者的範疇，使人們誤以為知識分子就是識字的、文化程度比較高一些的人，就是掌握著科學技術的人，就是文字工作者，知識分子的人文情懷和社會責任被大大淡化。能自覺承擔社會責任、有人文情懷的知識分子反倒在人們眼裡成了社會的另類。另一方面，社會科學領域的知識分子為了降低生存風險，主動去批判性而強化依附性，與公權力和既得利益聯姻，自貶功能，放棄應有的社會政治責任。自貶的後果是，人們講到提高知識分子的地位、發揮他們的作用，往往更多指的是自然科學及相關的技術工作者，或者最多擴大到文藝工作者，指的是為他們創造更好的工作環境和生活環境。普遍看到的是，對自然科學領域的知識分子認知度較高，對人文科學知識分子的認知度較低，甚至對文化藝術工作者的認同也要高於對哲學社會科學領域知識分子的認同。這些已成為中國特有的文化病徵。

不應當把知識分子和腦力勞動者完全混同。知識分子是腦力勞動者，但不是腦力勞動者都可以稱為知識分子。特別是科學技術日

新月異、社會管理日益精細的今天，許多人，例如技工、職員、公
務員等等，都可以是腦力勞動者，但嚴格說來並不屬於知識分子範
疇，更非知識分子的主體。知識分子是指腦力勞動者中那些積極介
入社會公共事務、具有深切的人文關懷、勇於承擔社會責任的群體。
一句話，知識分子應當是人類價值的守護者。提高知識分子的社會
地位，發揮知識分子的社會作用，首先應當是發揮這個群體的社會
政治功能。

　　——從觀念上制度上維護知識分子的獨立性、批判性、超然性。

　　思想的獨立性、批判性、超然性，是知識分子區別於其他人、
特別是區別於其他腦力勞動者的本質特徵。如前所述，這裡所說的
獨立性，並非要求知識分子必須與眾不同，而是保持獨立思考的能
力；這裡所說的批判性，也並非要求知識分子任何時候任何情況下
都持批評態度，甚至為批評而批評，而是以自己的專業性形成洞見，
用以對實踐和探索作出判斷；這裡所說的超然性，更不是要求知識
分子脫離實際，而是充當社會良心，努力從全社會和全人類的角度，
尋求能使最多人受益的發展方向與解決問題的答案。

　　保證知識分子思想的獨立性、批判性和超然性，既包括觀念的
轉變，也包括制度安排。從觀念上看，縱觀我國幾十年歷史，對知
識分子階層最具摧毀力的是革命黨思維。革命黨思維是俄共模式與
中國武裝鬥爭模式的合成物，為在殘酷的暴力革命階段奪權成功發
揮了極其重要的作用。但在執政後，這種思維隨之也變成了執政黨
思考問題的習慣方式。革命黨思維模式的典型特徵就是用非對即
錯、非此即彼的二分法看待事物，追求思想的獨斷性、排他性，與
知識分子思想的獨立性、批判性、超然性恰恰是不相容的。所以，
在革命黨思維模式下，執政黨提出唯一正確的思想之後，知識分子
只能作出二者居一的選擇：要麼放棄獨立性、批判性和超然性，表

示順從，同時也就意味著放棄責任，客觀結果是喪失知識分子本質；要麼堅守本質，客觀結果是與公權力對抗。這是幾十年知識分子悲慘命運的終極根源。放棄革命黨思維，就是認可知識分子的作用，接受他們對公權力的獨立評判。唯此，把權力關進籠子才會有現實可能。

從制度著眼，就是要為知識分子的獨立性、批判性和超然性提供制度的保證。知識分子的局限性，一方面是由他們的能力、水準、眼界所致，另一方面由制度決定。腦力勞動者若受雇於軍閥，他當然要竭力謀劃如何讓軍閥多打勝仗；若受雇於資本家，當然資本家只希望他生產資本家喜歡的思想產品。現代知識分子之所以能在資本主義制度下產生和發展，皆因為對人才的需求促進了教育事業的發展，大量的學校和研究機構成了知識分子聚集之地。現代民主國家的成功之處，就在於國家和社會為知識分子提供了這樣的空間。在制度設計上給知識分子留下足夠的空間，使他們的思想和行為只受憲法法律的約束，才能使知識分子的功能得到最大限度的發揮。

——**開放思想市場，涵養良好的政治生態。**

和知識分子的思想具有獨立性、批判性、超然性一樣，每個時代、每個知識分子個體都有自己的局限性。如前所述，這種局限性是造成知識分子身上應然和實然矛盾的原因：主觀上為全社會，實際效果卻可能是損害了多數的利益；本應為人類，實際上可能只對其中少數人有利；應該是獨立的超越階級的思想，實際上卻對某個階級表現了明顯的依附。更不用說，還有相當一部分純粹為私利而無公心的腦力勞動者混跡知識分子之中。也正因為存在這些問題，知識分子角色往往免不了為人們所詬病。本文無意為美化、拔高知識分子形象而刻意迴避這些局限。恰恰相反，在筆者看來，由於種種可以言說和不可以言說的原因，目前的中國知識分子正是局限性

暴露得最為徹底的時期，和他們應當擔起的責任之間有相當大的差距。

　　但是，無數實踐證明，為消除知識分子的局限性，由某些權力機構劃定標準來判斷哪些思想正確、哪些思想錯誤，哪些思想應當弘揚、普及，哪些思想應當限制、取締，是一條走不通的死路。如果公權力成了思想的裁決者，那麼，接下來就是一個無解的問題：權力機構是否正確又由誰來決斷？所以，能夠得到人們普遍認可的思想，只能在不同觀點、不同角度、不同思路的相互碰撞中，通過逐步吸收來自其他思想的營養，才能產生出來。也就是說，思想的問題，要靠思想市場的繁榮來解決。應當讓思想按照自身發展的規律去淘汰不合時宜的觀念、觀點和主張，消除其局限性、降低其依附性。一如商品靠通過健康的市場競爭提高品質，思想的品質，同樣需要在思想之間的攻防論辯中得到發展和完善。

　　王長江，中共中央黨校原一級教授，深圳創新發展研究院資深研究員。專於政黨比較和中共黨建問題研究，長期從事中共高級幹部的培訓。對中共改革中若干重要黨內文件的起草亦有參與。撰有《政黨論》、《政黨現代化論》、《蘇共：一個大黨衰落的啓示》、《現代政黨執政規律研究》、《政黨的危機》等專著。

中國社會主義與「清真」飲食[1]

忽思慧、李舵

我不吃豬肉，不僅因為我不願離開我的回回族，而且因為我願意盡力作漢回關係的調劑人……我們漢回民眾和漢回同志們的主要問題，不是吃不吃豬肉的問題，而是如何達到共同革命、共同解放的道路。

——1926年5月，馬駿在莫斯科中山大學答疑

自2017年以來，「清真泛化」逐漸成為中國網路輿論熱議的話題，而「強迫回民養豬」也隨之逐漸成為人們對於文革乃至人民共和國前三十年在清真飲食問題上的最大印象。如果說在以前，這種敘事是用少數民族真實的創傷記憶服務於「改革共識」的話，那麼在今天，它卻獲得了另一種「顛覆性」的解讀——對於部分使用「左」話語的漢民族主義者而言，反「清真」正是文化大革命最大的乃至

1　我們認為，在漢語語境中，「清真」並非完全對應伊斯蘭教法意義上的「哈倆裏」，在不同地區、社區、教派和个人的宗教實踐中，以及在不同時期和輿論環境中，「清真」的所指其實一直是移動的。但在本文所矚目的中國大陸計劃經濟時代，該詞更多地還是用來描述一種來自穆斯林文化背景的飲食習慣。本文暫不對「清真」話語脈絡做進一步的分析和探討，但仍需提示上述背景。

唯一的「功績」，「回民養豬」乃是值得發揚的正面經驗，進而在這一意義上懷念所謂「對回強硬」的毛時代……然而，在這種討論中被人忽視的是，廣泛存在於各個單位的清真食堂，正是作為社會主義制度的一部分，在建國後的幾十年中逐漸建立起來的。即使在極「左」年代裡，尊重回民飲食風俗也依然享有「民族團結」的政治正確地位。「清真」在計劃經濟時代的多樣性存在，實際上並沒有進入今天主流輿論的視野。

因而，筆者希望通過報刊、公開出版的書籍和檔案等史料，來梳理計劃經濟時代社會主義與「清真」的交集，從而釐正流行敘事的舛誤，促進相關討論往更具建設性的方向發展。當然，就這一主題而言，無論是本文所依據的材料的廣度，還是對這些材料加以分析探討的深度，都是遠遠不足的。但這種「初探」式的研究仍然有其拋磚引玉的意義——在民粹主義和國家主義意識形態日趨高漲的背景下，重要的是啟發今天的當事者認識多重面相的社會主義經驗，從而可能在重溯過去中找到新的行動抓手。

一、中國革命、回回民族問題與清真飲食

要理解社會主義與清真飲食習慣的關係，必須回溯革命戰爭年代中共的認識、制度和實踐以及作為中國革命一部分的「回回民族問題」。其中存在兩條線索，一是早期回族共產主義者作為個人對清真飲食習慣的態度，二是長征後中共接觸和動員西北廣大回民的經驗。

早在五四運動時，馬駿、郭隆真、劉清揚等回族青年就與周恩來、鄧穎超一起活動，後來都加入了新生的中國共產黨。此外，中共建黨之後，也吸收了一批回族成員，如1922年入團、1926年入黨的劉格平。他們共同構成了中共黨內最早的一批回族共產主義者。

他們對自身民族身分和風俗習慣的思考，代表了中共在這一方面最初的探索。馬駿在莫斯科中山大學學習時，曾有一段關於回民飲食習慣的自白。1926年五一節前後，當有人詢問馬駿為什麼不吃豬肉時，他作了這番回答：

> 我是共產黨員──馬克思列寧的科學的社會主義者，我當然記得，──而且深刻懂得和相信馬克思講的一句名言：「宗教是人民的鴉片」，但同時，正因為我是馬克思列寧主義者，所以我也特別懂得宗教在人民中的深遠傳統和習慣力量⋯⋯我是回族人，我特別懂得在回族民眾中開始共產主義運動的困難，尤其是非回族人去進行這個運動的困難，因此，我願意留在回族內部去進行革命運動；但同時，我雖是回族人，但我卻沒有任何狹隘的民族偏見，我對漢族人民抱有深刻的認識和同情，我相信漢回民族在共產黨領導之下，一定能親密合作，共同奮鬥，所以我相信同志們也不會因為我不吃豬肉而把我看外⋯⋯總而言之，我們漢回民眾和漢回同志們相互間的主要問題，不是吃不吃豬肉的問題，而是如何達到相互了解、相互相信和相互親敬，以便達到共同革命和共同解放的道路⋯⋯

據王明記述，馬駿的回答給在場的人都留下了深刻印象，「不僅提高了大家研究中國民族問題的興趣，而且增加了大家解決中國民族問題的信心」。[2]從他的話可看出，馬駿對作為中國革命前途一

2　陳紹禹（王明），〈紀念我們的回族烈士馬駿同志〉，載河北省民政廳編，《河北革命烈士史料》第一集（石家莊：河北人民出版社，1959），頁42。原載《烈士傳》第一集，1936年莫斯科版。

部分的回族問題已經有了成熟的、理論化的思考，他是有意識地保留飲食習慣，為日後發動回民參加革命做準備。可惜的是，不到兩年後，馬駿即犧牲在張作霖的屠刀下，未能目睹「回漢各民族共同的革命」勝利的那一天。

　　除了馬駿之外，一些漢族共產主義者在大革命時期也表現出對清真的認知和尊重，其中就包括毛澤東。據在廣州農民運動講習所接受過培訓的王首道回憶，1926年5月至9月，毛澤東在主持農講所期間，曾親自照管學員們的伙食。為了照顧少數民族學員的飲食習慣，伙食除分為吃麵食和吃大米的兩組外，還專門設有供回民學員用餐的桌席。[3]在上世紀六十年代，農講所舊址還陳列著當年回民學員就餐的飯桌，這在中外參觀者的記述中都有反映。[4]

　　當然，相對於黨員個人的認識，塑造中共回民政策更關鍵的過

3　王首道，〈革命的搖籃———回憶廣州農民運動講習所〉，中共廣東省委黨史研究委員會辦公室、毛澤東同志主辦農民運動講習所舊址紀念館編，《廣州農民運動講習所文獻資料》（1983），頁300，原載《中國青年報》1961年6月29日。又，據高布澤博回憶：「毛主席對我倆少數民族同學和民族地區的工作是很關懷的，為了照顧我們不愛吃米的習慣，特別設一個麵食灶，多給我們吃些麵粉，有時還叫熬一些小豆粥給我們吃」，如是則農講所供應麵食除了方便北方漢族之外，也與尊重少數民族有關，見高布澤博〈憶「農民運動講習所」的學習生活〉，《民族團結》，1962，第7期。

4　見中國科學院民族研究所寧夏少數民族社會歷史調查組編，《回族簡史簡志合編》（初稿），中國科學院民族研究所印（1963），頁63：「在廣州毛主席舉辦的農民講習所裡，就有從華北、西北來的回族學員，至今在農民講習所舊址的飯堂中還陳列著專為回族學員而設的兩張飯桌。」日本人龜井勝一郎著《北京的星星》（北京：作家出版社，1964，頁21）記述道：「後面緊接著是膳堂，還為少數民族擺了專桌，單作飯菜。當時，教員和學員都在這裡同吃同住，進行學習。」

程還是中共與回族大眾、尤其是居住最集中的西北回民的接觸。早
在大革命時期，1926年11月《國民軍中工作方針》中，中共即提出
注意提醒馮玉祥部「馮軍在甘肅，對回民須有適當的政策」。[5]不過
這裡未具體提到回民飲食習慣。九年後，隨著長征紅軍到達西北，
中共自己也開始面臨與聚居區回民直接打交道的問題。1935年×月
19日《中國工農紅軍總政治部關於爭取少數民族的指示》指出，必
須要讓全體戰士注意「絕對遵從少數民族群眾的宗教、風俗、習慣，
並將這些習慣向戰士說明（如回教不吃豬肉，夷民的男女授受不親，
黑夷之敬重灶君，等等）」，[6]這是「尊重回教不吃豬肉」第一次出
現在中共正式文件當中。到1936年5月，紅軍已經形成了包括「禁止
吃大葷」在內的「對回民之三大禁條、四大注意」。[7]1936年6月8
日《毛澤東、周恩來、楊尚昆關乎回民工作給一、十五軍團的指示》
更是明確指出「回民新戰士成立單獨伙食單位稱回民抗日軍」，[8]這

5　《國民軍中工作方針》，1926年11月3日，「馮軍在甘肅，對回民
　　須有適當的政策，不損害這少數民族在政治上、經濟上的生存權
　　利，使他們樂意幫助馮軍，至少也要使他們不為吳、張利用。」（在
　　〈中共中央關於西北軍工作給劉伯堅的信〉、〈聽了喬同志報告後
　　的結論〉中有類似內容）載《民族問題文獻彙編》（北京：中共中
　　央黨校出版社，1991），頁46。

6　《中國工農紅軍總政治部關於爭取少數民族的指示》，1935年×月
　　19日（原始月份不詳，編者認為從內容判斷約在1935年6月左右），
　　《民族問題文獻彙編》，頁339。

7　《中國工農紅軍總政治部關於回民工作的指示》，1936年5月24日，
　　「從回民中擴大的紅軍新戰士必須適應他們的生活習慣，一開始即
　　成立單獨的編制」，所附「對回民之三大禁條、四大注意」包括「禁
　　止吃大葷（原文作大暈）」、「不准亂用回民器具」，《民族問題
　　文獻彙編》，頁363、365。

8　〈毛澤東、周恩來、楊尚昆關乎回民工作給一、十五軍團的指示〉，
　　1936年6月8日，《民族問題文獻彙編》，頁330。

可算作是人民軍隊中專設立回民灶的起源。

　　在正確民族政策的幫助下，紅軍與西北回族民眾建立了親密的關係，這在斯諾《西行漫記》的「穆斯林和馬克思主義者」一章中有生動的記述：戰士們在回民區要遵守以下守則：不得在回民前面罵「豬」或「狗」；問他們為什麼不吃豬肉；叫回民是「小教」，叫漢人是「大教」等等。斯諾觀察到，「他們小心翼翼尊重伊斯蘭教風俗習慣的政策即使在最多疑的農民和阿訇中間也留下了印象」，而這種小心翼翼的尊重無疑有助於階級革命目標的實現，即「在戰士中間，有些歷史上的民族宿怨看來已經克服，或者說正在逐步蛻化為階級仇恨。」

　　在抗日戰爭時期，中共延續了尊重清真的政策並有所發展。在華北地區的各個回民支隊中，都嚴格執行尊重回族風俗的政策，乃至曾有「你到回民支隊去工作，不吃豬肉就是黨性」的說法。[9]在延安至少有兩處回民食堂：一處位於「青年文化溝」（大砭溝）的溝口，1940年10月和延安清真寺同時落成，向延安全體居民開放。[10]這所食堂因為菜肴可口，富有特色，在當時的延安很受歡迎，成為與

9　1941年11月，當時冀魯邊區軍區政委周貫武同志對即將赴任回民支隊副政治委員兼政治部主任的漢族幹部劉濟民說：「……由於舊中國封建社會中大漢族主義的影響，回漢兩族隔閡較深，尊重少數民族的風俗習慣，貫徹民族政策是一個相當重要的問題。你到回民支隊去工作，不吃豬肉就是黨性。」見趙慧，〈渤海回民支隊對抗日戰爭的貢獻〉，《山東師大學報（社會科學版）》，1997年第3期。

10　劉春，〈延安的少數民族工作〉，載徐桂生主編，內蒙古延安大學暨延安民族學院校友會，內蒙古延安精神研究會編，《中國共產黨建黨九十周年紀念文集》（呼和浩特：遠方出版社，2011），頁40。又，詩人柯仲平曾在延安回民食堂請塞克、瑪莎（陳克辛）夫婦吃牛肉，見程雲，〈多情常被多情惱——塞克與他的「嬌妻」瑪莎〉，《程雲文集》第二卷（武漢：武漢出版社，2000），頁86。

西北菜社、青年食堂齊名的「下館子」的好去處。故李木庵《延安新竹枝詞》（1942年）有云「羊羹泡饃更經濟，要數清真小食堂」。另一處是延安民族學院中的回民食堂，是供給制體系下為了照顧少數民族而設的。[11]這個回民食堂雖然相對簡陋，但作為中共在「單位」內較早建立的清真食堂，代表著此後「革命」與「清真」結合更普遍的方向。

　　抗戰結束後，中共在與國民黨展開軍事對抗的同時，也進一步加強了「民族團結」政治的貫徹，其中就包括回民灶。1946年5月18日《中共中央華東局關於回民工作指示》裡說「凡有回民幹部和戰士，在一定條件下，盡可能抽出集中，作為各戰略區發展回民支隊的骨幹……在回民支隊中，一切按照回民生活習慣……在回民幹部中，應加強階級教育，消除其狹隘民族思想。對漢民幹部應消除其大漢族主義，歧視回民和譏笑其生活習慣」。[12]1947年9月7日《中共中央東北局關於回民問題的通知》規定：「尊重回民風俗習慣，不得有侮辱鄙視回民之行動」、「在有回民的學校內（如軍大、醫大、東大等），盡量設法為他們開辦單獨伙食。」[13]

　　值得指出的是，這種對回民飲食風俗的尊重不是單向的，而是為了在共同的革命目標面前塑造相互包容、相互尊重的民族關係。

11　「為了照顧少數民族的生活習慣，學校共設了兩個食堂，一個漢民食堂，一個回民食堂。吃的是一日三餐小米飯，早晨吃小米稀飯沒有菜。中午和下午是小米乾飯，一組一小盆稀湯菜。遇到節日，可以吃到蕎麥麵團，有時可吃上饅頭」，見江長錄整理，《高克林回憶錄》（呼和浩特：內蒙古人民出版社，1987），頁115。

12　《中共中央華東局關於回民工作指示》，1946年5月18日，《民族問題文獻彙編》，頁1050。

13　《中共中央東北局關於回民問題的通知》，1947年9月7日，《民族問題文獻彙編》，頁1130。

例如，抗日戰爭時期，曾有一個不明回族禁忌的漢族老太太感念馬本齋領軍抗日對老百姓的貢獻，堅持要給馬本齋送一頭小豬。馬本齋欣然接受了這頭小豬，然後將其轉送給了兄弟部隊的漢族傷病員。1941年春節時，渤海回民支隊為躲避日偽偷襲故意在漢族村莊駐紮，部分戰士聞不得豬肉味，產生不滿情緒，最後被支隊長劉震寰、政委王連芳用軍事勝利說服。事後，王連芳借此教育大家「真正認識了遵守自己民族生活習慣與維護回族解放根本利益的關係，懂得回民支隊不僅真正尊重民族風俗習慣，而且是真正為保衛民族和祖國生存而戰的革命戰士」。[14]

另外，中共的這一政策不僅是光對待回族，還施之於其他信教邊疆少數民族。中共黨員胡鑒，是西路軍到達新疆的少數倖存者之一。1938年，他被盛世才任命為蒲犁邊卡大隊大隊長。當時的邊卡大隊軍紀渙散，隊伍中漢族官兵歧視少數民族士兵。胡鑒針對這種現象大力整頓。為了尊重塔吉克族和維吾爾族士兵的生活習慣，他還專門開設了一個清真食堂。1938年，中共黨員李雲揚受黨派遣赴新疆擔任迪化第一中學校長，該校也設有清真食堂。李雲揚常常在少數民族同學在食堂吃晚飯後，教他們唱抗日愛國歌曲。[15]

總之，從三十年代中期起，中共已經形成了對「清真」習俗的固定認識和政策：第一，尊重回族群眾的飲食風俗；第二，在軍隊

14　馬本齋收小豬事見馬國超，〈母子兩代英雄——回憶父親馬本齋和祖母馬老太太〉，《民族團結》1979年第6期，頁31；渤海回民支隊事見王連芳，〈戰鬥中的渤海回民支隊〉，載汪新主編，《烽火憶抗戰》（北京：華文出版社，2016），頁343。

15　胡鑒建清真食堂事情見買玉華，《胡鑒與蒲犁邊卡大隊》，《新疆地方誌》，2017年02期；李雲揚事蹟見廣東省檔案館編，《父輩的抗戰往事》（廣州：花城出版社，2015），頁134。

中為回民戰士單設伙食；第三，把一部分回民黨員的「不吃豬肉」
視作允許保留的民族特性，而非應當改變的落後表現；第四，強調
和實踐這種尊重，不是為了靜態的「綏靖」、「讓步」，而是為了
建立新的民族關係，為了動員少數民族參加各民族共同的階級革命。

　　公正地說，不能僅從革命史的角度來理解中國社會的清真問
題。事實上，容納臣子的清真飲食習慣本來就曾見於一些傳統帝國
統治者的「統治智慧」之中。如明宣宗對武臣馬俊所說的「吾戲之
耳，不可破汝戒也」；如雍正帝招待哈元生時，「以元生回部人，
不漢食，命光祿寺別具特羊之餐」；在民國時期，蔣介石也注意以
清真飯招待回族軍官。[16]此外，在回族教師馬堅、馬宗融的努力下，
北大、復旦等個別高等院校中，民國時也已經出現了清真食堂。[17]不
過總體而言，推廣回民灶的「質變」還是新中國完成的。這是因為，
中國革命並不是一個一般化的「帝國」向民族國家、「傳統」向現
代的轉型，而是一場社會革命，一個旨在動員各族底層人民參與翻

16 明宣宗與馬俊事見《都公談纂》卷上，吳東昆校注，《草木子（外
　　3種）》（上海：上海古籍出版社，2012），頁168。雍正帝招待哈
　　元生事見袁枚〈鄂文端公逸事〉，《小倉山房文集》卷九，王英志
　　校點，《袁枚全集》第2集（南京：江蘇古籍出版社，1993），頁
　　169；蔣介石以清真飯招待回族將領見劉萬春，〈我與蔣介石的幾
　　次接觸〉，《親歷者講述蔣介石》（北京：中國文史出版社，2013），
　　頁102，和壽子逸，〈第十戰區成立前後〉，武漢市政協文史資料
　　委員會，《武漢文史資料》1993年第2輯，總第52輯，頁14。又，
　　據薛文波回憶，抗日戰爭時期國民黨在重慶開設的中央訓練團黨政
　　訓練班也設有清真灶，參見《雪嶺重澤》第1卷，甘肅內部出版
　　（1999），頁98。
17 木斧，〈走在前面的人——為紀念馬宗融誕辰100周年而作〉，木
　　斧，《木斧短文選》（成都：四川文藝出版社，2002），頁180。
　　又，刊登於《突崛》1943年第66期的〈國內十二學府風光簡述〉，
　　也介紹了當時國內高校中清真食堂的存在情況。

身解放的實踐。因而,在「朝廷大臣」和軍政精英的範圍外,中共
也就必須解決當各民族民眾在同一空間內革命、建設、生產、生活
之時如何相互尊重的問題。所以,也就必須把帝王恩賜的「特羊之
典」變為面向少數民族大眾的清真食堂。

　　當然,如馬駿的思考所表明的那樣,中共從一開始就更側重用
民族而不是宗教信徒來界定「回回」。但是,這種界定並不像許多
今日流行的批評那樣,是一個「歷史的錯誤」,創造了一個「人造
民族」。[18]從中共方面來看,把回回認定是「族」,在其信奉的列
寧主義框架下,就賦予了回回「民族自決權」(後來落實為區域自
治),即可以集體身分行使的政治權利,而不僅僅是以個人身分行
使的信教權利。這是對回民主體性的承認和保護。而且,這也當然
成為他們動員回回青年知識分子支援和參加革命的手段。此外,傳
統回民軍政精英(換言之,軍閥)們的軍政權力(尤其是暴力),
當然可以不用民族的名義行使,卻不得不由整個族群為它的意識形
態後果負責——馬家軍閥的行為變成了馬回回軍的行為,進而變成
了「回回」的行為。為此,必須提出和接受對立於回回軍閥的「回
族人民」這個民族—人民共同體,以此名義才能跳出傳統的「大教
小教」,「漢民回民」對立的怪圈。與之相對的是,在國統區,國
民黨政權中的回族高官如白崇禧、馬鴻逵,就多傾向於「沒有回族、

18　在近現代回族認同的話題之外,對於前現代回回民族共同體存在的
　　探討,可參見姚大力,〈「回回祖國」與回族認同的歷史變遷〉,
　　載氏著,《追尋「我們」的根源:中國歷史上的民族與國家意識》
　　(北京:生活·讀書·新知三聯書店,2018);楊曉春,《元明時
　　期漢文伊斯蘭教文獻研究》(北京:中華書局,2012),頁246-252;
　　以及王建平的博士論文,Concord and Conflict: the Hui Communities
　　of Yunnan Society in a Historical Perspective,《和諧與衝突:雲南社
　　會中回民社團的歷史透視》(斯德哥爾摩:國際書社出版,1996)。

只有信回教的漢人」（青馬領袖的態度則更複雜）；而新式知識分子，如薛文波、馬宗融等，則主張回族是民族，並以「回民」的名義積極爭取政治權利。[19]

　　應該承認，雖然有了成熟的理論認識和詳實的制度規定，革命戰爭時期也出現過許多中共方面破壞回民清真飲食習慣的案例。1935年4月中央紅軍經過雲南尋甸回民區時，曾有戰士誤將豬肉帶進清真寺；1936年紅十五軍團西征時，某團曾在回民家殺豬吃。1946年4月劉格平的《山東回民五個月的工作總結》列舉的例子則有：把吃死雞作為發展黨員的條件、在鍋裡放狗肉、在回民村子裡喊吃豬肉沒關係等等。這表明，新的大民族主義完全可以以「左」的面目出現在革命的內部；不過這也說明了：第一，共產黨會用「工作總結」、「調查報告」的形式及時發現問題，並加以「糾偏」（以上事例大都得到了反思解決）；第二，革命年代和建國後對尊重少數民族風俗的一再強調，並不是出於「本本主義」和無原則的身分政治，而正是有著排除基層大漢族主義阻力的真實必要。不能以先鋒黨和社會主義國家的意志推行包括清真食堂在內的一系列政策，就無法實現事實的「民族平等和民族團結」。

二、前十七年：清眞飲食如何成爲社會主義的一部分

1. 建國初期關於清真的制度和政策

　　1949年《中國人民政治協商會議共同綱領》、1954年《中華人民共和國憲法》、1952年《中華人民共和國民族區域自治實施綱要》

19　丁明俊，〈民國時期「回族」、「回教」之爭與回族群體的自我認知〉，《北方民族大學學報（哲學社會科學版）》，2014年第5期。

和《關於保障一切散居的少數民族成份享有民族平等權利的決定》
都規定了各民族有保持或改革風俗習慣的自由，他人不得干涉。這
為清真飲食的存在提供了法律和政策基礎。在五十年代，黨和政府
對清真飲食的政策內容是：在回民較多的單位設立回民食堂，未能
設立回民食堂的單位，向保持傳統飲食風俗的回族工作人員發放伙
食補貼；保護、改造傳統的回民屠宰業和飲食業，並增開國營清真
飯店。這些措施在促進「民族團結」目標的同時，也是借此將回族
納入社會主義改造之中，把回族和其他信仰伊斯蘭教的少數民族勞
動者轉變為社會主義建設者。

食堂是一個解放後新興的飲食空間，代表著集體主義的生活方
式，是「單位制」、「計劃經濟」中不可缺少的一部分。首先出現
的是單位食堂，後來又出現了一部分城市社區的合作食堂和人民公
社食堂。食堂中的「清真食堂」、「回民食堂」、「回民灶」是新
中國尊重回民風俗最典型的體現。

1952年9月，政務院在發布的加強全國回族工作的指示中提出：
「無論機關、部隊學校、生產部門，對回族的宗教信仰和生活習慣，
均應予以尊重，不得嘲笑、諷刺，在生活上應給予適當照顧，使能
達一般人員的生活水準，在回民較多的單位，應建立回民灶」。[20]1955
年，商業部發布《關於牛羊肉經營中有關回民風俗習慣的幾點注意
事項的指示》，要求供應回民的牛羊肉必須由阿訇屠宰或由回民職
工處理。1955年，國務院《中央級各機關一九五五年行政經費開支
標準》規定：「信仰伊斯蘭教的工作人員，因生活習慣不同，不能
參加機關伙食，機關內亦不能設立專灶，又不能回家用膳，而必須

20　丁毅民編，《新中國的回回民族》（北京：民族出版社，1958），
　　頁28。

在外買吃者，每人每月補助伙食費十五個工資分」。

　　按照這些指示、規定的精神，許多中央機關都建立了清真食堂。有些部門甚至是先有清真食堂，再有漢族食堂。據建國初負責民族幹部、人事工作的葉尚志回憶，中央民族事務委員會新建之時，只設有回族食堂（後來又設了漢族食堂），烏蘭夫、劉格平都習慣吃牛羊肉，而葉尚志因「回族清真食堂食品清潔」，也一直在回族食堂就餐。[21]按照今天某些大漢族主義者的看法，可以說民委自成立之初就是清真「泛化」的總機關。

　　曾任阿富汗中國使館代辦的馬行漢，對外交部的回民食堂也有著溫情的回憶：「大學畢業後，我被中央組織部分配到外交部工作……第二天到亞洲司報到，將簡單的鋪蓋和幾件換洗衣服搬到頂銀胡同的集體宿合。這是一間能住四五個人的平房，還算明亮，冬天有煤球爐，不用擔心晚上受凍了。部裡還為我們幾個回民同志開了一個回民食堂，每天有細糧、炒菜，每週還改善一次伙食，加些牛羊肉。」[22]出身桂林回族世家，曾就讀於成達師範的馬行漢，由此成長為人民共和國的外交官。

　　在高等院校中也是如此。如北京大學的回民食堂，解放後規模擴大，更名為「東方紅回民食堂」；中央民族學院的清真食堂，在1956年周恩來視察時受到了特別關注，印度總理尼赫魯、阿富汗副首相納伊姆也曾前來參觀；此外，1949年後，清華大學、南開大學、北京師範大學、北京政法學院、天津師範大學、上海交通大學、同濟大學、上海外國語學院、河南大學、鄭州大學、河北師範大學、

21　葉尚志，《九秩續筆》（上海：上海人民出版社，2010），頁400。

22　馬行漢，《50年外交生活瑣憶》，載王成家主編，《外交官》第1
　　輯（北京：世界知識出版社，2002），頁61。

雲南大學、中南民族學院、貴州民族學院等都曾設有回民食堂。大學中的回民食堂在「照顧少數民族飲食習慣」的同時，也為少數民族男女學生提供了交往的空間。如，北京回族傅建英建國後由成達師範進入民族事務委員會工作，後又被「調幹」到天津師範大學學習。在大學特設的回民食堂裡，他「認識了中文系的黑祖惠同學，也就是我現在的終身伴侶」。[23]這對回族情侶畢業後都被分配到天津民族中學，成為新中國的「人民教師」。

中央機構以外，在回民較多的各地方單位和基層組織中，也推廣了清真食堂。這種普遍性正是新中國的特殊之處，即區別於明、清、民國限於精英之間的「多元尊重」，而力圖實現基層大眾的團結。據1953年北京市不完全的統計，在全市627個單位中，有497個設立了回民灶或聘請了回民炊事員。在五十年代後期的河南，在城市、交通要道都設有回民飯館。[24]人民公社化後，河南全省各個回民聚居的地方共成立了3020個回民食堂，即令在回民特別少的地方，也有所照顧，共有四十餘萬人在回民食堂吃飯。[25]而在上海，到1957年已設立清真專灶的有76個單位；對不能建立清真專灶的單位，而本人又不能回家就餐的每人每月發給伙食補助費有77個單位。[26]

對於沒有建立單位清真食堂的地方，則採取了對保持「清真」

---

23 傅建英，〈澱娃從教四十年〉，賴雙平主編，《關於海淀》（北京：開明出版社，2010），頁274。

24 丁毅民編，《新中國的回回民族》，頁28。

25 河南人民出版社編，《河南光輝的十年：1949-1959》（鄭州：河南人民出版社，1960），頁210。

26 《上海民族志》編纂委員會編，《上海民族志》（上海：上海社會科學院出版社，1997），頁94。

飲食禁忌的少數民族發放伙食補貼的辦法。上述1955年國務院標準已經做出了「每人每月補助伙食費十五個工資分」的規定。1963年，國家機關事務管理局發布「關於中央國家機關工作人員福利費等開支的規定」，在中央國家機關工作的、信仰伊斯蘭教的人員，所在機關如果沒有設立專灶且路遠不能回家吃飯者，每人每月發給伙食補助費四元。

　　除了單位中的清真食堂外，交通服務中還曾經設立過清真餐車。據1957年3月7日《文匯報》報導，為了便利信仰伊斯蘭教的鐵路旅客，鐵道部已決定，在信仰伊斯蘭教居民聚居的西北開辦清真餐車；在全國主要鐵路幹線的長途旅客列車的餐車中，將準備清真炊具和餐具，製作信仰伊斯蘭教旅客食用的飯菜。在西北地方的各大站上，月臺販賣以供應清真食品為主，在其他信仰伊斯蘭教民族聚居的飯口站，將由信仰伊斯蘭教的售貨員供應清真食品。供應清真食品將有明顯的「清真」標誌、包裝完整；不帶包裝的食品一定要懸掛「清真牌」，並用漢、維或阿拉伯等文字書寫。

　　中國的回回民族具有經營牛羊屠宰業和餐飲業的傳統，屠宰牛羊也是回民自身飲食節慶的一部分。早在1950年12月5日，政務院就發布過《關於伊斯蘭教的人民在其三大節日屠宰自己食用的牛羊應免徵屠宰稅並放寬通檢的通知》。社會主義改造後，新中國一方面在公私合營的基礎上保護「清真」特色小吃，另一方面還新設國營的清真飯店。1956年，北京牛街的回民飲食業完成了公私合營，成立了國營的「牛街清真食堂」；離牛街最近的南來順成為清真小吃的集中地。在上海，除了老字型大小「洪長興」之外，1955年成立了公私合營的清真宰牲廠，1956年在福州路開設了匯集上海清真風味精品的國營清真食堂。在廣州，1956年廣州清真食堂開業，時任廣州市市長孫樂宜、越秀區副區長馬景廉負責剪綵。

　　在公私合營和社會主義改造中，發生的不僅僅是企業所有權的
變化。這還是一個針對華北東北華東等地區城市回族主要從事小型
工商業的職業特點，將他們納入「工人階級」的過程。1949年後，
在政府的推動和引導下，牛街2200多戶居民中有3100多人被分配到
國家機關和企事業單位，500餘人的小商販被安排到區屬餐飲、副食
行業工作。從1951年開始，北京市政府舉辦「少數民族政治訓練班」
促進回民的就業、轉業，許多學員被分配到石景山鋼鐵廠、人民針
織總廠、供銷合作總社、飲食公司、食品公司、第一食品廠等等，
從小商販變成了產業工人。如後來的總結所說：「改變了回族長期
從事小商小販的所謂『兩把刀、八根繩』的職業結構，增加了工人
階級，特別是產業工人階級的成份」。[27]在革命政治的視域下，「單
位」中的清真食堂與作為「單位」的清真食堂得以把「民族問題」
揚棄到階級的語境中，成為以「無產階級專政」方式實現各族人民
解放的抓手。

2. 各族人民的社會主義祖國：正面宣傳和泛政治化語境中的「清真」飲食

　　在「前十七年」的報刊和公開出版的書籍中，清真相關事物也
有著高頻度的「存在感」，這正是它作為「尊重少數民族風俗」享
有政治正確地位的一個證明。「清真」飲食習慣與當時泛政治化的
革命話語，有著多樣性的互動關係。

　　報刊和公開出版物中「清真」最常見的一種出場方式，就是配

27　彭年編著，《北京的回族與伊斯蘭教史料彙編》，北京市民委史志
　　辦公室印發（1996），頁166。參見田萌，《北京牛街清真食品業
　　的記憶與改造研究》，雲南大學碩士學位論文，2015。

合「民族團結」話語，突出少數民族對「尊重清真飲食習慣」的正面回應。如1953年11月17日《解放日報》記述了回族選民李壽彭參加新中國選舉時一段「憶苦思甜」式的回憶：他四十年來不敢承認自己是回族，在外面吃飯，別人請吃豬肉，「只好說我是個胎裡素」，而在新中國卻可以大大方方地承認自己是回族，保存自己的飲食習慣。1955年3月6日《新民晚報》報導了上海設立牛羊肉批發所後，回民職工麻子和、楊寶榮感激黨和政府對少數民族的照顧：「過去我們回民的風俗習慣非但得不到尊重，還要受到歧視。後來經過無數次的要求，當時反動派政府才在表面上敷衍一下，宰牛宰羊，仍要受到故意刁難，和今天的情形簡直不能比了。」

　　「民族團結」宣傳並不是光突出政府與少數民族之間的互動，也會傳揚基層回漢民眾之間的自主「團結」。1953年1月1日《人民日報》就刊登了歸綏市回族婦女佟玉珍和漢族婦女張守蓮重新在一口井裡打水的故事。他們兩家之前因為用水習慣起了矛盾。歸綏回民自治區成立後，佟玉珍開始反思自己行為，主動向張守蓮示好。於是，雙方開始互相尊重風俗，互相賀喜、幫忙，共同參加政治學習。最終，佟張二人成為重新在一口井裡打水的融洽鄰里，也成為了「民族團結」的典型。在這一類宣傳中，「民族團結」的過程不是兩者的「融合」或「同化」，而是雙方共同成長為「社會主義新人」的仲介。

　　和革命戰爭時期一樣，「民族團結」的對象並不僅限於回族。1963年12月11日《新民晚報》的一篇報導記錄了新疆客人在上海國營清真食堂就餐後的感言：「我們這次到上海像在家裡一樣，謝謝你們熱心的接待。想不到上海也有這麼大的清真食堂，祖國真是各族人民的大家庭。」1965年10月16日《文匯報》在〈各地高校積極

《人民日報》插圖：佟玉珍和張守蓮又在一口井上打水吃了。

為新疆培養各族建設人才〉的報導中寫道：「在這些學校學習的新
疆各民族的學生，在生活上也得到關懷和照顧。各校都專門成立了
清真食堂，還供給他們在民族生活中習慣使用的物品。有的學校專
為他們訂了本民族文字的報紙；逢年過節，還專門為他們舉辦文藝
晚會。這些學生，都深感祖國大家庭的溫暖，因而更加奮發學習。」
1966年1月，《新疆日報》報導了在抗洪中因救人而犧牲的維吾爾族
烈士哈德爾艾孜木（Qadir Hezim）的事蹟，其中有一段寫道：「為
了加強本地民族和漢族戰士的團結，就連炊事員做飯他也要親自指
導，做得既合乎本地民族同志的生活習慣，又合乎漢族同志的口味。
去年才入伍的漢族新戰士陳顯富，初到新疆吃不慣羊肉……於是他

對大家說：『改變生活習慣也要有個過程，我們應該體諒別的同志。』
以後遇到吃羊肉，他就親自給陳顯富炒雞蛋吃。一次吃羊肉餃子，
他又親自給他炒麵條，陳顯富不好意思吃，哈德爾艾孜木解釋說：
『我們吃餃子，你吃一點麵條，有什麼不好意思。』」[28]從這段事
蹟中我們可以看出，在當時的宣傳話語內，指導和尊重他人的「先
進」位置並不只屬於漢族，少數民族也可以充當「團結與照顧」的
主動方；其次，成為這樣的「先進人物」並不意味著要在生活習慣
上同化於漢族，關鍵是要在保持自身民族特點的基礎上去踐行「革
命化」的人格。

　　社會主義宣傳中「清真」常常搭配的第二大主題，就是「為人
民服務」，突出服務業對少數民族顧客的熱情款待。1956年12月15
日《文匯報》以「小菜送上門」為題報導徐匯區嘉善路菜場食品合
作組的服務：「菜場附近住有幾十位信仰伊斯蘭教的居民，這個合
作組就闢了一個清真櫃檯。除牛、羊肉外，還備有別處不易買到的
牛、羊內臟下腳。供應的雞鴨，都是特地請教堂裡『阿訇』親手宰
殺的。甚至連住在日暉港、龍華一帶的回族居民也趕來選購。這個
合作組也送貨上門，主婦們只要隔天寫好訂單，次日早晨就能收到
預定的小菜，目前已和154戶建立了送貨關係。」再如成都裕華旅館，
因為尊重少數民族風俗習慣，得到了青海回族顧客寫詩稱讚，也作
為「為各族人民服務」的先進案例選入了《1959年商業紅旗》和《新
型旅店的經驗》當中（兩書均出版於1960年）。北京的隆福寺清真
小吃店，在六十年代也被譽為「商業戰線上的先進標兵」。

28　〈激浪雄鷹——記巴楚縣公安隊隊長、共產黨員哈德爾艾孜木同
　　志〉，《新疆日報》，1966年1月14日。

1962年1月9日《人民日報》插圖：
青海化隆回族自治縣巴燕鎮的百貨門市部。

　　1955年11月29日《新民晚報》還以「周到的服務」為題報導了
中國食品公司門市部的「清真櫃」：「中國食品公司『清真櫃』內
的貨物，都是為回族人民特製的，並嚴格地和其他食品分開，連營
業員也是回族人。據服務員談，設立以來沒幾天，貨銷得很快，尤
其是以前不到公司買熟食零吃的回族人民，現在一進公司就朝『清
真櫃』跑去了。」這篇文章還把清真櫃與蘇聯作家尼·伏爾科夫的
小說《我們切身的事業》中的食品公司相聯繫，即清真櫃被詮釋為
學習他國先進社會主義經驗的一部分。這種社會主義旗幟下「為人
民服務」與「民族團結」兩種意義的結合，正如〈周到的服務〉一
文結尾所述：「它包含的意義不只是周到的服務，而還包含著我們

這個多民族的大國中，各民族兄弟般的團結。即使是生活習慣上的細節，社會主義商業工作者們也周密地想到了。」

「為人民服務」不單單著眼於被服務的顧客，也會從提供服務的營業員、服務員的角度出發。上海國營清真食堂服務員李貴英，就被樹立為服務員中的典型人物，1963年12月11日的《新民晚報》報導了她熱心接待上海郊縣農村姑娘和新疆少數民族客人的事蹟。文章記述了李貴英具有高度「社會主義風格」的自白：「很多人問我，為什麼我的服務態度這樣主動、熱情和耐心？你想，在舊社會，一個擺大餅攤的回族小姑娘，她受盡了種種凌辱和壓迫，到今天，能在上海第一家，國營清真食堂裡當上受人們尊重的服務員，這難道不就是很好的答案嗎？」

宣傳話語中結合「清真」的另一主題，就是「少數民族工人」，即彰顯出作為工人階級一部分的回族。首先，這種宣傳會指出，不尊重回族的風俗，正是舊社會阻擋回族進入工廠工作的主要困難，而新中國則解決了這一問題。「解放前，在上海的回族兄弟有這麼一句話：為了吃飯要找工作，找到了工作沒有飯吃。那時，誰來尊重少數民族的風俗習慣？而現在不少工廠裡有了清真伙食團」[29]、「我是一個回民，但解放前從來不敢向人家講我是回民，因為回民到處受人歧視和侮辱。現在回民和其他少數民族同樣都得到了平等地位……廠裡領導上特地開辦了一個回民食堂，我們回民深深地感到了民族大家庭的溫暖。」[30]這些話當然是按照官方「憶苦思甜」、「新舊對比」的模式說出來的，但從中也可看出，建立清真食堂正

29　《文匯報》，1957年1月29日。

30　清河製呢廠廠史編委會編寫，《北京清河制呢廠五十年》（北京：北京出版社，1959），頁79。

是在平等基礎上擴大回族工人階級隊伍的必要條件。

　　於是，作為社會主義工人應有待遇的一部分，工廠企業中的清真食堂得到了承認和發展，被視為工廠建設的正面功績。1956年9月11日，《人民日報》報導「焦作機械廠改善職工生活福利」時，提到了機械廠新建的回民食堂：「廠裡新建了一所回民食堂，回民職工已經不需要跑到幾里路以外的家裡，或到街上吃飯了。」1957年8月19日，《人民日報》在讚揚鞍鋼領導能深入群眾、解決問題時，事例之一就是「工人食堂增添了菜的花樣，有的廠礦並且建立了營養食堂和回族食堂，這些都受到工人們的歡迎。」發表於1959年的〈陝棉一廠的新生〉一文寫道：「解放以後，黨一直把職工的生活當作一件重要的事情……1951年還成立了清真食堂。後來又陸續舉辦了營養食堂和業餘療養食堂」。[31]1963年出版的《上海毛紡織工業》，也把建有清真食堂作為社會主義改造後職工生活福利提高的一個方面加以敘述。[32]

　　「清真」敘事還有帶國際性的一面，即國際友人在國內的清真食堂參觀或就餐。1954年10月21日《人民日報》報導尼赫魯訪華時寫道：「中央民族學院副院長蘇克勤、費孝通等陪同尼赫魯總理等參觀了供信仰佛教學生用的經堂、供信仰伊斯蘭教學生用的清真食堂、小型劇場、少數民族文物展覽室……尼赫魯總理在參觀了這個包括四十七個民族、一千二百多個學生的學院以後表示，這裡洋溢著的中國各族人民的團結友愛的氣氛，使他獲得很深刻的印象」。

31　李爾直、郭永新，〈陝棉一廠新生的十年〉，中國紡織編輯部編，《紡織工業光輝的十年》(北京：紡織工業出版社，1959)，頁163。

32　中國科學院經濟研究所資本主義經濟改造研究室、中央工商行政管理局資本主義經濟改造研究室編，《上海民族毛紡織工業》(北京：中華書局，1963)，頁211。

同年11月27日，《文匯報》在記述國際學生聯合會亞洲療養院（北京西山八大處附近）開幕的文章中提到：「對病人的飲食有中餐、西餐和清真三灶」。1959年，阿富汗副首相納伊姆訪華時也參觀了中央民族學院的學生宿舍、清真食堂和閱覽室，並見諸9月9日的《人民日報》。需要指出的是，「國際友人」實際上是不同質的：既包括一般性的「反帝」、「友好」國家的客人，也有明確有社會主義傾向的「國際進步勢力」，不過二者都體現了「清真因素」在涉外宣傳中的意義。

　　而最與流行敘事相悖、最讓人感到匪夷所思的，還是清真表述與政治運動的結合。反右、人民公社化等政治運動常常是前三十年傷痕敘事中最強調的一點，往往是典型壓迫敘事的「主場」。然而，徵諸當時的公開材料，我們反而發現許多「尊重少數民族」和推進「政治運動」這兩種當時的「政治正確」相互促進、相互加強的例子。[33]

　　1957年6月17日，《人民日報》刊登了〈在整風中接受群眾正確意見，天津高等學校改進教學改善福利〉一文，文中提到整風帶來的「改善福利」當中就包括南開大學改進回民食堂的衛生條件。7月24日，《人民日報》又以「中央國家機關三十多個單位，一面反擊右派，一面改進工作」為題報導了「在生活福利方面，各部都作了改進。化工部為了照顧回民的生活習慣，成立了回民食堂；還取消了對高級幹部的一些不合理的生活待遇。」9月27日，《人民日報》又報導第一機械部在邊整邊改時「有些單位還建立了回民食堂或食

33　當然，這並不意味著這些政治運動的實際面貌就不存在漢中心主義的體現，但我們的目的是先揭出此類材料，然後才有可能對這種「矛盾」的現象加以分析。

桌。」

　　1957年10月26日，《解放日報》報導東海艦隊的整風則更加詳實，也更能凸顯當時踐行整改精神增建回族食堂的真誠性：「在大放大鳴以後，各級領導機關根據廣大官兵所提出的批評、建議和意見，組織了專門小組，在領導幹部親自掌握下逐條地進行了研究，而後訂出具體措施。……過去回族士兵都分散在各個單位，為了改變這種情況，陶勇海軍中將親自研究後，決定將全艦隊所有回族士兵都集中在一個單位裡，準備專門設立回族士兵餐席等，並根據回民的風俗習慣安排他們的生活和工作。」

　　在1958年城市工作的「大躍進」宣傳中也有「清真食堂」。1958年11月12日的《文匯報》報導：「邑廟區新馬街居民委員會辦的『清真食堂』本月十日開始供應。這個食堂是在里弄工作大躍進和回民迫切要求下開始籌備的。在籌備中碰到很多困難，例如沒有房子等，但在回漢民族團結幫助和有關部門的支持下，終於克服了困難。第一天中午，就有四十多位回民第一次到集體食堂就餐。他們吃到了牛肉燒洋山芋和芹菜炒牛肉絲等價廉物美菜肴。」

　　在農業集體化和人民公社化運動中，官方同樣注意宣傳、展示對回民清真飲食習慣的尊重。如1957年《民族團結》雜誌第4期刊文〈堅決走社會主義道路——記葦子莊回漢聯合社一場地頭上的大辯論〉，宣傳集體經濟能更好地解決回漢間因「黑牲口」（豬）引起的糾紛。1959年出版的《人民公社怎樣辦好集體福利事業》一書專門強調：「在有少數民族的人民公社裡，舉辦公共食堂，更要注意和尊重少數民族的風俗習慣。特別是回、漢共居的地方，應當為回族建立單獨的食堂」。[34]1960年12月28日《人民日報》報導寧夏石

_____

34　蘇蔚，《人民公社怎樣辦好集體福利事業》（北京：通俗讀物出版

嘴山的星火大隊:「漢民食堂都養了豬,回民食堂都養了羊」。甘南藏族自治州德烏魯人民公社紹瑪生產隊建立了清真食堂,並把鄰近回族社員都集中到這裡,被視為民族團結的正面案例載入自治州概況。[35]在1966年發表的回憶焦裕祿的文章中,也記載焦裕祿鼓勵回族社員說:「你們是回族隊,應該多餵羊,不過要多餵些集體的羊才中。」[36]

3. 牛羊肉供應與票證:「清真」飲食習慣的經濟保障

上文對前十七年宣傳文獻的分析,已經足以證明當時清真食堂所具有的意識形態合法性。但是,我們都明白,意識形態上的「允許」乃至「讚揚」,並不等於給現實中的少數民族提供了保持飲食習慣的物質基礎。誠如李松茂所言:「沒有充足的牛羊肉供應,只尊重少數民族不吃豬肉的風俗習慣,這種尊重就會成為一句空話或半空話」。[37]因此,還需要考察當時保障「清真」的社會經濟措施。

「票證」或許是最能代表中國大陸計劃經濟時代日常生活的事物。自五十年代起,國家對糧、油、肉、布等物資實行憑票供應,而在票證制度中也體現了國家照顧具有清真飲食習慣的少數民族的意圖:即漢族城市居民發放豬肉票,而對回族和其他信伊斯蘭教的少數民族發放牛羊肉票。這裡主要根據地方誌和其他資料,作為一

(續)————————————

　　社,1959),頁17。

35　甘南藏族自治州概況編輯委員會,《甘南藏族自治州》(1960),
　　頁54。

36　蘇田元,〈他引導俺們走集體經濟的道路〉,《民族團結》,1966
　　第4期。

37　李松茂,〈從不吃豬肉說到風俗習慣〉,《阿拉伯世界》,1981年
　　第5期。

些案例，簡述北京、上海、武漢、開封、保定、齊齊哈爾、遼陽、蘭州、靈武等地對回族居民的牛羊肉供應。當然，這不代表沒有提到的城市和地區就不存在這樣的供應。

北京：1957年12月1日起，對豬、牛、羊肉實行憑證限量供應。食牛羊肉的少數民族，憑清真購肉證，每戶每天限購1元的牛羊肉，回民灶每人每月限購15小兩牛羊肉。[38]

上海：1959年，上海發放伊斯蘭教購肉證，伊斯蘭教居民不分大小人口，根據貨源及其他副食品情況每半月公布定量。1963年，上海市第二商業局根據牛羊肉貨源情況，決定對「清真居民」每月定量供應牛肉四兩，羊肉則敞開供應。[39]

武漢：從1957年10月起，牛肉只對回民實行按人定量供應。居住在武漢市內的回民·含「禁豬民族」和同漢通婚的漢族一方及其子女，根據本人要求，願意跟隨回民習慣的居民，約2萬人左右，由各區設專點供應。1962年，根據湖北省商業廳〈關於牛肉按物件劃分供應價的通知〉「牛肉只對少數民族計畫定量供應」精神，武漢市規定「今後牛肉只對少數民族計畫定量供應部分，少數民族、高級知識分子和病員、產婦的定量補助部分，按平價供應」。[40]

開封：1956年，河南省遭受嚴重水災，牛、羊肉貨源緊缺。食品公司在壓縮日常供應量的同時實行議購議銷,日宰羊100只安排市場供應，優先照顧回族居民。1958年始，牛、羊供應僅限回民，實

38 北京市地方誌編纂委員會編，《北京志·商業卷·副食品商業志》（北京：北京出版社，2003），頁169。

39 《關於發放伊斯蘭教居民購肉證的通知》（1959）；《關於清真居民牛羊肉供應安排意見的報告》（1963），上海檔案館藏。

40 王汗吾、吳明堂主編，《武漢票證：計劃經濟時期市民生活記憶》（武漢：武漢出版社，2008），頁77。

行計畫定量。60年代初期，食品公司開展了牛羊肉的計畫外供應，停止憑票限量。至1975年3月，因貨源又趨緊張，牛、羊肉再次憑票供應。[41]

保定：1959至1961年，牛羊肉資源短缺，除年、節只對回民每人供應100克外，其他不作供應。1961年對回民實行憑票供應，每人每月250克。1973年，市場供應好轉，回民每月供應增加到0.5公斤。[42]

齊齊哈爾昂昂溪：1962年，全區居民實行肉食品定量供應，發放購買代號券。1963年，全區對肉食品實行特需、保健供應、工資券供應和議價供應辦法，牛羊肉憑回民證供應不限數量。[43]

遼陽：1959年，肉、蛋、禽貨源出現緊張。同年4月份，在豬肉實行憑票供應的同時，以豬肉同等供應量，對城鎮回族居民實行牛羊肉憑票限量供應。1961年，對牛羊肉議價收購或調入，國家給予補貼，以平價憑票供應城鎮回族。後因資源不足，一度重點保證軍特需供應，對回族居民在年節作少量供應。1963年，因貨源改善取消了牛羊肉憑票供應。1969年，市場肉食供求矛盾突出，重新對城鎮回族居民實行牛羊肉憑票限量供應。[44]

蘭州：1954年，豬、牛、羊肉供應緊張，根據中央規定和甘肅省具體情況，蘭州市每萬人投放350斤；「禁豬民族」根據以上標準，

---

41 王命欽主編，《開封商業志》（鄭州：中州古籍出版社，1994），頁96。
42 保定市地方誌編纂委員會編，《保定市志》，第三冊（北京：方志出版社，1999），頁47。
43 姚麗華主編、齊齊哈爾市地方誌辦公室編纂，《齊齊哈爾地方誌·昂昂溪區志》（哈爾濱：黑龍江人民出版社，2006），頁204。
44 遼陽市商業志編纂委員會編，《遼陽市商業志》（1994），頁191。

以牛羊肉折合供應。1964年12月，由於牧區疫情嚴重，不能滿足銷售，對蘭州市牛羊肉供應本著照顧少數民族和特需供應、適當安排清真飯店的原則，凡禁豬民族，每人每月平價定量供應1斤。[45]

靈武：1959年，牛羊肉開始憑票供應，正常年景對城鎮「禁豬民族」每人每年供應7公斤至15公斤。[46]

當國家在票證照顧上暫時缺位時，回漢民眾之間也會發生互助的票證交換。如一位西安漢族人對計劃經濟時代回漢自發互助的回憶：「當時國家並未考慮到回族的飲食習俗，依舊發給回族大肉票，而發的牛羊肉票卻相對較少。當時漢族還是相當尊重回族的，漢族自己幾乎都不吃牛羊肉，臨近的漢民會主動拿自己有限的牛羊肉票與回族手中的大肉票相交換，而回民也會相應的把自己少部分的糧票送給漢民，以此作為對漢族的補償與感激。」[47]

4.「毛主席的政策」：尊重少數民族風俗的政治支持

如上文所提及，社會主義時代的清真飲食敘事是在一種泛政治化的背景下展開的。這種泛政治化不僅僅在於「民族團結」所具有的意識形態合法性，不僅僅在於宣傳報導中對少數民族的再現，還在於現實中少數民族各項權利實現和鞏固的方式。清真飲食習慣的保障，同樣也依靠著革命中國的動員與運行機制。

在「尊重少數民族風俗習慣」中，一種常見的方式是民族政策

---

45 甘肅省地方史志編，《甘肅省志‧商業志》（蘭州：甘肅人民出版社，1993），頁273。

46 靈武市編纂委員會編，《靈武市志》（銀川：寧夏人民出版社，1999），頁364。

47 龔方，《歷史記憶與民族關係》，中央民族大學碩士學位論文，2011，頁56。

教育。每當中央出臺有關少數民族的政策、方針，都會組織全體黨員幹部進行學習。對於前往少數民族地區工作的幹部，更是會在民族政策教育加入「尊重少數民族風俗」的具體內容。如1950年中央西南訪問團的內部要求和和1953寧夏民委所列「在回族地區工作應注意事項」都包括了對回族豬肉禁忌和其他少數民族風俗的尊重。1949年北京市委關於回族工作的指示中規定：「一切回民工作幹部必須遵守回民群眾的生活習慣，密切聯繫回民群眾，減少反動分子挑撥與攻擊的可能與藉口，同時也應教育幹部一方面反對大漢族主義，另一方面也不要提倡大回族主義的傾向」。[48]1963年毛澤東在新疆反修指示中更是指出：「需要在漢族勞動人民中進行民族政策教育，教育漢族勞動人民尊重少數民族的風俗習慣，要動員漢族勞動人民學習少數民族的語言。」[49]

對於與邊疆少數民族有接觸的漢族戰士和知識青年而言，「加強民族政策教育」絕不是空話和套話，而是和日常生活中的共同相處和解決糾紛直接相關。如1951年，內地的知識青年赴疆服務團到達新疆時，一位上士在巴紮上看到膘肥肉厚的羊肉，誤以為是去皮的豬肉，便向賣主買「豬肉」，引起維吾爾族老鄉不悅。這位上士因違反民族習慣而受到批評，於是給老鄉賠禮道歉。[50]1959年，寧夏統戰部下發了對浙江支寧青年進行民族政策教育的通知：「浙江青年，還有部分來自內地的漢族同志……對當地群眾的風俗習慣不

48　彭年編著，《北京的回族與伊斯蘭教史料彙編》，頁288。

49　《新疆工作文獻選編（1949-2010年）》（北京：中央文獻出版社，2010），頁228。

50　梁俊傑，《回憶知識青年赴新疆服務團》，中國人民政治協商會議福建省雲霄縣委員會文史資料研究組編，《雲霄文史資料》第9輯，總第13輯（1989），頁116。

太了解，因而，在與回民接觸中發生一些有礙民族習慣的事情是在
所難免的。對這些事情已經發現，我們應注意立即加以妥善解決。
為了防止類似問題發生，各級統戰部門應該會同有關部門對支寧青
年介紹當地少數民族習慣，進行民族政策的教育，讓他們注意尊重
回族人民的風俗習慣；同時，在當地回族群眾中也應該進行團結和
幫助支寧青年的教育，讓他們主動向青年介紹當地情況，尊重浙江
青年的習慣」。[51]教育手段的意義在於，當時的主政者不是單純依
靠固定的條例和制度，而更希望能讓漢族和少數民族達到自覺的相
互尊重。

　　中共素有善於調查、善於總結的優良傳統。關於民族問題，在
革命戰爭年代就有檢查、總結民族政策執行情況的例子，如前引對
紅軍回民工作和四十年代山東回民工作的報告。建國後，這種傳統
上升為為「民族政策大檢查」。1952年，甘肅靖遠縣委在檢查民族
政策執行情況時，發現當地幹部群眾存在歧視回民的現象。中共中
央於9月傳批了靖遠縣的報告，12月又發出了《中央關於少數民族較
少地區必須檢查民族政策執行情況的指示》，由此揭開了第一次民
族政策執行情況大檢查的序幕。

　　1953年，張執一、馬傑帶領的中南調查組發現了河南部分地區
多方嘲笑、侮辱回民生活習慣的嚴重情況，引起了中央領導人的重
視。毛澤東對這種大漢族主義的現象非常生氣，於1953年3月專門撰
文批判，要求黨員幹部「必須立刻著手改正這一方面的錯誤」——
這就是收錄在《毛澤東選集》第五卷的〈批判大漢族主義〉一文的
背景。1952至1953年的第一次大檢查，和1956年的第二次民族政策

51　寧夏黨委統戰部，《區黨委統戰部關於對浙江支寧青年進行民族政
　　策教育的通知》，1959年8月17日，寧夏回族自治區檔案館藏。

大檢查、以及六十年代前期地方性的民族政策檢查，都發現和更正了不尊重少數民族習慣的問題，改進了包括清真飲食工作在內的民族工作。

　　在進行民族政策教育、民族政策檢查，宣導尊重少數民族風俗和反對大漢族主義的同時，中共也注意反對少數民族中的狹隘偏見和教權主義。如在寧夏工作中，就引導回族尊重當地的漢族和蒙古族的利益和風俗習慣。1952年，寧夏省委在對永寧縣民族政策檢查的批復中，就對回民說明民族平等不等於特別的優待。農業集體化後，在回漢農業合作社裡宣導漢民尊重回族風俗的同時，也要求回族尊重漢族社員的養豬、吃豬。1956年11月30日，《光明日報》刊登馬堅文章〈在回漢農業合作社裡和日常生活中有關豬的幾個問題〉，在分賣豬錢、豬皮製品、豬糞肥田三個問題上澄清了對豬肉禁忌一些過於狹隘的理解。[52]1958年，李維漢在講話中把「清真自來水管、清真煤炭」指為「不必要的民族形式和落後現象」，批評不應把回族孤立起來。同時，李維漢又特別指出：「當然必要的形式是必須尊重的，例如清真食堂之類。請同志們注意，不要連清真食堂也取消了，那就不好。」即，即便在主要批評少數民族偏見的場合下，清真食堂仍然維持著正面的政治形象。

　　當談論革命中國的清真飲食問題時，必須梳理革命領袖毛澤東

52　由於長期在漢地居住與漢民族共處等原因，回族的豬肉禁忌與中國境內其他傳統上信仰伊斯蘭教的民族相比具有特殊性，傳統上更加敏感、嚴格，甚至發展為「豬」禁忌，成為構建族群邊界的重要象徵之一。但馬堅寫作的這篇文章等例子可以說明，「革命中國」的政治實踐中並沒有放棄這種可能蛻變為身分政治的禁忌的改造，但又把試圖將這種改造與「同化」相區別，並動員族群內部的改革力量來參與行動。

本人的態度和表達。這既是因為，毛個人的意志會對施政產生直接影響；更是因為以指示、講話等形式出現的領導人話語本身就是行動，而絕非無所指的空洞符號。借助政策話語的物化，來自高層的「施為句」往往能在民族政策的實踐中發揮重要作用。這種機制被當代民族人類學家納日碧力戈概括為「以言行事」。[53]

　　1949年前毛澤東對回族飲食習慣的態度，已見前述。在這之後，他在這方面的認識、立場和表述仍然是連貫一致的。1949年政協會議面見劉格平時「我們允許我們的回族黨員不吃豬肉」的表態和囑咐；[54]1951年托胡喬木、季羨林轉告馬堅〈穆罕默德的寶劍〉和〈回民為什麼不吃豬肉〉等文章「寫得很好，增強了漢回民族之間的團結，請你向他表示謝意」；[55]1953年3月看到中南調查組報告後的〈批判大漢族主義〉：「如果我們現在不抓緊時機進行教育，堅決克服黨內和人民中的大漢族主義，那是很危險的。」；[56]1953年7月〈關於民族工作的談話要點〉中的「同回族同胞在一起吃飯，應不吃豬肉，不喝酒，我們同包爾漢、賽福鼎在一起吃飯就是這樣」；[57]1955

---

53 納日碧力戈，〈以言行事與符號「模擬」——民族與族群理論的實踐話語〉，《民族學刊》，2010年第1期。

54 劉格平，《回憶錄》，載滄州市委黨史研究室編，《劉格平文集》（北京：中央民族大學出版社，1999），頁249；江山，〈憶劉格平同志〉，載《劉格平文集》，頁459；劉樹生著，陳志鵬記錄整理，《腳步的回聲：七十年風雨歷程見聞雜記》（北京：中國文聯出版社，2002），頁324。

55 蔡德貴編著，《季羨林年譜長編》（長春：長春出版社，2010），頁131。

56 《毛澤東選集》第五卷（北京：人民出版社，1977），頁75-76。

57 毛澤東，〈關於民族工作的談話要點〉（1955年7月16日），中央文獻研究室、國家民族事務委員會編，《毛澤東民族工作文選》（北京：中央文獻出版社，2014），頁219。

年的「首先反對大漢族主義」；盧山會議的「要因地制宜。蘇聯不是搞過回民地區養豬麼，豈有此理？」[58]（李銳記錄作：「要因地制宜。不能到回民地區去買賣豬」）；[59]1959年10月養豬指示中「除少數禁豬的民族以外」[60]⋯⋯一直到1973年民族政策再教育的指示，都是這樣。從這些一貫的言論傾向可以看出，毛所主觀追求的絕不是民族同化，而是一種可以容納民族差異的社會主義。毛的這些論述，有些在當時就直接推動了民族政策大檢查或民族政策教育，有些則成為少數民族捍衛自己的風俗時的依據。

毛澤東的看法不能單獨看做上文所論述過的中國革命「內部」經驗的延續，更不是繼承自傳統中華帝國統治者的「統治智慧」，而且還有著對同時代國際共產主義運動形勢的戰略考量。1956年，毛澤東在《論十大關係中》說：「在蘇聯，俄羅斯民族同少數民族的關係很不正常，我們應當接受這個教訓。」同年3月31日他在與蘇聯大使尤金的談話中把「非法遷移某些民族」列為史達林的七條主要錯誤之一。[61]1963年他在對新疆反修的指示中指出：「在反修鬥爭中，應該有少數民族的部隊和民兵參加鬥爭」、「需要在漢族勞動人民中進行民族政策教育，教育漢族勞動人民尊重少數民族的風

---

58 毛澤東，〈在盧山會議上的講話〉（1959年7月23日），1968年武漢版《毛澤東思想萬歲》（1958-1960），頁240。

59 毛澤東，〈在盧山會議上的講話〉，李銳記錄版，見李銳，《盧山會議實錄》（北京：春秋出版社；長沙：湖南教育出版社，1989），頁174。

60 毛澤東，《關於發展畜牧業問題》（1959年10月31日），中共中央文獻研究室編《毛澤東文集》第8卷（北京：人民出版社，1999年6月），頁100。

61 尤金，〈與毛澤東同志談話記錄〉，李玉貞譯，《國際社會與經濟》，1995年第2期。

俗習慣，要動員漢族勞動人民學習少數民族的語言」。[62]結合這些言論，我們可以看出，相比革命時期，建國毛澤東對「尊重少數民族風俗」觀點又有了新發展，即「尊重少數民族風俗」作為民族團結問題的一部分，而民族團結問題又作為「反修防修」戰略的一部分。在毛的理想中，把社會主義中國的民族團結搞好，正是區別於史達林錯誤和後來蘇聯修正主義路線的優越之處，也是能吸引國際上第三世界目光的一個亮點。

以上分析並不是要塑造一個「好皇帝」、「好中央」的神話，不是為了謳歌來自國家最高層的「恩賜」。我們更要強調的是：首先，「以言行事」的話語和實踐，都是包括少數民族幹部群眾在內的中國革命的參與者共同創造的，只是有時在特定文本中由毛澤東歸納或強調，而非是獨屬於「領袖」或「中央」的發明；其次，如納日碧力戈本人所指出的，在民族政策上，這種來自中央的「施為」也有過造成負面後果的教訓；最後，即使是正確話語的「施為」，儘管在毛時代政策話語具有更強的現實化力量，我們也不能把自上而下的公牘文本與基層已然發生的事實等同起來。事實上，五十年代末和六十年代初，民族宗教工作出現了嚴重失誤，1960年伴隨著「反對地方民族主義」運動，寧夏出現了第一次強迫回民養豬的高潮。同一時期，北京和西北地方一些地方的回民食堂被撤銷。這說明，新中國民族工作上的巨大成就和曲折都是並存的。一方面，面對作為「他者」的少數民族，革命實現了對他者的政治化、正當化和正常化，少數民族的權利成為內在於革命的奮鬥目標；另一方面，對「他者的常識」的尊重，也會隨著革命的波動和曲折而異化，乃

62　毛澤東，〈新疆要做好經濟工作和增強民族團結〉（1963年9月28日），《毛澤東民族工作文選》，頁329。

至遭到漠視和犧牲。

　　因此，我們必須要補充的，是少數民族發出自己聲音的故事。如五十年代初上海的回族工友在座談會上表達自己建設清真食堂的訴求；如馬堅在1956年第一屆人大第三次會議上提出清真食品加印「清真」字樣的提案；如寧夏回民「毛主席總沒有這個政策，你把豬打到人家院內叫團結呢」的表達。與之相伴的，是政權沒有直接出面下各族人民自發產生的民族團結：土改完成後的回漢互相幫助耕田、共同慶祝「聖紀節」；寧夏民族參觀團中回族代表自覺改善與蒙古族代表的關係等等。

　　與政權的直接威力相比，這些例子看上去是微不足道或孱弱的。然而，它們代表著一種更為深刻的觀念上的變革：民眾自發自覺地認為「民族平等」、「民族團結」是應當並且可以追求的，並通過革命帶來的管道和術語來表達自己的訴求。像雲南哈尼族：「我們哈尼族既艱苦又正義又勤勞，為什麼忘掉我們的人，看不起我們嗎」[63]的呼聲一樣，這些帶有「稚氣」的語言，實際上反映了他們對社會主義政治的接受：中國不僅僅是共產黨和毛主席的新中國，更是各族人民自己的新中國。

三、文革十年：「繼續革命」年代裡的清真飲食

　　不能諱言的是，在文革時期，清真的確遭到了嚴重衝擊。一些清真老字號和清真食堂被當成「四舊」的一部分遭到破壞；宗教場所被關閉、宗教人士被攻擊也必然殃及清真食品的供應；寧夏再度

63　王連芳，《雲南民族工作回憶》（北京：民族出版社，2012），頁200。

興起強迫回民養豬的風潮。局部地區發生了涉及相關少數民族的、至今令人難以釋懷的流血事件。然而，這些事實不代表可以用文初所引的流行敘事概括全部的歷史內容。第一，文革雖然使社會局勢和狀態處於「非常」之中，但仍然存在一個順應和應對之中的「正常」維度。[64]在一些地區的日常生活中，革命戰爭年代和「前十七年」確立的一些尊重清真飲食的制度、政策和觀念仍在延續；第二，就文革的「非常」一面而言，在激烈而多變的政治風波中，中央與地方，地方的各派別、各群眾組織（這些組織的存在正是文革期間政治生活的特色）之間是否具有一致性的對清真飲食風俗的壓迫立場，依據有限的材料仍有探討的餘地。

在文革運動最激烈的66至68年，在處於風暴中心的北京，我們發現回民飯店和食堂並沒有消失。1966年11月21日，正當紅衛兵大串聯的高潮，《人民日報》報導了中央音樂學院接待串聯師生的情況，其中提到為接待回族師生增添了「回民灶」：「中央音樂學院原來沒有回民食堂，但是，外地來的師生當中有回民。他們就從外邊請來回族炊事員，做起了回民飯菜。」即紅衛兵運動反而促進了「清真泛化」！1968年5月4日，《人民日報》又刊登了北京東內回民小吃店一職工講述自己「節約鬧革命」的文章，「繼續革命」和「回民小吃」並沒有構成互斥。

1968年，開始了大規模的知識青年上山下鄉運動。在這一過程中，尊重回族知青的飲食習慣也被視為積極正面、值得表彰的經驗。1973年出版的《熱情關懷下鄉知識青年的成長》一書中，收錄有記述豐潤前營大隊知青工作的文章，其中寫道：「對回族青年，還特

---

64 關於這一「正常與非常」的研究視角，參見金大陸，《正常與非常：
　　上海「文革」時期的社會生活》（上海：上海辭書出版社，2011）。

印有最高指示的北京南長街回民食堂飯費報銷憑證

地為他們單獨做飯菜」。[65]在知青插隊地點的分配上，有時也會考慮民族習慣問題。如鄭州市向陽區北下街的46名回族知青，就被分

65　〈為了培養無產階級革命事業接班人——記河北豐潤縣前營大隊黨支部做好下鄉知識青年工作的事蹟〉，《熱情關懷下鄉知識青年的成長》（合肥：安徽人民出版社，1973），頁51。

配到禹縣回族聚居的褚河公社巴莊大隊，以方便尊重其生活習慣。[66]

前十七年屢見不鮮的清真話語與民族團結、為人民服務主題的結合，在文革時期也依然延續。1971年10月4日《人民日報》發文報導北京國慶之夜的服務商店，其中講到西單工農兵食堂不僅備有一般的飯菜，還有為回民等少數民族準備的飯菜：「在這節日之夜，兄弟民族的同志們歡聚一堂，象徵著我們祖國大家庭裡的各族人民，在偉大領袖毛主席的英明領導下，緊密團結，攜手前進！」。1972年1月古爾邦節到來時，中央民族學院的食堂為維、回、哈、東鄉、撒拉等少數民族準備了節日飯菜。[67]1973年2月6日《人民日報》記北京朝內菜市場職工：「他們為回族居民考慮得也很周到，在節日前便挨家挨戶地送去了牛羊肉。」1973年7月10日，《人民日報》宣傳了列車員張文的事蹟：一次他發現兩名回民婦女，為了不給餐車添麻煩，每頓飯都是吃餅乾。張文於是請餐車廚師為她們做了雞蛋熱湯麵。乘客感激說：「你送來的不光是三碗熱湯麵，還送來了漢族兄弟姐妹對我們的一片心意。真是上車如到家，事事都方便！」1975年出版的《在平凡的崗位上》，記錄了上海外國語學院的回民食堂老師傅專門為一名患腎炎的學員燒菜的事蹟。[68]

1975年6月，上海的《學習與批判》刊登了一篇文章〈份內、份外〉，讚揚了一項服務回族同胞的舉措：南京路上張貼了一幅標明

---

66 王俊卿、陳長法，〈憶十年「知青」工作〉，河南省禹州市委員會文史資料委員會編，《禹州文史資料》第10輯（1999），頁86。

67 新華社記者，〈訪中央民族學院〉，原載1972年10月10日《光明日報》，轉引自湖北人民出版社編，《偉大的社會主義祖國欣欣向榮》，（武漢：湖北人民出版社，1973），頁124。

68 上海外國語學院高文池，〈站在鍋臺邊，放眼全世界〉，上海人民出版社編，《在平凡的崗位上》（上海：上海：上海人民出版社，1975），頁59。

上海所有回民飯店地點的分布圖。文章寫道：「不要小看這張分布圖。大家知道，回族兄弟的習慣是忌吃豬肉的。在上海這樣一個街道縱橫交錯、路名五花八門的大城市，別說路過上海的回族同胞要找到一家自己民族風味的飯館很不容易，就是『老上海』恐怕也很難說全哩」，作者隨後鼓勵「革命職工」打破「資產階級法權觀念的狹隘眼界」，積極去做類似畫回民飯店分布圖這樣的「份外」之事。這篇文章極為典型地體現了，回民飯店、「為人民服務」和文革話語三者是如何結合在一起的。

　　還可以體現文革時期清真飲食存在的一個側面，是文革時期出版的印刷物對之前尊重清真的回顧。1967年2月北京電影學院東方紅公社翻印的《韶山的光輝》記述了許多類似內容，如引用陳昌奉回憶講長征經過回民區時的不吃豬肉；還有記述毛澤東向陝北漢族農民解釋說回族就是「不吃豬肉信回教的人」、「不該叫回子，應該叫回民，他們是和漢人一樣的人，他們人數雖少，可是也是抗日的，我們不應當小看他們」。1968年武漢新華工革命委員會編印的《光輝的榜樣，偉大的實踐》中回顧了毛澤東長征過回民區尊重清真飲食風俗的事例。1974年出版的《中國少數民族簡況》，也提到了紅軍長征時在回民區「尊重民族風俗習慣」的模範行為。[69]

　　在文藝作品當中，浩然的《豔陽天》（此書完成於文革前夕，但文革中作為極少數依然得到正面評價的「十七年」文藝作品廣泛流通）曾多次提到柳鎮的回民食堂，這個回民食堂是小說裡村民聚會和討論的重要場所。1973年的寧夏小說〈鴨子問題〉寫道：「社員們學習了毛主席關於發展畜牧業家禽業的指示，大夥兒覺得咱是回民隊又在郊區，放羊離灘太遠，發展潛力不大，多麼想集體養些

69　《中國少數民族簡況》，中央民族學院研究室編印（1974），頁8。

家禽啊。」[70]這是對漢民隊養豬、回民隊養羊或家禽的反映。1975年出版的《山東民兵革命鬥爭故事集》，收錄有一篇小說〈回漢聯防隊〉，描寫了抗戰時期對回民「不吃黑肉（豬肉）」的尊重。[71]在讚揚海城地震救援工作的遼寧相聲「幸福餃」中，也有表現回民不吃豬肉餃子、吃瀋陽回民飯店牛肉餃子的片段。[72]

文革時的技術類出版物，也會零散提到清真食堂或回族食堂。1973年出版的《建築設計資料集2》中第148頁收錄的商業布點圖，標出了天津某商場的清真食堂；[73]第448頁的「專用食堂實例」列出了某高層公寓食堂的清真廚房和清真餐廳；第449頁的「營業食堂實例」標出了北京三里屯餐館的清真餐廳。1976年9月出版的《節約煤炭經驗選輯》則介紹了曙光回民食堂的「正餐節煤小灶」。

另外，值得一提的是，義大利導演安東尼奧尼的紀錄片《中國》，也拍攝到了蘇州的回民面店。這部紀錄片後來受到中國方面的批判，但卻無意中為文革時期蘇州回民飲食的存在提供了一條證據。

少數民族飲食和民族團結話語，還可以搭配文革後期的批林運動：1973年11月13日《解放日報》報導了上海黃浦區回民飯店「以批林整風為綱，熱情為兄弟民族做好飯菜」的事蹟。文中批判了林彪「製造分裂、破壞團結」的罪行，在褒揚職工時尤其強調了對「聽不懂漢語看不懂菜單」、「不習慣醬油做菜」的西北少數民族的尊

70 景秀，〈鴨子問題〉，《柳春（短篇小說集）》（銀川：寧夏人民出版社，1973），頁200。

71 馬濟民，《回漢聯防隊》，山東省軍區政治部編，《泰山風雲：山東民兵革命鬥爭故事集》（濟南：山東人民出版社，1975），頁144。

72 本社，《泰山壓頂腰不彎‧演唱集》（瀋陽：遼寧人民出版社，1975），頁12。

73 建築工程部北京工業建築設計院編，《建築設計資料集2》（北京：中國建築工業出版社，1973），頁148。

定人，定灶，定量，三堅持是堅持用煤过秤，堅持记录，堅持考核制度，三勤是勤加煤，勤奮灶，勤检查总结，同時要注意掌握煤种，搭配掺烧。1973年每百元营业额平均耗煤50斤。

五、曙光回民食堂正餐节煤小灶

1. 特点

炉排高，灶膛小，加煤少，燃烧快，火力旺，充分利用烟道余热。每百元的营业额耗煤67斤。

2. 結构

由灶膛（一个主火、两个支火和一个汤锅）、灰坑、烟道和烟道余热水箱组成。用普通砖、黄土、白灰砌筑，用耐火土、青灰、麻刀套膛，白磁砖和水泥贴面，用三角铁包边加固。灶长1320毫米，宽1050毫米，高850毫米，灶口210毫米。主火灶膛深300毫米，支火灶膛中间有挡火墙。主火炉篦直径250毫米，后汤锅直径500毫米（图19-4）。

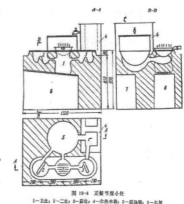

图 19-4　正餐节煤小灶

1—主灶；2—二灶；3—灰灶；4—余热水箱；5—烟道；6—出烟口；7—灰燃洞

商業部燃料局編，《節約煤炭經驗選輯‧城鎮生活和農村小工業節煤爐灶》（北京：煤炭工業出版社，1976），頁100，「正餐節煤小灶」。

重。1974年出版的《批判反動「生意經」》一書，則以北京石景山的北辛安回民食堂為例：「解放前是資本家開的飯館。資本家用各種手段盤剝勞動人民。解放以後，這個飯館成了社會主義的食堂，職工們把熱騰騰的飯菜送到首鋼的高爐旁、工地上，增添了多種服務專案方便工農兵，使服務工作越做越好，並且為社會主義積累了資金。」[74]

應當指出，在使用這些文革政治話語、參與這些政治運動時，少數民族並非是純然的傳聲筒或應聲蟲。他們也會主動發出自己的聲音，去順應和應對。如上海普清回族飲食店，因為服務不好，「回

---

74 北京市石景山區服務修理管理處，〈沿著毛主席指引的道路前進——批判「一本萬利」〉，《批判反動「生意經」》（北京：中國財政經濟出版社，1975），頁29。

族顧客也意見很多，有的還寫了大字報，要求認真改變」，[75]「大字報」成為回族顧客表達訴求的方式。再如1975年5月上海某工廠革委會生產指揮部寫給市民族工作組的一份請示：

> 民族工作組負責同志：我廠職工鐵某某同志是回族，其丈夫是漢族，已有兩個孩子。今因副食品供應(如牛肉等)滿足不了家庭的生活安排，向戶籍警提出更改孩子的民族結論為回族，沒有得到同意。現了解廠內其他回族同志的情況，如果男方是回族的孩子均可報為回族，為此，鐵某某同志提出這是否為男尊女卑的孔孟之道。如今，鐵某某同志提出要求把孩子改為姓鐵，並要求更改民族為回族。由於過去我們沒有遇到這些工作，不了解政策上有什麼規定，應如何處理為妥，特此詢問，望復函為盼。

　　文革時期民族工作的一大焦點，就是回民養豬問題。自社教運動時起，寧夏就重新興起強迫養豬的潮流。1971年7月，寧夏革委會又發出《關於大力發展養豬事業的指示》，在固原回民區推行養豬。然而，被忽視的是，強迫養豬正是在文革中而非文革後被叫停的。1972年1月24日—2月12日，根據周恩來的指示，中共中央、國務院在北京召開了固原地區工作座談會，會上中央嚴肅批評了寧夏違反民族政策的錯誤：「不重視培養回族幹部，更不重視培養回族女幹部，不尊重回族的宗教信仰和生活習慣，硬要回民養豬。嚴重地脫離了群眾，造成了民族關係很不正常」。同年7月2日，中共中央在

75　上海市革委會統戰小組，《上海市革委會統戰小組關於本市回族飲食店執行民族政策情況的調查報告》（1977），上海檔案館藏。

批轉座談會報告的通知中，批評某些同志：「對黨的民族政策的觀念十分淡薄，有的甚至發生嚴重違反黨的民族政策的情況」，要求對執行民族政策的情況進行一次檢查。至此，寧夏的強制回民養豬被叫停，並恢復和新建了一批清真食堂。

固原工作會議後，1973年1月10日，李德生傳達毛澤東關於民族問題的指示：政策問題多年不抓了，特別是民族政策。現在地方民族主義少些，不突出了，但大漢族主義比較大，需要再教育。這是一個文革時期中央用「以言行事」反對大漢族主義的突出例子。之後各地方又紛紛展開了「民族政策再教育」的運動，開始了對之前政策的糾偏。

固原工作會議、毛澤東指示和民族政策再教育直接保護和推動了清真飲食工作。據1999年版《海原縣誌》記載，1972年5月，根據國務院轉批商業部《關於少數民族特需商品的生產和供應報告》精神，在主要商店部門設立少數民族用品專櫃，將縣副食品加工廠更名為清真副食店加工廠，同時整頓為回族群眾服務的食品行業和飲食業，規定凡經營副食品的門市部所進食品都應有「清真」字樣。

現存有1973年雲南革委會發布的《關於重申重點照顧回族人民生活習慣問題的通知》，也反映了文革後期的狀況。該通知在引用了毛的這條「大漢族主義比較大，需要再教育」指示後，重申了保證回族飲食習慣的規定：如單位無回民灶的補貼二元五角（上海的同類補貼是四元），在城鎮、交通沿線恢復和新建清真食堂等。這些和我們熟悉的「前十七年」及八十年代對少數民族的照顧，是高度類似的。

那麼，如何理解上述事實與文革期間實存的種種破壞性案例的並存呢？前文很大程度上只是做了文獻意義上的摘引，對這種並存的分析顯然還是遠遠缺乏深度的。我們謹提出以下幾條不成熟的看

法：第一，如本節開頭所提及，文革時期在「非常」的政治激流中存在著「正常」的日常生活維度。而「尊重少數民族風俗」既是中國革命史形成的政治正確，也是毛澤東「反修防修」思路中的重要部分，這就為「繼續革命」對回民和其他民族特殊飲食習慣的容納提供了政治基礎。[76]1972年1月上海市飲食公司革委會在《關於要求增加牛羊肉供應的緊急報告》中說：「對清真單位如不採取適當措施，加以解決，在一定程度上會影響黨對少數民族的政策」。[77]即「黨對少數民族的政策」在文革時仍然在延續著。第二，在文革初期所爆發的自下而上的群眾運動中，也一度出現過民族政治意義上的「造反」空間，如寧夏的造反運動參加者很多是1960年「反地方民族主義運動」的受害者，[78]如沙甸回民成立了「民族政策捍衛兵團」，打開了在「四清」中被關閉的清真寺，等等。然而，和許許多多造反運動參與者的命運一樣，隨著新的外部干涉的出現和地方政治氣候的變化，他們會重新淪為被打擊的對象，而「尊重少數民族風俗」也在這一反復過程中被當地掌權者反向地政治化了。無論是對20世紀中國革命史，還是對當下的現實而言，這都是一個慘痛而深刻的教訓：革命或「繼續革命」的聯合需要，是否可能被偷換為由「無產階級」或「人民大眾」這一階級政治符號所象徵，但實質上卻是單一霸權性身分的同質化要求；換言之，如何避免一種以

---

76 如王紹光所指出，雖然毛澤東崇拜具有非理性的外表，但文革期間參與者對毛澤東言論的引用和解讀卻是在自身立場上的理性行為，參見王紹，《超凡領袖的挫敗：文化大革命在武漢》，王紅續主譯（香港：香港中文大學出版社，2009）。

77 上海市飲食公司革委會，《關於要求增加牛羊肉供應的緊急報告》，1972年1月21日，上海檔案館藏。

78 武麗麗、趙鼎新，〈「克里斯瑪權威」的困境：寧夏文革的興起和發展〉，《二十一世紀》（香港），2007年6月號。

「反身分政治」相號召的「超身分政治」。[79]

　　此外，雖然民族與宗教二者在大陸往往並稱，但中共在承認和重視民族問題的同時，對宗教確實採取了更加工具性的看法和政策。儘管1974年出版的《中國少數民族簡況》表述說「在反對披著宗教外衣的壞人壞事的同時，黨的宗教信仰自由政策得到全面貫徹，各地回民群眾正常的宗教生活一直受到尊重，每逢回民的三大宗教節日，各地都給以照顧。回民較多的機關、工廠、學校一般都設有回民食堂以尊重和照顧回民的風俗習慣」；[80]但在文革期間的實際管理中，如果說屬於「民族」領域的事物尚有一定的空間乃至自主性，那麼「宗教」相關事物遭到的警惕乃至敵視則更多。這一點，不光在伊斯蘭教方面如此，佛教、道教、基督教、天主教和各種民間宗教也經歷了同樣的軌跡。當然，宗教議題也同樣有著「正常與非常」和地方多樣性的面向。[81]

四、餘論

　　回顧整個歷程之後，我們可以說，革命時代和前三十年對清真

79　在今天的語境下，類似的問題可以參看Slavoj Žižek：Class struggle against classism，最後流覽時間2021年6月5日。

80　《中國少數民族簡況》，中央民族學院研究室編印（1974），頁10。

81　例如，「文革「時期的上海官方曾宣稱回族群眾已經「自願」放棄了宗教，關閉了除小桃園清真寺（面向外賓）外的全部清真寺。而據筆者2018年10月對一位經歷過「文革」、參加過「安亭事件」的回族退休工人的訪談，每當主麻日，他們可以在私下前往理論上只對外國人開放的小桃園清真寺。當然，這一例子絕不可用於說明當時不存在宗教壓迫，而只可說明這種壓迫的強度存在地區差異，以及信教者應對的靈活策略。

的尊重並不是被迫的綏靖，也不是靜態的身分政治，而是社會主義
實現普遍解放的一種必要途徑和正面經驗。當今天的人們聲嘶力竭
地討論一些場合中的清真食堂到底是不是「泛化」的時候，都遺忘
了這些食堂最初是怎麼來的，都不言自明地無視或扭曲了中國革命
的豐厚遺產。

　　一種可能的批評，是將單位中的清真食堂視為在「人民」中建
構和展演他者，並將其與為回族「發明」民族服飾、[82]在文藝作品
中展現民族歌舞等聯繫在一起，視之為無意識地繼承了傳統帝國營
造多元景觀的統治手段。對此，除了上文對中共清真飲食政策源流
的梳理外，仍可稍作辨析的是：帝國景觀高度依賴儀式與視覺，換
言之，任何不能被直觀地「看見」的多元性都可能無助於提升主權
者的權威與霸權。而革命中國的清真飲食政策不僅有「可見」的食
堂，也有不那麼可見的「補貼」。此外，當時許多自下而上的民族
團結實踐，更不可能由帝國景觀所容納；例如，1976年丹東人民糧
店在端午節進貨稀少品種的江米，所剩半袋被員工主動賣給朝鮮族
做打糕吃，「店內外群眾一致稱讚這個做法好。」[83]難道這裡所「展
示」的是朝鮮族的打糕製作技能嗎？

　　事實上，正像這條史料所顯示的，在前三十年裡得到支持和照
顧的少數民族風俗並非只有清真飲食習慣。如對蒙古族長袍、馬鞍

82　一種傳說是，「為適應民族自治區的特色，保留回民的傳統習俗，
　　劉格平夫人丁磊親自設計製作了結合中國傳統服裝風格的回民服
　　裝，並與劉格平二人親自穿著示範，在寧夏日報上發出，以期在寧
　　夏推廣」，〈不一樣的紅色記憶：回民的紅色記憶──深切緬懷劉
　　格平〉，穆斯林線上網站，最後流覽時間2021年6月5日。筆者對此
　　未能詳考真偽。

83　丹東市革命委員會財貿辦公室《人民糧店的故事》寫作組，《人民
　　糧店的故事》（哈爾濱：黑龍江人民出版社，1976），頁84。

的供應;對朝鮮族江米、膠鞋的銷售;對瑤族、壯族的加發布票;對柯爾克孜族、維吾爾族調撥方糖;對苗族銀製品、背帶心、石青布的生產⋯⋯如毛澤東在長征中進入回民區之前對警衛員所講的話所說:「回族的窮人和我們漢族的窮人一樣,也是受地主、惡霸的壓迫,生活十分貧困,他們也要鬧革命,求解放!他們是我們的老弟兄⋯⋯要我們尊重他們,和過苗族區尊重苗族人民的風俗習慣一樣。」。[84]所以,這不是孤立地對某一民族的「優待」,而是反映了革命中國與各個民族人民的交融。少數民族也通過對革命的參與和吸收,成長為全新的政治主體。

本文並無意於把「革命」名義下的一切都描繪成一幅玫瑰色的圖景。實際上,在中國革命的解放實踐中,領袖指示中的「進步」、國家機器要求的「進步」、少數民族幹部和群眾自身嚮往的「進步」既共用著社會主義的願景,又存在著強大的張力。這種不同「進步」間的撕裂,最終上升為政治運動中的衝突,造成了我們都熟悉的種種悲劇,也破壞了革命自身的基礎。但是,如果所有人都放棄了對進步的追求,恐怕也是在為更大災難的醞釀創造條件。

自八十年代以來,清真食品工作和回族的豬肉禁忌得到了更為有序的保障。然而,這種保障卻潛藏著危機:許多事件的結束是以純粹事務主義的態度和方法處理的,只注重在事件結果上的「照顧」,卻忽視了從政治上揭示和教育基層大漢族主義和其他民族主義的錯誤。於是,也正是在稍後,一種對「少數民族優待」的狹隘解讀逐漸產生和流行。如汪暉所言:「如果沒有各族人民的積極參與,沒有各族人民和每一個公民當家作主的認同感,制度本身就會

---

84 陳昌奉,〈從通渭到涇源──跟隨毛主席過回族區二、三事〉,《山東文學》,1960年第8期。

僵化、保守、成為純粹由上至下的社會控制和管理系統。」[85]

時過境遷，對今天而言，無論是單位、學校的清真食堂，是大街小巷以「蘭州拉麵」為代表的清真飯店，是商店中銷售的清真食品，抑或是新產生的「抵制清真」的消費情緒，都是在市場經濟條件下發生和運行的，都要依據新的經驗和理論才能分析與解決。查特吉曾指出：

> 每當資本遇到一種阻力，它就以為自己遇到了另一時代——某種前資本的東西，某種屬於前現代的東西……但是，由於將資本想像為時間本身的一種性質，這種觀點不僅成功地將自身所遇到的阻力打上陳舊和落後的標記，而且保證，無論某些人相信或希望什麼，資本和現代性最終都會勝利，因為不管怎麼說，時間永遠不會停下來。[86]

這種對作為資本象徵的「同質空洞時間」的想像，與中國市場經濟向更高階段的發展和中國大陸特定階層對國族形象的重塑，共同催生了將清真飲食習慣視為某種徹底「現代化」之阻礙的民粹主義思潮，這些思潮正在且已經產生影響。

在這種條件下，我們之所以追尋歷史，是為了說明從很早以前起清真就是中國整體問題的一部分，為了提示它曾經具有的政治意義，而不是為了滿足懷舊的癖好。問題並不在於清真和民族團結本身，不在於一種習慣究竟是宗教的還是世俗的，而在於使清真成為

---

85 汪暉，〈東方主義、民族區域自治與尊嚴政治：關於西藏問題的一點思考〉，《天涯》，2008年第4期。
86 帕薩·查特傑著，田立年譯，《被治理者的政治》（桂林：廣西師範大學出版社，2007），頁5-6。

一個問題的社會條件，在於以什麼樣的方式實現民族團結。如果，在「極左」年代裡都沒有公開打破的底線遭到了挑戰；如果人們對革命的遺忘是如此之徹底以至於它竟然成為了反動的修辭；如果「去政治化」的結果是新右翼「另類政治化」的崛起……那就不得不令人回望，中國革命對各民族人民的承諾；就不得不令人回想，什麼才是「新中國」的初心。

忽思慧，史學工作者，哈紫爾學會編輯，撰稿人。

李舵，大陸某高校博士在讀。主要興趣在中國大陸當代文學與文化研究。哈紫爾學會編輯，撰稿人。

牟宗三・海德格・傳統儒家

鄭家棟

一、海德格如何影響牟宗三？[1]

　　就思想邏輯而言，牟宗三先生超越的唯心論的講述遭遇海德格似乎具有某種必然性，而事實上任何思想家思想史意義上的涉獵、

1　香港學者劉保禧在文章中批評筆者《牟宗三》一書完全忽視海德格
　　對於牟先生思想的影響，並認為該書「代表了學界的典型觀點：海
　　德格與牟宗三的哲學雖然有關，但是處於相當邊緣的位置。」他本
　　人則認為：「牟宗三思想中一直有一條海德格哲學的線索貫穿其
　　中，而且歷經轉折。忽略這條線索，就不能真正理解牟宗三的康德，
　　更不能真正理解牟宗三的『智的直覺』、『物自身』、『兩層存有
　　論』等核心觀念。」拙作《牟宗三》（台北：東大圖書公司，2000）
　　疏於牟先生與海德格思想關聯方面的闡釋乃是事實，不過筆者認為
　　海德格對於牟先生的影響主要關涉於理論架構而非思想方向。上世
　　紀60、70年代是牟先生思想創獲和理論建構的高峰時段，他「偶讀」
　　海德格前後的核心觀念是一以貫之的，可是理論敷設的路徑卻有很
　　大的不同。劉保禧文〈隱匿的對話——海德格爾如何決定牟宗三的
　　哲學計畫？〉，載《中國哲學與文化》第12輯，灕江出版社2015年
　　版。

取捨都具有某種偶然（機緣）的因素，特別是對於很少涉及後康德思想脈絡的牟先生。牟先生說他「偶讀」海德格《康德與形而上學疑難》和《形而上學導論》兩書，於是有《智的直覺與中國哲學》和稍後《現象與物自身》的寫作。[2]牟先生對於海德格及其現象學並無全面的了解，亦無興趣做全面的了解，他所感興趣的首先還是在於康德詮釋，這方面海氏《康德與形而上學疑難》既屬於非常學術性的著作，亦在思想創造方面扮演重要角色：此種通過康德詮釋而實施哲學創造的理路與牟先生是一致的。

　　牟宗三與海德格之間「夾」著康德，他們的對話是通過康德詮釋這種方式展開的。關於康德詮釋的方法論原則，海德格指出：「如果一種解釋（interpretation）只是重新給出康德所明確說過的東西，那麼，這解說從一開始就絕不是闡釋，闡釋一直被賦予的任務在於：將康德在其奠基活動中所揭示的那些超出明確表述之外的東西，原本地加以展現。關於這些東西，康德自己似乎已不能再說什麼，因為完全就像在所有哲學性的知識中那樣，關鍵一定不在於那些說出的語句中被說出的東西，而在於借助已說出的東西，將尚未說出之物置於眼前。」[3]「為了從詞語所說出的東西那裡獲取它想要說的東西，任何的解釋都一定必然地要使用強制。但這樣的強制不能是浮游無羈的任意，一定有某種在先照耀著的理念的力量推動和導引著闡釋活動。」[4]這種立場和牟先生的康德詮釋可以說是相當的一致。牟先生一再申明他所表述的是康德已經預示可是沒有闡明的，或者

2　牟宗三，《智的直覺與中國哲學》序，《牟宗三先生全集》卷20（新北：聯經出版公司，2003）。

3　海德格爾，《康德與形而上學疑難》，王慶節譯（北京：商務印書館，2018），頁218。

4　同上書，頁219。

是康德已經提出卻沒有充分展開乃至模糊不清者，還有康德應當依循某方向推進卻裹足不前者。這裡引述卡西爾關於海德格《康德與形而上學疑難》的評語：「同海德格的所有研究工作一樣，他的康德書也帶有真正哲學思考和思想探索的標記……，康德書表明了自身能夠應對它揭示在我們面前的問題；它總是保持著對它的任務的高度專注。」[5] 這一評斷也完全適用於牟先生的康德詮釋。對於這類哲學家的「哲學的」詮釋，你固然可以從學術的角度指出他們「誤讀」、「扭曲」乃至「強暴」了康德，可是更重要的在於指出這種「誤讀」的意義及其引發的理論後果。

牟先生新儒家思想或者說「道德的形上學」的理論建構主要是在上世紀60、70年代，代表作是60年代寫作的三卷本《心體與性體》和70年代寫作的《智的直覺與中國哲學》、《現象與物自身》。三部著作的展開是環繞牟先生思想的兩個焦點：「（道德）自律」說和「智的直覺」說。兩者都首先關涉到消化、吸收和立足於傳統儒家的心性義理上扭轉、改造康德。《心體與性體》主要關涉到康德道德哲學或曰道德形而上學方面的著作，牟先生引入康德自律概念詮釋儒家（道德）實踐哲學，並依據宋明心學「心即理」原則改造康德自由意志說，其中也特別關涉到道德情感上下其講；同時由自由意志即神聖意志的「絕對性」而進入宇宙創生的形上學。自律觀念的引進也特別關涉到牟先生理性化的孟子學，[6] 它實際上構成了牟先生思想的一個基礎性的環節。即便是沒有後來著作的寫作，《心體與性體》所闡釋的牟氏自律說，亦足以獨樹一幟，構成儒家心性

5　卡西爾，《康德與形而上學問題：評海德格爾對康德的解釋》，張繼選譯，北京，《世界哲學》，2007年第3期，頁46。

6　環繞牟先生的「自律」觀念和孟子學，李明輝有詳盡的闡發。

之學現代闡釋的一種義理形態，同時也提供了中西對話的一個契入點。

　　就理論架構而言，《智的直覺與中國哲學》和《現象與物自身》較比《心體與性體》有一個調整或曰轉折，正是這個調整或曰轉折與牟先生「偶讀」海德格有關。牟先生對於康德哲學的理解、消化是始於《純粹理性批判》，其成果是40年代寫作的《認識心之批判》一書，到了70年代他說自己受到海德格的啟發，認識到《認識心之批判》一書的局限性在於沒有認識到康德第一批判的蘊涵與其說是知識論的不如說是存有論的，[7]也就是說沒有認識到「知性的存有論品格」：知性範疇不僅是認識（知識，經驗）如何可能的條件，也是「經驗底對象底可能性之條件」。[8]實際上，最直接地影響牟宗三的乃是海德格《康德與形而上學疑難》中引述的康德《遺稿》中的一段：「物自身之概念與現象之概念間的區別不是客觀的，但只是主觀的；物自身不是另一對象，但只是就著同一對象而說的表象之另一面相。」[9]這段話被牟先生反覆徵引。正是相關理解促使牟

7　海德格說：「當《純粹理性批判》這部著作被闡釋為『關於經驗的理論』，或者甚至被闡釋為實證科學的理論時，它的意圖就因此從根本上被曲解了。《純粹理性批判》與『知識理論』完全沒有干係。如果要想能夠在根本上容許這種作為知識論的闡釋的話，那麼最好說《純粹理性批判》不是一種關於存在物層面上的認知（經驗）的理論，而是一種存在論認知的理論。……所建立的只有作為一般形而上學，即作為整個形而上學之主幹的存有論，並且在這裡，存在論才首次被帶到了它自己本身中。」（《康德與形而上學疑難》，頁25）

8　牟宗三，《現象與物自身》序5，《牟宗三先生全集》卷21（新北：聯經出版公司，2003）。

9　康德《遺稿》應該在牟先生康德閱讀的範圍之外，牟先生的了解顯

先生進一步回到康德批判哲學的立場來了斷《心體與性體》書中一個糾結的問題：《心體與性體》書中的焦點之一關涉到融通於傳統儒家《中庸》《易傳》和思孟、陸王兩條線索之間，其中也特別關涉到為什麼說《中庸》「天命之謂性」一類本體宇宙論的講法不屬於康德所批判的「本質倫理」，而可以納入「方向倫理」一途？「物自身之概念與現象之概念間的區別不是客觀的，但只是主觀的」，使得牟先生認識到問題的關鍵仍然是主體機能的考察，這當然是典型的康德批判哲學式的問題。於是，牟先生由《心體與性體》通過改造康德自由意志說而實現「實踐理性充其極」的進路，轉向「智的直覺如何可能」的進路，並認定是否承認「人可有無限的認知活動」（無限心）乃是東西方哲學智慧的根本性差異。

　　落實地說，牟先生閱讀海德格的最大得獲是基於兩種「直觀」（直覺）的對照說明人的有限性。海德格說：「形而上學奠基活動在對人的有限性發問中建立根基，這樣就使得這種有限性現在第一次變為疑難。形而上學奠基就是將我們的、即有限的知識按其要素的『闡明』（分析）。康德將之稱為是『對我們內在本性的探究』。」[10] 這裡所謂「按其要素的『闡明』」首先關涉到並且始終關涉到人的直觀的有限性：直觀的接受性，被給予性，非創造性。[11]海德格說：「人的認知的有限性首先必須在其本己的直觀的有限性中去尋

（續）

　　　　然是來自海德格，參見海德格爾，《康德與形而上學疑難》，頁42。
　10　《康德與形而上學疑難》，頁235，譯文稍有調整。
　11　「在物的有限直觀不可能從自身出發給出對象，這一直觀必須讓對象給出自身。並非每個直觀本身，而只是有限的直觀才是具有可領受性的。因此，直觀的有限性的這一特徵就在於它的接受性。」（海德格爾，《康德與形而上學疑難》，頁34）

求。」[12]又說：「將人類認知與無限的神的認知之理念，即『源生性直觀』進行某種襯托比較，有限的人類認知之本質就會展現出來。」[13] 這是康德哲學中的問題，可是此前牟先生顯然並沒有認識到兩種直觀（感性的與「根源的」）相對照的深刻涵義，或者說此前牟先生並沒有依據相關理路理解康德。

　　《智的直覺與中國哲學》書中，牟先生長段地引述海德格有關人（此在）有限的直觀與神的認知作為「絕對直觀」之對比。[14] 我們知道，海德格極大地凸顯了直觀的地位，強調（有限的）直觀規定了人類認識的本質，思維只是服務於直觀。[15] 人的直觀只能夠是接受性的；有限的人類不可能具有完全擺脫了接受性的、自身給出「雜多」的創造性直觀，康德與海德格都堅持這一點。牟先生由此發現了自己哲學的契入點和突破口，他認為主張人只能擁有有限的直觀是一個錯誤的論斷，中國思想傳統足可以否定這個論斷。「在中國哲學傳統中，智的直覺卻充分被彰顯出來，所以我們可以斷定說人類從現實上說當然是有限的存在，但卻實可有智的直覺這種主

12　《康德與形而上學疑難》，頁33。

13　同上書，頁32。

14　參見《智的直覺與中國哲學》，《牟宗三先生全集》卷20，頁44-46。

15　「認知就是思維著的直觀。」（《康德與形而上學疑難》，頁31）「認知的根本特徵就是直觀。」（同上書，頁324）「一切思維作為手段所追求的，就是直觀。」（同上書，頁30）「知識的有限性立足于直觀活動的有限性，即領受活動之上。因此，純粹認知，也就是說，對站在對面的東西之一般的認識即純粹概念，也就植基於某種領受著的直觀之上。」（同上書，頁206）「人的有限性中含有在領受著的直觀意義上的感性。作為純粹感性的純粹直觀，乃是將有限性彰顯出來的超越結構的一個必然要素。人的純粹理性必然地就是一種純粹的、感覺著的理性。」（同上書，頁187）

體機能，因此，雖有限而實可取得一無限底意義。」[16] 這裡所謂「智的直覺」即是指謂康德、海德格所說的屬於「神智」的「源生性直觀」。由此所引發的理論後果是：傳統的「天人合一」得到一種新的闡釋，它被歸結於：人可以同時擁有兩種「直觀」——有限的、接受性的感性直觀與無限的、創造性的智性直觀（牟稱之為「智的直覺」）。是海德格啟發牟先生從這個角度切入問題，由此他改造康德的入手處不再是《心體與性體》的自由意志論，而是《智的直覺與中國哲學》和《現象與物自身》的「智知」論。相比較而言，後者佛教的色彩似乎更濃。

與上一點相聯繫，牟先生在《現象與物自身》書中用「人是有限的存在（人之有限性）」來表述康德思想的基本預設，[17]這顯然也是受到海德格的影響，只是在後者看來，康德在彰顯人的有限性方面還是猶疑不決的。[18] 在60年代寫作的《心體與性體》書中，牟先生恰恰是凸顯康德自由意志的「無條件性」向「無限性」方面的伸展，只是此種無限性沒有能夠在「本心性體」（絕對無限者）的意義上落實。由此說來，康德乃是停在半途中的儒家。可是，用「人是有限的存在」來表述康德哲學的基本預設，所凸顯的則是康德與儒家的對照，此對照的焦點在於是否承認人類可以同時擁有接受性的和創造性的兩種直觀。[19]

---

16 《智的直覺與中國哲學》，《牟宗三先生全集》卷20，頁447。

17 《現象與物自身》，《牟宗三先生全集》卷21，頁1。

18 卡西爾，《康德與形而上學問題：評海德格爾對康德的解釋》，北京，《世界哲學》，2007年第3期，頁44。

19 「我與康德的差別，只在他不承認人有智的直覺，因而只能承認『物自身』一詞之消極的意義，而我則承認人可有智的直覺，因而亦承認『物自身』一詞之積極的意義，而以智的直覺之有無決定『物自

二、兩種「超越」：人性與神性之間

　　我們知道，康德主張感性經驗世界的「知識」乃奠基於「思想」
（理性）的先驗形式，可是「思想」如何真正走出「思想」似乎仍
然是一個難題，就是說康德並沒有真正克服思想與實在之間的二元
對立。海德格思想的引申與此有關。在後者看來，康德所揭示的時
間、空間作為經驗知識先天條件的純粹直觀，與其說是理性的先天
形式，不如說是作為有限存有者根基的存在方式，時間、空間的純
粹性和超越性不是抽象的、形式的，而是實質的、存在的。如此說
來，人（此在）本來就是「在世生存」，就在「世界」之中。約納
斯（Hans Jonas）表述海德格《存在與時間》的「範疇」與康德之間
的差異：「海德格喜歡稱它們為『生存性範疇』。這些生存性範疇
不同於康德的客觀範疇，它們所表達的主要不是現實（reality）的結
構，而是實現（realization）的結構，也就說，不是既定客觀世界的
認識結構，而是內在時間的積極運動的功能性結構。在這個內在時
間的積極運動中，世界得到維持，自我作為一個持續的事件得以產
生。」[20] 牟先生說「偶讀」海德格提醒他認識到康德哲學中「知性
的存有論品格」，他「兩層存有論」的創設與此有關。不過，他顯
然不能夠接受把自我和世界的產生和持續歸結於「內在時間的積極
運動」及其「功能性結構」。落實地說，他全然不贊同海氏把「時

（續）

　　　　身』一詞之或為積極的意義或為消極的意義，則總成立。」（《智
　　　　的直覺與中國哲學》，《牟宗三先生全集》卷20，頁160）

20　約納斯，〈靈知主義、存在主義、虛無主義〉，張新樟譯，載劉小
　　　　楓選編，《靈知主義與現代性》（上海：華東師範大學出版社，2005），
　　　　頁52。

間」（時間性）引入「存在」／「存有」的界域（這裡我們不涉及後期海德格存在（Sein）與存有（Seyn）的區分）。他批評海德格「把他所謂『基本存有論』放在康德所謂『內在形上學』範圍內來講」，[21]這裡所謂「內在」指的就是時間性；海氏「把存有論置於時間所籠罩的範圍內，這就叫做形上學之誤置。」[22]牟先生認為這是把康德思想引申到一個錯誤的方向，因為真正的形上學只能夠從康德「超絕形上學」範圍內講，而對於牟先生來說，這主要關涉到康德那裡具有「彼岸性」的「理念」如何虛而實之。

　　這關涉到海德格與牟先生超越論的根本區別：海氏可以說根本扭轉了「超越」一語的傳統指涉[23]——保留了康德在「先驗」transzendental涵義上的運用，[24]「超越」既不是關涉於主、客之間，

21　《智的直覺與中國哲學》，序7。

22　同上。

23　關於漢語學界環繞康德、海德格 Transzendenz、transzendent、transzendental等概念的漢譯及其分歧，香港學者劉保禧曾經在〈天道與界域——牟宗三與海德格爾論「超越」〉一文中注釋1，有一綜述，其中列舉出鄧曉芒、孫周興、倪梁康以及牟宗三、勞思光等學者的翻譯；亦可以參見王慶節，《康德與形而上學疑難》，頁24譯注1；劉文見台灣《東吳哲學學報》第28期，2013年8月。

24　海德格說：「一切有限的存有（其實只當限於人類）必須有這種基本的〔基礎性的〕能力，此可描述為轉向某某（turning toward...）或朝向某某（指向某某orientation toward...），它讓某物成為一對象。」這些詞語都是極美而又恰當的。統覺底對象化活動根本就是一種「超越地指向於某某」之活動。」（牟宗三《智的直覺與中國哲學》，《牟宗三先生全集》卷20，頁41-42）這裡所謂「超越」指的是經驗對象所以可能的先驗條件，屬於康德的transcendental。牟先生正確地指出：「這種超越性只是知性統覺底超越性，它根本就是有限的。」（同上書，頁61）

[25]也不是關涉於有限與無限（絕對）之間[26]：「超越」乃是人（此在）作為有限者的存在方式，[27]它指向（時間中的）「敞開」和可

25　「超越是不能通過一種向客觀之物的逃遁而獲得揭示和把捉的，而
　　唯一地只能通過一種必須不斷地更新的對主體之主體性的存在學
　　闡釋而得揭示和把捉；這種闡釋與『主觀主義』相違抗，同樣也必
　　定不能與『客觀主義』亦步亦趨。」（海德格爾《路標》，孫周興
　　譯〔北京：商務印書館，2000〕，頁189）「客體——被對象化的
　　存在者——也不是超逾所要達到的東西。被超逾的東西，恰恰唯一
　　地就是存在者本身，而且就是能夠對此在無蔽地存在和變易的任何
　　存在者，因而也恰恰就是那個存在者——『它自身』（es selbst）
　　即作為那個存在者而生存（existiert）。」（同上書，頁160）而關
　　於「這種闡釋」非主觀主義的面向，海德格說：「在此在之超越中
　　並且根據此在之超越而對存在的存在學闡釋實際上並不意味著從
　　作為此在的存在者中把非此在式的存在者之全體推導出來。」（同
　　上書，頁189，作者原注）

26　海氏區分知識論與神學意義上的「超越」，後者是關涉於有限與無
　　限之間，指向某種「超出一切經驗之上、充盈的存在者」。（海德
　　格爾，《從萊布尼茨出發的邏輯學的形而上學始基》，趙衛國譯〔西
　　安：西北大學出版社，2015〕，頁229）而對於海德格，「超越尤
　　其不簡單地是充盈的東西，或有限認識不可通達的東西的頭銜。」
　　（同上書，頁232）

27　「超越」即是「主體」（此在）的存在方式，也是「世界」的存在
　　方式：「『超越』意思是『超過』，那transcendens（拉丁文：超越
　　者）也就是超越者，乃是『超過者』本身，而非我超過而達到的東
　　西。世界乃是超越者，因為世界構建了『跨越到……』本身，後者
　　屬於『在—世界—之中—存在』的結構。此在自身在其存在之中乃
　　是在超逾中的，因而它恰恰不是內在者。超越者並非諸客體，物決
　　不可能超越，決不可能是超越的。毋寧說超越者乃是超越的、逾越
　　自身的『主體』，此『主體』即是在存在論上得到恰當領會的此在。」
　　（海德格爾，《現象學之基本問題》，丁耘譯〔上海：上海譯文出
　　版社，2008〕，頁410；譯文有調整）

能性；而對於牟先生，「超越」乃是指涉於有限與無限之間，指涉於有限向無限的「逾越」及其過程。並且重要之點在於：「超越」本質上乃是無限者（「本心性體」）的自我「活動」（呈現，實現），[28]此「活動」的意義在於擺脫和克服有限者（「小體」，「聞見之知」，「氣質之性」）的糾結，而達於某種超時空的終極實在（實體）和「理境」——落實地說，這主要關涉到天人合一架構下人性中的神性（「本心性體」）的自我呈現，「通過一超越的無限性的實體或理境之肯定，則人可取得一無限性。」[29]概括地說，海德格所謂「超越」乃是有限者的「超越」（敞開，活動，籌畫，可能性），牟先生所謂「超越」則是無限者對於有限者的「超越」，是無限者（本心性體）通過對於有限者的克服的而達成某種「圓頓地」呈現、實現。肯認和彰顯一絕對無限者乃是牟先生講論超越的前提，他批評海德格「不肯認一個超越的實體（無限性的心體，性體或誠體）」的超越論乃是「無本之論」，[30]海德格雖然盛言「超越」，可是「一切超越性的東西俱被海德格割斷了」。[31]我們知道，指向一絕對無限者或者說環繞一絕對無限者的超越論，正是海德格所著力破斥的。

這同樣關涉到對於所謂「內在超越」說或「超越而內在」說及其焦點與核心的理解。應當說，儒家思想的重心在於彰顯作為先天

28　「此即純然是天德誠明之自我活動，不是由於什麼其他東西之影響而活動，此即所謂『純出於天，不繫於人』。」（《智的直覺與中國哲學》，《牟宗三先生全集》卷20，頁243）「智的直覺就是靈魂心體之自我活動而單表象或判斷靈魂心體自己者」。（《智的直覺與中國哲學》，《牟宗三先生全集》卷20，頁187）

29　《智的直覺與中國哲學》，《牟宗三先生全集》卷20，頁472。

30　同上書，頁465。

31　同上。

稟賦存在於人性之中並且作為人性之終極實在和「理境」（物自身）的神性，而拒絕把神性界定為某種迥異乎人性的本源和真實。由此說來，內在超越說的焦點與核心與其說是如同某些闡釋者所論辯的（一般意義上的）超越者是否內在於或可以內在於經驗世界（在此種寬泛的界域中，基督宗教的傳統同樣具有複雜性，不可以簡單化地一概而論），不如說是旨在證成人性與神性之間的「不一不異」：「不一」是說人不可能如同上帝然完全等同於純靈和至善；「不異」是說在潛能和終極實在與理境的意義上，人性的本來面目（物自身）和完滿實現（呈現）就是神性。正是在這一點上，儒家思想區別於基督宗教，因為它強調人性與神性之間張力的偶然性和非本質性，並且人完全有能力克服、消解此種張力，達於「人而神」的存在和境界。我們看相關討論中引述最多的牟先生《中國哲學的特質》中的一段：「天道高高在上，有超越的意義。天道貫注於人身之時，又內在於人而為人的性，這時天道又是內在的（immanent）。因此，我們可以康德喜用的字眼，說天道一方面是超越的（transcendent），另一方面又是內在的（immanent與transcendent是相反字）。天道既超越又內在，此時可謂兼具宗教與道德的意味，宗教重超越義，而道德重內在義。」[32]牟先生講的是天道與人性之間的關係，天道「為人的性」也就是天理為人的性，神性為人的性，這是強調天與人之間、神性與人性之間原初的同一性。在認為人的有限性（也特別關涉到人性之惡）應當並且可以得到完全的克服和超越的意義上，內在超越說可以成立；而在寬泛地表述為超越者可以內在於經驗世界的意義上，牟先生晚年作為圓成形態的思想架構恰恰否認了這一點，因為基於他的兩層存有論，通過「良知坎陷」而開顯的經驗世

32　牟宗三《中國哲學的特質》，《牟宗三先生全集》卷28，頁22。

界完全說不上神聖而超越的意義——你可以說世界在物自身（而非現象）的意義上具有超越價值，而此超越價值乃是源出於「本心性體」（自由無限心，無限智心）的「朗潤」。在過於寬泛化的表述中，內在超越說並不足以（如同某些闡釋者所信心滿滿地論述的）劃開儒家與基督宗教之間的界線——當然，爭辯「超越」的意涵是否只能夠在「beyond」的意義上加以界定仍然可以構成某種焦點，可是問題的核心在於人性與神性的張力是必然的還是偶然的，「烏雲蔽日」（惡）究竟只是人性的某種偶然狀態還是某種不能夠擺脫的實存，與此相關的是訴諸於外在的救贖還是人性自身的潛能。所以晚年的牟先生是扣緊「人雖有限而可無限」討論問題，扣緊人「是」什麼來討論問題。這也構成牟先生與康德和海德格的根本區別：對於海德格，人（此在）永遠不可以在「智性直觀」（神性機能：「直觀」之即「創造」之）的意義上界定，可是神性似乎也並沒有絕塵而去（特別是對於晚期海德格而言），而是存在於某種「瞬間」和可能性的界域中。海德格立足於「敞開」和可能性的超越論被牟先生稱之為「無本之論」，「因為不肯認一個超越的實體（無限性的心體、性體或誠體）以為人之所以謂真實的人，所以有『實有』性之超越的根據，所以我們可斷定說這是無本之論。」[33] 他也準確揭示出海德格超越論的實質：超越既不是超越者（本心性體）的自我活動，也不是指向某種時間界域之外的真實，「故這超越施設正顯其本身為有限性，因而由它的施設所敞開的超越地帶或所形成的超越層也本質上是有限的。」[34]

　　海德格指出：

33　《智的直覺與中國哲學》，《牟宗三先生全集》卷20，頁465。

34　同上書，頁61。

如果我們再度回憶一下西方－歐洲思想史，我們就會了解到：
存在之問題作為存在者之存在的問題，是有雙重形態的。它一
方面問：存在者一般地作為存在者是什麼？在哲學史進程中，
在這個問題領域內的考察是在「存在學」（Ontologie，舊譯「體
論」）這個名目下進行的。而另一方面，「什麼是存在者？」
這個問題也追問：何者是以及如何是最高存在者意義上的存在
者？這就是對神性的東西和上帝的追問。這個問題的領域乃是
神學（Theologie）。我們可以把關於存在者之存在的問題的雙
重形態概括在「存在－神－邏輯學」（Onto-Theo-Logik）這個
名稱之中。「什麼是存在者？」這個二重性的問題一方面是說：
（究竟）什麼是存在者？另一方面是說：什麼（何者）是（絕
對）存在者？[35]

　　這特別關涉到「先驗」與「超驗」的區分，後者本質上是神學
的。「形而上學既在探究最普遍者（也即普遍有效者）的統一性之
際思考存在者之存在，又在論證大全（也即萬物之上的最高者）的
統一性之際思考存在者之存在。」[36]當然從歷史上形而上學演化史
方面看，我們似乎很難發現兩種路向之間非此即彼的劃界，更多的
卻是二者之間的過渡和轉化。「神學從存在學中推出存在者的本質
（essentia），存在學則著眼於存在者的實存（existentia），把存在

35　海德格爾，《路標》，孫周興譯（北京：商務印書館，2000），頁
　　526-527。

36　海德格爾，《同一與差異》，孫周興等譯（北京：商務印書館，2014），
　　頁70。

者當作實存者移置入神學所表像的第一根據之中。」[37]就康德哲學而言，其所真正成就者乃是先驗哲學，此所謂「先驗」並不意味著超越一切經驗的什麼東西，而是指雖然是先於經驗的（先在的、先天的），卻僅僅是為了使經驗知識成為可能的東西。」[38]牟先生對於康德哲學的改造，主要是關涉到康德「超驗的（牟稱之為『超絕的』）形上學」虛而實之，由此也徹底跨越了康德先驗哲學的界限，牟先生的「道德自我」乃是上帝意義上的實存的絕對，是「絕對存在者」。

　　牟先生闡釋、引申、扭轉康德的路數既不同於新康德主義，也根本不同於海德格等人的生存論／現象學，而是類似於後康德的德國觀念論。德國觀念論後康德的發展所面對的核心問題是如何克服康德哲學主、客之間的割裂；當然，這同時關涉到如何克服康德哲學存有與活動、有限與無限的割裂。這些也正是牟先生哲學系統所闡發的核心問題。不過，牟先生的思想資源並不是來自德國觀念論後康德的發展及其成果，而是來自中國思想特別是儒家思想的天人合一傳統。受馮友蘭影響，中國大陸詮釋者常常把天人合一理解為某種主觀「境界」（與牟先生所表述的「境界形態」根本不同），而實際上天人合一模式的核心意旨乃在於揭示天人之間原初的（源初的）同一性，所謂「天人本無二，不必言合」[39]正是指謂此種原初（源初）的同一性而言：這首先是存有論的，而非「境界」論的。可以說，牟先生50年代後的思想及其著述，主要是環繞這個環節展

37　海德格爾，《尼采》下卷，孫周興譯（北京：商務印書館，2003），頁979。

38　參見康德，《純粹理性批判》，李秋零譯，《康德著作全集》四（北京：中國人民大學出版社，2005），頁379。

39　《二程遺書》卷六。

開。他接續宋明儒學把問題落實到心性層面來講：在「心即理」的前提下，主觀的「心」與客觀的「性」（理）原本就是同一的，並不存在割裂和對立，也不存在主體（主觀）如何走出自身達於客體（客觀）的問題。主、客的分別及其對立是源於後天的、經驗的知識，並且沿著知識的路徑是不可能克服和超越主客對立的。顯然，在否定性的層面牟先生始終認同於康德認知與實踐二分的架構。他也是依據這個立場判釋宋明儒學「三系」和批評伊川、朱子，並且推而廣之，認為西方傳統形而上學正如康德所批判的是由於缺乏對於「知識」的限制而誤入歧途。

可是與康德不同，牟先生的思想主要的不是在「先驗」的層面而是在「超驗」的層面展開。牟先生的哲學主要的不是先驗論的，而是超越論的。此所謂「超越」完全可以在西方傳統形而上學和神學的意義上界定，屬於康德「transzendent」（而非transzendental[40]）的界域。在牟先生看來，儒家的本心性體既是「先驗的」，更是「超越的」，在後一種意義上，他強調本心性體的創造性和絕對性。牟先生把儒家傳統性善論發展成某種現代形態的超越人性論（此在傳統儒家那裡問題要複雜得多）：人的存在本質上就是超越的，是獨立於現實時空中必然因果序列的；也就是說，人的存在（人性）之

40　康德：「我把一切不研究對象，而是一般地研究我們關於對象的先天概念的知識稱為transzendental的。這樣一些概念的體系可以叫做先驗哲學。」「transzendental…這個詞指的並不是某種超越一切經驗的東西，而是雖然先行於經驗（先天的），卻註定僅僅使經驗成為可能的東西。如果這些概念超越了經驗，那麼，它們的應用就叫做transzendent的。這種應用被與內在的應用，亦即被限制在經驗的應用區別開來。」（參見康德，《純粹理性批判》，李秋零譯，《康德著作全集》四，頁19、379）

本然就是物自身的而非現象的，並且人作為物自身的本質、本性是能夠自我呈現（直觀）的。當然，物自身的人也超越於海德格所謂「世界」。我們看兩層存有論作為牟先生體系圓成形態的邏輯展開：「無執的存有論」講的是「人而神」，亦即如何使得「物自身」的「自我」（本心性體）成為「呈現」（直觀）的；「執的存有論」則講的是「神而人」，亦即已然達成無限完滿的超越「自我」要「曲折地」開顯（進入）現象「世界」：這是由「超越」而「內在」──一種「大徹大悟」掩映下的「內在」，「莫逆於心，相視而笑」的「內在」，「無而能有，有而能無」的「內在」；它根本不同於生存論意義上的「內在」，更不會遭遇海德格「煩」「畏」「死」一類問題。

海德格曾經表示，整部《存在與時間》就是聚焦於「超越」問題或「超越難題」。[41]在《從萊布尼茲出發的邏輯學的形而上學始基》書中他申明「超越在這裡始終還是，甚至恰恰是頭等的問題。」[42]當然，海氏的超越論根本不同於牟先生，它不是指向某種無條件的絕對存在者，而是指向人作為「此在」的「基本機制」和存在方式，「此在本身就是逾越。這是因為：超越不是此在朝向其他存在者的（在其他可能的行為中）隨便的某種可能的行為，而是其存在的基本狀況。」[43]落實地說，牟先生的超越論仍然可以看到近代知

41　「迄今為止關於《存在與時間》之探究的出版物和任務無非是一種對超越的具體的和揭示性的籌畫（參看《存在與時間》，第12-83節；特別是第69節）。」（海德格爾，《路標》，孫周興譯，頁189「作者原注」）

42　海德格爾，《從萊布尼茨出發的邏輯學的形而上學始基》，趙衛國譯（西安：西北大學出版社，2015），頁236。

43　同上書，頁233。

識論的身影，所以最後是落腳於「絕對存在者」（物自身）是否可能以及如何可能成為某種「直觀」（智性直觀，智的直覺）。對於海德格，人的「在—世界—之中—生存」本身就跨越了主—客之間的視域和問題，[44]「在有待廓清和證實的術語含義上，我們以『超越』意指人之此在所特有的東西，而且並非作為一種在其他情形下也可能的、偶爾在實行中被設定的行為方式，而是作為先於一切行為而發生的這個存在者的基本機制。」[45]「超越是不能通過一種向客觀之物的逃遁而獲得揭示和把捉的，而唯一地只能通過一種必須不斷地更新的對主體之主體性的存在學闡釋而得揭示和把捉；這種闡釋與『主觀主義』相違抗，同樣也必定不能與『客觀主義』亦步亦趨。」[46]超越乃是「此在」「不斷更新式」的生存方式，這一過程既是肯定的（自我形成，是其所是）也是否定的（超越／逾越自身，敞開自身），「此在首先面臨它所是的那個存在者，面臨著作為它『自身』的它。超越建構著自身性。但另一方面，決非首先僅僅是這種自身性，而是超逾，才向來一體地也涉及到此在『自身』所不是的存在者；更確切地講，在超逾中並且通過超逾，才能在存在者範圍內區分並且決斷：誰是和如何是一個『自身』（Selbst），以及什麼不是一個『自身』。」[47]「所謂『此在超越著』就是說：

---

44 「當人們從一個無世界的我『出發』，以便過後為這個我創造出一個客體以及一種無存在論根據的與這種客體的關係之際，人們為此在的存在論『預先設定』的不是太多了，而是太少了。」（《存在與時間》，頁375）「此在——作為我的此在和這個此在——一向已在某一世界中。」（同上書，頁266）

45 海德格爾，《路標》，頁159。

46 同上書，頁189。

47 同上書，頁160-161。

此在在其存在之本質中形成著世界，而且是在多重意義上『形成著』，即它讓世界發生，與世界一道表現出某種源始的景象（形象），這種景象並沒有特地被掌握，但恰恰充當著一切可敞開的存在者的模型，而當下此在本身就歸屬於一切可敞開的存在者中。」[48]

　　以內在與超越相對待展開論述是牟先生思想理論中一條非常核心的線索，他強調現象與物自身「超越的區分」亦與此有關。世界內在與超越的兩重架構及其關聯既是牟先生思想理論的切入點也是它的落腳點，而在海德格那裡根本不存在內在與超越的兩重架構。牟先生所謂「內在」可以有如下解讀：一是就主體和主體性而言「內在」，牟先生用「主體性與內在道德性」表述儒家思想的特質，後邊的線索與「仁義內在」和「自律」有關；二是指謂時間所籠罩的經驗世界，他說海德格「把他所謂『基本存有論』放在康德所謂『內在形上學』範圍內來講」，所謂「內在」主要關涉到時間和時間性；三是指謂超越者關聯於經驗世界的方式，超越者內在於經驗世界中的人與天地萬物，即所謂「即超越即內在」（「內在超越」）。超越者內在於人與天地萬物，由此形成「超驗」與「經驗」之間的關聯；不過此種關聯卻以拒絕超越者在任何意義上的內在化（時間化）或情境化（處境化、境遇化）為前提。牟先生詮釋「天命之謂性」，「其所命給吾人而定然如此之性又是以理言的性體之性，即是超越面的，不是氣性之性，則此『性體』之實義（內容的意義）必即是一道德創生之『實體』，而此說到最後必與『天命不已』之實體（使宇宙生化可能之實體）為同一，決不會『天命實體』為一層，『性體』又為一層。」[49]「性體」是「定然如此」的，超越的，其超越

48　同上書，頁186。

49　牟宗三，《心體與性體》（一），《牟宗三先生全集》卷5（新北：

的品格是與宇宙創生實體同一的。在某種意義上可以說，牟先生及其詮釋者環繞「即內在即超越」的闡釋不免誇大了中西之間的區隔與對立，多是片面地針對基督宗教上帝觀念之彼岸性（這裡不涉及相關議題的複雜性）闡釋儒家思想「即超越即內在」的思想品格並且以此作為重要的判教尺度。而實際上，在某種意義上可以說「即超越即內在」也體現了後康德的德國觀念論的發展趨向，特別是非常典型地體現在黑格爾哲學中；可是從另一方面說，牟先生的超越論拒絕任何過程與發展的觀念，「本心性體」作為絕對無限者可以有「潛具」（「潛能」）和「圓頓」兩種形態，[50]而「圓頓」者即是「潛具」者，不存在抽象到具體或抽象的普遍性到具體的普遍性一類的演化，差異只是關涉到工夫論的層面，所以牟先生說辯證法只能夠在工夫的層面講。

　　人們常常忽略了，牟先生所謂「即超越即內在」的前提是嚴格「超越」與「內在」的界限，「超越」只能夠是指稱「絕對存在者」而言。牟先生的道德的形上學與西方（前康德的）傳統形而上學的區別只是在於：「超越」所指向的「絕對存在者」是某種與認知和行為主體相對待的客觀實有，還是指向人性秉賦中某種「亦主亦客」的內在真實？牟先生由此進入儒家心性之學的統緒。應該說這個統緒不僅關涉到「行」（道德踐履）而且關涉到「知」：一種「反求內省」「逆覺體證」的「知」。牟先生全部理論的核心以及他對於康德批判哲學的根本性扭轉，都是關涉到在先驗性和絕對性（超越性）的意義上證成儒家所謂「德性所知」「天德良知」的特殊性：康德認為不存在任何意義上通向絕對存在者之知識的路徑；而在牟

（續）────────────────
　　　聯經出版事業公司，2003），頁33。
　50　同上書，頁43。

先生看來，「識知」（感性與知性）確實不能夠開闢通達絕對存在者的路徑，可是「智知」（理性，無限智心，自由無限心）卻能夠使得絕對存在者成為某種「呈現」「直觀」（直覺）的真實。這個「智知」的統緒是延續孟子所謂「良知良能」「盡心知性知天」一路追索下來。《智的直覺與中國哲學》可以說就是牟先生的智知論。落實地說，牟先生是在嚴格區分認知理性與實踐理性的意義上有取於康德，而在區分「識知」與「智知」的意義上扭轉康德，後一個層面才是牟先生思想的結穴處：「在西方，無限心是屬於上帝的，即所謂神心，神知，而人則只有有限心，有限的認知活動。而在中國，無論儒、道、或釋，皆承認人可有無限的認知活動，即可有無限心義。」[51] 籠而統之地說「在西方，無限心是屬於上帝的，即所謂神心，神知，而人則只有有限心，有限的認知活動」，這個全稱判斷落實到德國觀念論後康德的發展就足以顯示出嚴重的偏誤。牟先生所謂「無限心」（亦稱「自由無限心」「無限智心」）與後康德德國觀念論的絕對自我意識是行走在同一條路徑上，當然其間的差異性也非常重要的。首先，中國傳統思想的相關資源並不是體現為概念演繹的形式，這主要還不是關涉到表述思想的外在形式，而是關涉到「有限」通達「無限」（超越）的不同路徑：中國傳統思想本質上是落腳於「當下即是」「一了百了」的頓悟。有趣的是，牟先生是以極其思辨的方式凸顯中國思想的「頓悟」特徵，他也因此激烈地批評伊川、朱子的「漸教」系統，其中的核心之點在於：「漸教」的路數不是直接訴諸於無限心的先驗、普遍和絕對性，而是摻雜進經驗綜合的因素；當然，牟先生也不會贊同黑格爾式否定、中介、揚棄的理性辯證。牟先生思想系統是思辨而繁複的，他所指

51　《智的直覺與中國哲學》，《牟宗三先生全集》卷20，頁43。

引的「工夫入路」卻極其簡捷，其間根本不存在某種「下學而上達」
的門徑，（經驗的）「下學」與（先驗的、超驗的）「上達」原本
就是在兩條不同的路徑上展開，黑格爾式的「中介」，伊川、朱子
的「積習」，荀子的「化性起偽」均在否定之列。其次，牟先生主
要是立足於道德實踐（「人禽之辨」）講「精神」（絕對自我意識）
的根源性和創造性，道德的形上學在某種意義上窄化了精神的創造
性和人性的豐富性，甚至於全然排除了文學藝術等精神創造活動。

　　就強調自我意識及其絕對性而言，牟先生的哲學體系具有明顯
的近代性，它可以與笛卡爾以下西方哲學的發展發生某種家族相似
意義上的牽連，他主要是通過康德哲學吸收西方哲學認識論和主體
性轉向的成果，然後訴諸於儒家特別是宋明心學本心即性即理即天
的路數超越主─客的對立，「肯定有一超越的真常心，作為眾生成
佛的根據。因為一旦肯定有一超越的真常心作為成佛的根據，則我
們的生命中，先天地蘊涵一種超脫的力量，能夠自然發動，而非完
全靠後天經驗的熏習。」[52] 道德實踐之必然而定然的根據端在於「超
越的真常心」，「心即是『道德的本心』，此本心即是吾人之性」；
「客觀地言之曰性，主觀地言之曰心。」[53] 本心即性，亦即本心即
理，[54]它是統貫「天人」而言之，「故就統天地萬物而爲其體言，
曰形而上的實體（道體metaphysical reality），此則是能起宇宙生化
之『創造實體』；就其具於個體之中而爲其體言，則曰『性體』，
此則是能起道德創造之『創造實體』。」[55] 根本不同於康德，在心

52　牟宗三，《中國哲學十九講》，《牟宗三先生全集》卷29，頁287。

53　牟宗三，《心體與性體》（一），《牟宗三先生全集》卷5，頁44-45。

54　牟先生說：「「性理」一詞並非性底理，乃是即性即理。」（同上
　　書，頁6）

55　同上書，頁43。

即理的前提下，（道德實踐的）主體自身就是亦主（心）亦客（性，理，天，天道）的，跨越主—客之間的界限根本不是一個問題，所以說：「那道德底當然與自然底實然之契合便不是問題，而是結論了。」[56] 它只是關涉到本心性體的自我呈現。

應當說，歷史上儒家道德實踐理論的核心不是自由意志論，而是良知（智知）論。牟先生60年代寫作的《心體與性體》是以自由意志論為核心，70年代寫作的《智的直覺與中國哲學》和《現象與物自身》則是以良知（智知）論為核心。廣義的良知可以在兩個層面加以界定：一是，指謂某種與生俱有的「知是知非」的能力，這重涵義從孟子到陽明及其後學都多有闡發，而在現代思想中則最為梁漱溟先生所看重，他承繼於陽明及其後學，把良知表述為某種「如好好色，如惡惡臭」的道德直覺或道德本能。[57] 二是，指謂某種（超越的）本體之知，牟先生接引康德稱之為「智的直覺」。我們可以注意到，牟先生是回到康德《純粹理性批判》，沿著康德知識論的線索講論智的直覺，就是說智的直覺確定無疑屬於一種「知」；[58] 可是他同時強調智的直覺並沒有「擴大吾人之知識」[59]。牟先生所期

56　同上書，頁120。

57　梁先生討論孟子的「良知」「良能」，說：「這種求對求善的本能、直覺，是人人都有的。」（《東方文化及其哲學》〔北京：商務印書館，1999〕，頁130）梁先生的闡釋是依循陽明後學的路數，從「良知」發用流行方面說。

58　關於宋明儒家「德性之知」的由來及其特質，可以參見楊儒賓《理學工夫論的「德性之知」》，文中也特別談到理學家（首先是張載）所謂「德性之知」（「德性所知」）受到佛道兩家的影響。楊文載《中國文化》2018年春季號。

59　「智的直覺直覺地認知之，同時即實現之，此並無通常認知的意義，此毋寧只著重其創生義。因此，即使承認有此智的直覺，並未

圖表述是智的直覺屬於一種「無知之知」，也就是說，它具備某種「知」的品格卻並不是某種對象性的「知」。這可以從兩個層面加以理解：一是，牟先生所謂智的直覺並不是某種由主體達於對象的「知」，而是「本心性體」（絕對自我）的自我「覺知」，牟先生亦稱之為「心知廓之」。[60]牟先生說：「有限的知識是必預設主客體相對應這對偶性的。是則對象是對有限知識而說。」而無限者「絕對的認知」活動「便是不取存在物爲一『對象』的，而存在物亦不成其爲對象義。在此情形下，認知實亦不成其爲『認知』，是知而無知的。」[61]二是，此所謂自我「覺知」也並不是體現爲德國古典哲學觀念論意義上的「反思」，並不是某種以「自我」爲對象並且訴諸於（認知意義上的）概念範疇的「知」；無寧說「本心性體」的自我覺知乃是一種自我澄明，牟先生稱之爲「圓照」、「朗現」、「呈現」等等。宋明儒家的相關闡釋明顯的受到中國化的佛教宗派

　　擴大吾人之知識，如康德所警戒者。吾人隨康德之思路，承認有此智的直覺，只不過是重在表示本心仁體乃至自由的意志實可爲一具體的呈現而已。」（《智的直覺與中國哲學》，《牟宗三先生全集》卷20，頁257）

60　牟先生說：「廓有三義：開朗、範圍與形著。」（《心體與性體》（一），《牟宗三先生全集》卷5，頁577）所謂「範圍」是取張橫渠所說「心知廓之，莫究其極」之義；又說：「蓋『心知廓之』之『心知』既不是感觸的直覺之知，亦不是有限的概念思考的知性之知，乃是遍、常、一而無限的道德本心之誠明所發的圓照之知。」（《智的直覺與中國哲學》，《牟宗三先生全集》卷20，頁239）「心知廓之」不是感觸的，亦不是知性的，就是說它不是對象之知。

61　同上書，頁43。

「心性本覺」論的影響，[62]而熊十力先生思想的開展更是與此一線
索切切相關。在此種意義上討論「智的直覺」，講述的乃是「本心
性體」通體光明的智慧光照除盡陰霾（擺脫任何有限性的糾結），
普照、遍照、朗潤一切，其間自然無涉於對象性的知識。由於預設
了「本心性體」的無限性及其「本覺」，儒家相關思想實際上與西
方神秘主義（特別是基督宗教脈絡中的神秘主義）有實質性的區別：
前者的焦點並不是冥契於某種超越的對象，而是在「本心性體」（熊
十力所謂「性智」）「圓潤遍照」的意義上除去一切「世間相」，
天地萬物呈現為某種超越時空中生滅相的「如如」，「世界」在超
越時空的意義上成為「物自身」。[63]

　　由於排斥了意識活動及其內容在主—客之間展開的過程及其複
雜性，牟先生的哲學形而上學又較比後康德的德國觀念論更傳統，
他所謂「道德的形上學」始終環繞絕對存在者「是什麼」以及如何
證立的問題；當然，在儒家心性之學的背景下，由此開出的並不是
「順成」的知識論，而是「逆取」的智知論，不過這並不能夠使得
問題的性質得到實質性的改變。和上一點相聯繫，主張「即內在即
超越」的牟宗三哲學，思想系統的展開恰恰是訴諸於超越與內在截

62　呂澂：「中國佛學有關心性的基本思想是：人心為萬有的本源，此
　　即所謂『真心』。它的自性『智慧光明』遍照一切，而又『真實識
　　知』，得稱『本覺』。此心在凡夫的地位雖然為妄念（煩惱）所蔽
　　障，但覺性自存，妄念一息，就會恢復它本來的面目。」（呂澂《試
　　論中國佛學有關心性的基本思想》，載於《呂澂佛學論著選集》卷
　　3〔濟南：齊魯書社，1991〕，頁1417）

63　「在無限心底明照下，一物只是如如，無時間性與空間性，亦無生
　　滅相，如此，它有限而同時即具有無限性之意義。」（《現象與物
　　自身》，《牟宗三先生全集》卷21，頁18）

然兩分的架構。我們知道，康德哲學極大地凸顯了超越與內在之間
的緊張。而在牟先生看來，康德哲學最重要的洞見就是現象與物自
身「超越的區分」，只是他不能夠把超越（超驗）領域的物自身虛
而實之，不能夠開出本體界的存有論，所以「超越的區分」在康德
那裡並不能夠顯豁和證成，而牟先生本人的努力則在於訴諸儒家心
性義理顯豁並且真實而具體地確立了超越的區分，開出本體界與現
象界兩層存有論的架構。他並且認為「超越的區分」是貫徹於儒家
思想主流形態始終的。而實際上，儒家思想的特色恰恰在於不存在
西方傳統背景下的超越的區分，儒家在傳統體用論模式下開顯的「體
用相即」的思想形態恰恰是排斥超越與內在截然兩分的。

三、康德、現象學與儒家之間

《現象與物自身》書中，牟先生反覆強調現象與物自身「超越
的區分」乃是康德哲學「最高而又最根源的洞見」，「是康德哲學
底全部系統底重大關鍵。」[64] 而康德哲學的問題也正是關涉到此「超
越的區分」未能「充分地被證成」，[65] 牟先生所從事者就是引入中
國傳統思想的資源進一步彰顯康德的「洞見」，證成現象與物自身
之「超越的區分」。

這裡所謂「超越的區分」是相對於「程度的區分」而言，牟先
生說：「順著事實的感性與知性說出去，我們只能說我們所知的有

64　《現象與物自身》，《牟宗三先生全集》卷21，序6。

65　「以如此重大之洞見，而若不能充分證成之，這是很可憾的事。其
　　關鍵唯在『人類不能有智的直覺』一主斷。這是西方傳統限制使然。
　　由此限制，遂使其（康德）洞見成爲閃爍不定的，若隱若顯的。」
　　（同上書，序6）

限,或隱隱約約而不能說我們所知的只是現象而不是物自身。有限是多少底問題,隱隱約約是程度底問題,而不是質的本質問題。我們豈不可部分地或若隱若顯地知物自身耶?順有限或隱約說,我們不能知物之無窮複雜,亦不能窮盡其本相,這是顯明的。但若說我們只能知現象,而不能知物自身,這便不顯明。」[66] 現象與物自身的區分不是「程度」的,而是「超越」的,這一點康德有明確的表述:「即令此現象能完全為吾人知悉其底蘊,而此類知識與對象自身之知識,固依然有天淵之別者也。……吾人以任何方法絕不能知物自身。」「在經驗中從未有關於物自身之問題發生。」[67] 對於康德,此種區分同時關涉到人/人的認知作為確定的有限與上帝/神知作為確定的無限之間。牟先生說:康德「把「德性之知」之門封死了,因客觀的劃類之定命觀而封死了。現象與物自身之超越的區分只因與上帝劃類而顯,並沒有內在地主觀地被證成。」[68]牟先生極端看重康德對於人的認知能力(感性、知性)的「封限」,可是他認為此種「封限」不應當只是在人與上帝「劃類」的意義上講,而應當落實到人作為主體的規定和機能上講,依據中國思想傳統肯認「人可有無限的認知活動,即可有無限心」,[69]於是現象與物自

66　同上書,頁12。現象與物自身的區分亦不可以等同於通常意義上「現象」與「本質」的區分,牟先生說:「不管是存在或本質,俱屬於現象範圍之內,俱非其所說之『物自身』。『物自身』是一個新的概念,康德以前是沒有的。」「現象與物自身底分別是『超越的』,是因為『物自身』根本不在知識範圍內,根本不能是知識底對象。」(《智的直覺與中國哲學》,《牟宗三先生全集》卷20,頁130-131)

67　康德,《純粹理性批判》,藍公武譯(北京:商務印書館,1960),頁56、65。

68　《現象與物自身》,《牟宗三先生全集》卷21,頁24。

69　《智的直覺與中國哲學》,《牟宗三先生全集》卷20,頁43。

身之「超越的區分」不只是關涉到客觀地劃類，更關涉到主觀地肯斷。可見，問題的關鍵與其說是關涉到（一般意義上）知識與實踐（道德）之間，不如說是關涉到兩種「知」（見聞之知與德性之知，識知與智知）之間。如果說牟先生60年代寫作的《心體與性體》更多地是著眼於知識與實踐（道德）兩種進路的區分，環繞自由意志論展開，那麼70年代寫作的《智的直覺與中國哲學》和《現象與物自身》則更多地是著眼於見聞之知與德性之知／識知與智知的區分，環繞中國特色的「智知」論展開；而其中一以貫之的思想線索則在於：徹底消解康德那裡神、人之間確定無疑的劃界，回到中國思想的脈絡證成「人雖有限而可無限」。

在康德那裡，「現象」是知識的，經驗的，具體的，存在的，而「物自身」則只是思維的，抽象的，概念的（不同於黑格爾意義上的「概念」）。對於牟先生而言，所謂「超越的區分」之證成關涉到無限性必須成為某種落實的、知識的、存在的無限性，以便具體的而非抽象的對反於現象的有限性。這也就必須跨越康德所設定的「是」與「應當」之間的界線：「應當」必須在終極的意義上成為「是」，成為某種「知識」，「呈現」，「直觀」（直覺）。此方面牟先生契接於中國歷史上的儒釋道大傳統，特別是回到儒家「天人本無二」的脈絡彰顯人的無限性。

我們知道，海德格凸顯康德哲學關於人的有限性的思想，首先關涉於「是」與「應當」的區分。他針對康德「三問」（我們能夠知道什麼？我們應當做什麼？我們可以希望什麼？）指出：「凡是在一種『能夠』成之為問題，並且想要劃定其可能性之範圍的地方，它自身就已經處在某種『不能夠』之中了。一種全能的存在者無需去問：我能怎樣，亦即我不能怎樣？……誰要是這樣發問：我能怎

樣?他就同時宣示了某種有限性。」[70]「一個從根基上就對『應當』
有興趣的本然存在,是在一種『仍—未—完滿』中知曉自身的,更
確切地說,他在根本上應當怎樣,這對他來說是有問題的。這種自
身尚未被規定的完滿狀態的『仍—未』就表明,那樣一種其最內在
興趣在於某種『應當』的本然存在者,它在根基上是有限的。」[71]「凡
是在一種『可以』成之為問題的地方,那種提問者所認可或始終拒
絕的東西就得到了凸顯。被問的是這樣一種在期望中可能被提出和
不可能被提出的東西。但一切期望都表明有一種匱乏。如果這種需
要完全是在人類理性的最內在旨趣中生長出來,那它就證明自己是
一種本質上有限的需要。」[72] 海德格爾由此指出:「在這樣的發問
中,人類理性不僅僅暴露出其有限性,而且其最內在的興趣也關聯
到有限性自身。對於人類理性至關緊要的地方不在於要去排除有些
像『能夠』『應當』和『可以』那樣的東西,從而消滅有限性,而
是相反・恰恰是要讓這一有限性變成為確定的,從而可以在這一有
限性中保持自己。」[73] 對於絕對無限者(上帝)而言,是不存在「是」
與「應當」的區分的,不存在「能夠」「應當」「可以」一類問題:
上帝永遠是「知行合一」的,上帝的理念就是存在、實在、現實。

　　「是」與「應當」的區分釐訂了人作為有限存在者與絕對存在
者之間的界限,超越了「是」與「應當」的區分也就超越了「神」
「人」之間的界線,這正是關涉到牟先生扭轉和改造康德哲學的關
節點。此種超越又是在哲學人類學的意義上闡釋的:人性(自由意

70　《康德與形而上學疑難》,頁233。

71　同上書,頁234。

72　同上。

73　同上。

志）並不是在「應當」的意義上（如康德），甚至於也不是在過程
與全體的意義上（如黑格爾），而是在「當下即是」的意義上成為
絕對無限者。於是，康德那裡「神」「人」之間的對照便轉化為人
自身兩種「主體機能」的對照，神人之間的張力轉化為人／人性本
身的內在張力。牟先生說「人雖有限而可無限」，這裡的「可」根
本不同於康德意義上的「可以」「能夠」「應當」，換句話說，這
裡所謂「可」並不是關涉到「是」與「應當」，而是關涉到潛能與
現實。所謂「人皆可以為堯舜」「塗之人可以為禹」「滿街都是聖
人」，當然不是說在現實的層面每個人都是堯、舜、禹、聖人，而
恰恰是強調在是其所「是」的意義上每個人都是堯、舜、禹、聖人；
儒家所謂聖人所彰顯的並不是「應當」（理念），而是人的是其所
「是」，是每個人內在地具有的先驗而必然的本質，是內在於人性
的神性，是人之所以為人的「物自身」。這種扭轉和改造康德的方
向當然是與海德格背道而馳的，可以說牟先生極大地凸顯康德哲學
中所謂現象與物自身之「超越的區分」，顯然是旨在回應海德格對
於康德的「有限」一元論解讀。你可以說牟先生詮釋康德的方向似
乎接近卡西爾（在強調現象與物自身區分的意義上），可是牟先生
並不認為康德乃是「明確而徹底的二元論」者[74]，相反，他認為康
德乃是某種潛在的一元論者，只是受制於基督宗教傳統，沒有把他
的「洞見」貫徹到底——對於牟先生，現象與物自身的區分和知識

---

74 卡西爾批評海德格的康德解讀，指出：「康德在任何地方都不曾持
有這種關於想像力的一元論，他堅持一種明確而徹底的二元論，堅
持關於感性世界與理智世界的二元論，因為他的問題不是《存在與
時間》的問題，而是『實是』與『應當』、『經驗』與『理念』的
問題。」（卡西爾，《康德與形而上學問題：評海德格爾對康德的
解釋》，北京，《世界哲學》，2007年第3期，頁41）

理性與實踐理性的區分乃是同一個問題：實踐理性所面對的核心問題並不是「應當」「可以」「能夠」，而是人／人性乃至「世界」（天地）在何種意義上是其所是，也就是所謂「物自身」問題；實踐理性（本心性體）應當並且能夠使得知識理性界域中那個彼岸性的物自身成為真實而具體的「呈現」、「直觀」（直覺），成為某種「朗現」的本體、實體。

或許更為實質的問題是牟先生的詮釋與傳統儒家的關係。牟先生的詮釋凸顯了儒家思想超越性的層面，其超越論的講述與傳統儒家體用論的講述有很大的不同，熊十力的闡釋則介乎二者之間。我們無妨把康德的相關思想表述為：「世界不是物自身」（而只是現象／顯象／表像）；[75]康德的哲學系統也不是環繞「世界」展開，而是環繞純粹理性展開。牟先生事實上接受了康德的基本預設，他凸顯現象與物自身之超越的區分與此有關。而對於傳統儒家而言，可以說：世界就是物自身。《周易》系統的「象」當然不是康德意義上的表像（現象／顯象），即便是彰顯某種超越企向的宋明儒學，其基本出發點也正是在於對治佛教的「以心法起滅天地」，[76]旨在證成生滅變化、「品物流形」的大千世界在「體用相即」視域下的實有與價值，此與康德意義上「超越的區分」根本異趣；相應的，宋明儒家在區分「見聞之知」與「德性之知」（德性所知）的同時，也強調不可以「天人異用」，[77]「良知不滯於見聞，而亦不離於見

---

75 「如果世界根本就不是物自身，因而在其量上既不是應當作為無限的也不是作為有限的被給予出來的話，請允許我把這一類的對立稱之為辯證的對立。」（參見康德，《純粹理性批判》，鄧曉芒譯，〔北京：人民出版社，2004〕，頁413）

76 張載，《正蒙・大心篇》。

77 張載：「天人異用，不足以言誠；天人異知，不足以盡明。」（《正

聞。」[78] 牟先生援用康德現象與物自身之「超越的區分」把儒家「體用相即」的世界兩重化了，他並且以現象與物自身超越的區分貫通儒家主流思想的詮釋，認為儒家思想不僅主張並且證成了現象與物自身超越的區分。牟先生的一元論是超越的一元論，而非傳統儒家「體用相即」的一元論；相對於體用相即的一元論，世界並不存在康德意義上現象與物自身之超越的區分。體用相即的世界也就是「即凡俗即神聖」的世界，大化流行的大千世界本身就是鳶飛魚躍，生生不息的，萬端品物皆「各正性命」，是其是而然其然，充滿了意義（關涉於秩序、節律與和諧）與意味（關涉於人生感受）。世界的意義既不是隸屬於一個超絕者拯救的序列，也不是來自「本心性體」道德價值的投射。「明道先生書窗前有茂草覆砌，或勸之芟。明道曰：『不可，常欲觀見造物生意。』又置盆池蓄小魚數尾，時時觀之，或問其故，曰：『欲觀萬物自得意。』」[79] 這裡所體現的「天人合一」既不是所謂主觀「境界」意義上的天人合一（馮友蘭），也不是道德本心「亦主亦客」意義上的天人合一（牟宗三），而是以領悟自然天道的「造物生意」（生生之理）為前提的天人合一。「體用相即」的世界觀乃是道不遠人之「道」論和工夫論的前提。牟先生以「兩層存有論」重塑儒家思想，「現象界的存有論」乃成為道德本心掩映下的一種敷設（坎陷），現象世界乃繫於「識心之執」，失落了認知（必然因果律）以外的任何意義與意味，並且與本體界是隔絕的。[80] 牟先生仍然援用體用概念，只是區分出「經用」

（續）─────────────

　　蒙 誠明篇》）

78　王陽明，《傳習錄・答歐陽崇一》。

79　《宋元學案・明道學案下》。

80　「物之在其自己永不能爲識心之執之對象，識心之執永不能及之，此其所以爲「超絕的」。「（《現象與物自身》，《牟宗三先生全

與「權用」：「於無執的存有論處，說經用（體用之用是經用）。於執的存有論處，說權用，此是有而能無，無而能有的。」[81]而王陽明所謂「日用之間，見聞酬酢，雖千頭萬緒，莫非良知之發用流行」，[82]正是「說經用」而非「權用」。「經」「權」之分已然將超越與內在打為兩層，現象界也不再是本心性體「發用流行」意義上的生活世界，而是後者出於某種權宜的「坎陷」「曲折」。

　　進入現時代特別是上世紀50年代後（尤其是中國大陸經歷過所謂人民公社化運動），儒家的社會基礎可以說被掃除殆盡，與之相應的日常生活倫理系統也全然崩塌了。牟先生試圖在「超越」的層面持守儒家思想的核心價值，特別是在「人禽之辨」的前提下凸顯儒家思想的主體性與內在道德性，牟氏「道德的形上學」所彰顯的乃是儒家視域中人之所以為人的一點兒「孤明」。牟先生的堅守及其意義是不容置疑的。問題在於，牟先生的思想理論同樣表現出現代性的內在分裂：存在與價值的割裂，價值失去了客觀的基礎；或者說價值成為「客觀」的基礎。牟先生「道德的形上學」是價值論的，或者說是「價值論中心」的。它以一種「圓潤」而順暢的方式繞過了現代社會和現代世界中的種種難以消解的張力和衝突，而這些張力和衝突又恰恰關涉到海德格所彰顯的「有限性」。

四、「思想」與「恩典」

　　海德格說：

（續）─────────────────

　　集》卷21，序9）

　81　《現象與物自身》，《牟宗三先生全集》卷21，序17。

　82　王陽明，《傳習錄‧答歐陽崇一》

令黑格爾感興趣的並不是自我和主體性本身，而是在它們之中，理性和康德式的想像力揭示了自身。黑格爾的意圖並不是把握主體性，甚至不是在對存在的追問的指導下把握主體性，一切都毋寧是為了通過發展理性而完成在笛卡爾那裡產生的那個發端。這樣看來，絕對觀念論不過就是笛卡爾式的沉思的完成。這些沉思在整個觀念論中產生影響，而且只有這才是下面這個問題的原因，即為什麼在整個德國觀念論中都沒有對主體進行追問——在康德那裡也沒有，儘管主體性居於核心位置。因此，修正形而上學問題的做法就是徒勞無功的了，這就使得人們拋棄康德的主體觀，轉而致力於建立某種生命哲學，或者著手在某種意識現象學中研究它。這都是一些外在性的做法，在這裡也無法理解真正的問題。但我們的提問方式乃是從這種問題中產生的，將形而上學帶回其基礎之上，並且看到，提問需要的是一種必定可以被奠基於時間性之中的此在形而上學。而這樣一來，時間性就成了形而上學的基本問題。[83]

在某種意義上，這個建立在「時間性」基礎上的形上學確實是從康德先驗哲學之內在的形上學引申出來，這方面牟先生的說法似乎是正確的。可是，海德格所回應的，同樣是康德所謂超驗的形上學界域中的問題，只是由於把「時間」（時間性）引入「存在」，海德格式的回應可以說既不同於傳統形而上學，也根本區別於後康德的德國觀念論，當然也區別於牟宗三「道德的形上學」。就總體

---

[83] 海德格爾，《德國觀念論與當前哲學的困境》，莊振華、李華譯（西安：西北大學出版社，2016），頁406-407。

而言，我們可以說海德格所成就者是某種無神論的神學或稱之為「後神學」的神學。從這個角度說，牟先生在康德的架構中理解海德格哲學的內在性就具有很大的限制。

海德格的猶太弟子約納斯討論「海德格與神學」主題時，首先從斐洛（Philo Judeaus）對於源初基督教的改造切入，這特別關涉到由「聽」向「看」的轉換，「人聲是可聽的，但上帝的聲音其實是可見的。為什麼？因為上帝所說的並非話語，而是作品，對於這些作品，眼睛比耳朵更能判別。」[84] 此種轉化乃是與希臘哲學相結合的產物。關於海德格所引發的思想轉變及其對於基督教神學家可能發生的「誘惑」，約納斯指出：

> 海德格強調了為哲學傳統所忽視或者壓制的一切，諸如與形式要素相對的呼喚（Ruf）要素，與在場要素相對的天命（Schickung）要素，與觀察相對的讓自己感動（Lassen），與對象相對的居有事件（Ereignis），與概念（Sichergreifen相對的應答（Antwort），乃至與自律理性之傲慢相對的承納之謙恭，以及一般地與主體之自我炫耀相對立的一種凝神態度。最後——為了再次採納斐洛的提示——，在「觀看」（Sehen）的長期統治地位以及客觀化過程的魔力之後，受到壓制的「聆聽」（Hören）主題獲得了傾聽；這樣，基督教思想就能夠把其不再受形而上學幻覺迷惑的眼睛轉到這一方向上來，使它們轉變為耳朵，以便重新聆聽它的消息，並且也許能夠使之重新迴響起來。[85]

84　《論摩西十誡》。

85　約納斯，〈海德格爾與神學〉，載《海德格爾與有限性思想》，劉

　　大概很少有哪個議題如同「海德格與（源初）基督教」這樣複雜，約納斯說「海德格思想中的有些東西乃是世俗化的基督教」。[86]他同時認定（就實質而言）海德格思想並非基督教的，而是異教的；此所謂「異教」似乎可以寬泛地包括（世俗化的）哲學思想與自然神論——在古希臘時期，這其中的界線似乎並不清晰也不那麼重要。這也特別地關涉到海德格的「天命」觀念：

　　思想乃是命運性的；思想的命運為存在所注定，存在每每以不同的方式把自身饋贈給思想。存在對思想言說或者召喚思想，存在所言說的，即「存在之道說」（Sage des Seins），就是思想之命運。但存在在言說什麼，存在如何言說以及何時言說，存在是否以及如何澄明自身，這是由存在之歷史來決定的，這種歷史就是獨特的自行解蔽和遮蔽的歷史。而且，由於這種自行解蔽和遮蔽並不是思想所能控制的，故關於存在的思想——它其實作為第二格主詞（genitivus subjectivus）同時也是存在本身的思想，亦即存在在人身上的自行發生的澄明——就具有命運性的特徵。思想的命運性特徵就是它對那種被饋贈給它的東西的依賴狀態，這種饋贈（Schickung）乃是從存在之歷史而來的。但存在之歷史恰恰就是存在在思想中的這種澄明的歷史，這種澄明起於存在，而非起於思想。[87]

　　就海德格的「存在」而言，它乃是一個解蔽事件，一個對思想

<hr />

（續）————————————————————

　　小楓選編，孫周興等譯（北京：華夏出版社，2001），頁214-215。
86　同上書，頁215。
87　同上書，頁218。

自行出來的東西：這樣一個東西也曾是它所統轄的德國天命的
指南和呼聲——它實際上就是一種關於某物的解蔽，無疑地就
是一種存在的呼聲，它在任何意義上都是命運性的。[88]

　　這關涉到對於基督教恩典說的一種根本性的改造，你可以說存
在的自行「解蔽」「澄明」乃是一種「恩典」和「饋贈」，當然同
時也是某種「呼喚」，甚或強調思想本身的力量和突破（擺脫因襲
已久的概念系統），也可以視為「存在」（天命）的饋贈，「那種
自最早的希臘的恩賜失落以後一直沒有給予一切世代的可能性，被
天命般地允諾給我們……我們從漫長的存在之被遺忘狀態中浮現出
來（這種被遺忘狀態早已為存在之自身遮蔽所規定，反過來又是存
在本己的命運），最終受到饋贈，獲得了存在之重新揭示的恩典。」
[89]「這種恩典在本質性的思想之突現中的到達（Ankunft），開創一
個全新的使徒時代。」[90]援用洛維特的詮釋：「存在引導著存在史
思想家手中的筆。」[91]

　　問題在於：對於海德格，這一切都是發生在「這個世界」，「啟
示是內在於世界的，其實就是世界的本性；這也就是說，世界是神
性的。可見海德格其實是神學的敵人，盡管我們早已承認，他並不
是一位可鄙的敵人。」[92]這裡所謂「神學」當然是基督宗教意義上

88　同上書，頁220。
89　同上書，頁218-219。
90　同上書，頁219。
91　洛維特（Karl Lowith），〈海德格爾《尼采的話「上帝死了」》一
　　文中所未明言〉，馮克利譯，載《牆上的書寫：尼采與基督教》，
　　劉小楓編（北京：華夏出版社，2004），頁109。
92　約納斯，〈海德格爾與神學〉，《海德格爾與有限性思想》，頁221。

的特指。「存在」的自行解蔽，排斥了上帝的創造；基督宗教的上帝當然不可以等同於「存在」，更非來自於（出自於）「存在」，祂是從外部（絕對超越的維度）突入「存在」，並且否定一切（歷史性的）「天命」。「神學家如果要忠實於自己，就不能把任何一個歷史天命的或者歷史理性的或者歷史末世論的體系當作安排他的忠誠財富的參照系來加以承認——無論是黑格爾的體系，還是康德的、馬克思的、斯賓格勒的或者海德格的體系——，理由很簡單：在此事關宏旨的始終是『這個世界』。」[93]

約納斯的議論，應當主要是針對瑞士神學家奧特（H. Ott）等人的觀點及其相關討論。後者致力於把海德格思想引入系統神學的闡釋，認為我們可以確定無疑地找到晚期海德格思想通向基督教神學的橋梁，「不論我們追蹤海德格的幾條思想線索中的哪一條線索，我們總是會碰到一個歸根到底在神學上意義重大的問題。我這裡指的是：在追蹤那些關乎『思想』概念的問題時出現的神學的自我理解問題或者神學的綱領問題，在追蹤那些關乎『語言』概念的問題時出現的神學解釋學的問題，以及在追蹤關乎『世界』概念的問題時出現的救恩事件與世界性存在的關係的問題。」[94]奧特的相關著

---

93 同上。

94 奧特，〈從神學與哲學相遇的背景看海德格爾思想的基本特徵〉，孫周興譯，《海德格爾與有限性思想》，頁137。筆者倒是贊同作者的如下表述：「基督教精神已經深入到西方人的意識之中了，因為即便在哲學思想的範圍裡，基督教信仰的消息，例如作為創造主的上帝之概念，作為一種由虛無的創造（creatio ex nihilo）的世界之概念，根本上也必須作為嚴肅的思想可能性來加以考慮。」（同上書，頁114）應該說，漢語學術界關於康德的純粹理性主義解讀是有局限的。

作引發爭論並且形成神學領域的一個熱點。[95]不過這並不是本文所要討論的。

在某種意義上，可以說約納斯也是凸顯海德格思想的「內在性」。應該說海德格思想的內在性已然不是康德意義上的內在性，更不是牟先生意義上的內在性，不是內在與超越截然兩分，並且把超越歸結於超驗（超越時空）意義上的「內在性」，就是說它不是某種「內在」與「超越（或「超絕」）」相對反意義上的內在性。牟先生說海德格是把存有論「放在康德所謂『內在形上學』範圍內來講」，這也只是觸及海德格思想的一個環節或方面，特別是就海德格晚期思想而言，這個表述是非常局限且不周延的。在海德格那裡，我們似乎可以發見黑格的身影，儘管兩種思想所展現的形態是如此不同。有一點是確定無疑的，康德那裡具有彼岸性的「超絕」被化解掉了，同時被化解的當然還有思想（理性）與恩典之間的張力：在黑格爾那裡，恩典被內在化於思想過程及其整體性，恩典只能夠通過「否定之否定」的概念辯證及其過程展示出來，實現出來，某種意義上可以說他是以概念和「中介」（過程）的形式表述《聖經》的「道成肉身」；海德格似乎在「當下即是」的意義上「復活」了「恩典」，不過這不是上帝的恩典，不是絕對超越者的恩典，而是「存在」的自行解蔽和呼喚，是構成思想無可抗拒之命運性的「存在」的饋贈。

可以說，牟先生所主張的「即內在即超越」（內在超越）的理路包含了矛盾的因素：一方面它堅持「內在」與「超越」的截然兩分，只是強調超越者內在於世界（人與天地萬物），並且是向人類

95　《海德格爾與有限性思想》輯入佛蘭茨梳理相關議題的文章〈海德格爾之思與神學之當前〉（孫周興譯，見該書頁168-211）。

主體全然敞開的。牟先生表示贊同海德格「存在」的進路，他顯然是在康德認知與實踐兩分的涵義上說的，而實際上，對於海德格，「此在」的「在世生存」的場域是先在於理論與實踐、自然與倫理之區分的，更不要說ethos是關聯於physis，並且後者更具有源初性；可是另一方面，牟先生又著力於化解「超越」與「內在」（世界）之間的張力，旨在證成世界本身的神聖性——也正是在此種意義上，他是現代的宋明儒家（儘管多了一個「坎陷」「曲折」）。在終極理境上，牟先生視域中的超越和超越者所彰顯的也無非是（如同約納斯所表述的）世界的本性。就前一個方面而言，牟先生接近於海德格所破斥的神學形而上學；而就後一個方面而言，牟先生則更接近前海德格的絕對主體主義的德國觀念論。

　　牟先生就連海氏的《存在與時間》都沒有耐心和興趣讀下去，[96]很難想像如果他接觸到海德格百年冥誕時出版的《哲學論稿》會是怎樣的情形？《哲學論稿》堪稱是現代哲學中最晦澀、最「神秘」的著作，特別是關涉到「謎」一般的「最後之神」。[97] 海氏對於形

96　牟先生說：「其《實有與時間》一書的確難讀，無謂的糾纏攪繞令人生厭。固時有妙論，亦大都是戲論。若了解了其立言之層面與度向，則他的那些曲折多少點並無多大關係。我亦不欲尾隨其後，疲於奔命，故亦實無興趣讀完他這部書。但我仔細讀了他的講康德的書。」（《智的直覺與中國哲學》，《牟宗三先生全集》卷20，頁472）不過牟先生翻譯了海氏《存在與時間》中的兩節，附錄於《智的直覺與中國哲學》，並且以案語隨文評說，可見亦不可以說他全然不重視《存在與時間》。

97　關於海德格所謂「最後之神」，可以參見孫周興、林子淳、王慶節的相關闡釋。奧特在《思與在：海德格爾之路與神學之路》書中說：「按照海德格爾的看法，只要人們已經理解了他的意圖並且認識到那種推動著他的思想上的必然性，那人們就完全不再可能乞靈於思

而上學的解構當然也包括康德以下的德國觀念論的解構。儘管海氏思想與基督宗教和德國觀念論之間存在某種扯不斷理還亂的牽連（他也特別受到巴特神學和謝林哲學的影響），可是無論是基於思想史、哲學還是神學的視域，如何表述此種牽連本身就是一個艱難的挑戰。基督宗教的上帝的價值承擔坍塌了，或者說遭遇到前所未有的挑戰，隨之而來的是「黑白世界」的消逝，世界失去了它的明晰性，超越與內在、神聖與世俗既不是非此即彼，也不是某種外在關聯，而是表現為某種內在的糾結與纏繞。沒有什麼比海德格晚期思想更能夠體現現代人獨特的生存境遇，這也特別關涉到《哲學論稿》中所謂「最後之神」的出現。「人作為此—在的建基者，必定會成為最後之神的掠過之寂靜的看守者。」[98] 依據阿蘭・巴迪歐（Alain Badiou），「最後之神」只是映現出海德格某種懷舊的悲愴。[99] 而讓—呂克・南希（Jean-Luc Nancy）則把海德格所謂「最後之神」的「暗示」（wink）[100]翻譯成「眨眼」（blink of the eye），以凸顯它（根本區別於傳統意義上實體、自因之「上帝」）的瞬間、易逝和不確定性。「最後之神」體現為「瞬間的顫動」的到來與退隱（到來中總是內在地包涵著退隱、離去）[101]，這並不是某種先行

（續）———————————

想的『清晰的自明性』和『健康的人類理智』了。」（《海德格爾與有限性思想》，頁138）

98 海德格爾，《哲學論稿》，孫周興譯（北京：商務印書館，2017），頁29。

99 參見阿蘭・巴迪歐（Alain Badiou），*Briefings on Existence: A Treatise in Transitory Ontology*（Albany: SUNY Press, 2006）.

100「將來者採納和保存那種由呼聲所喚起的對於本有及其轉向的歸屬狀態，並且因此得以站立到最後之神的暗示面前。」（《哲學論稿》，頁101）

101 J.-L. Nancy, *Dis-Enclosure: The Deconstruction of Christianity*（New

「存有」的到來和退隱，而毋寧說它只是（也僅僅是）瞬間性的、動態的、「姿態的」「passing-by」（掠過，經過，路過），「winking」。由此說來，「最後之神」關涉到凝聚於瞬間的、指向某種極致的外在性和差異性的、無限開放（敞開）的可能性。海德格說：「永恆者並不是持—續者，而是那個為了將來返回而可能在眼下自行隱匿的東西。能夠返回的東西並不是作為相同者，而倒是作為重新轉變者、一個唯一者，即存有，以至於它在這種可敞開狀態中首先並沒有被認作同一者！」[102]

這裡特別值得提出的是洛維特在比較海德格與尼采時所論及的：「如果說有什麼東西標明了尼采思想的起點和終點的話，那便是他看待純粹存在（Dasein）的非歷史的方式，這種此在能夠『忘卻』其『曾是』，能夠無煩無憂地獻身於當下瞬間，毫無保留：動物和──非常親近的──孩童。兩者都不同於成年人，後者是為自己的能整體存在操煩的『絕對不可能完美的不完滿之物』，而前者卻在嬉戲中而為完美，而為其存在的整體，並因此是幸福的。」[103]

（續）—————————————————

York: Fordham University Press, 2008），p. 108.

102 《哲學論稿》，頁444。

103 洛維特，〈海德格爾《尼采的話「上帝死了」》一文中所未明言〉，馮克利譯，《牆上的書寫：尼采與基督教》，劉小楓編（北京：華夏出版社，2003），頁117。約納斯有一段文字敘述《存在與時間》的「當下」：「生存性的『真正』的當下是『處境』的當下，完全是依據自我與它的『未來』與『過去』的關係來界定的。可以說，它是在設計的未來影響既定的『過去』時由於決斷而閃現的，並且在未來與過去的這種相遇中構成了海德格所謂的『瞬間』；瞬間不是延續，它是這個『當下』的暫時樣態——是另外兩個時間範圍的產物，是它們的不息的動態的功能，它不能居於獨立的維度。」（約納斯〈靈知主義、存在主義、虛無主義〉，載《靈知主義與現代性》，

可以說，「最後之神」的引入進一步凸顯出海德格所謂「瞬間」具有與（歷史中的）「命運」相伴隨的啟示性，它指向差異、可能和具有末世意味的未來，而非指向當下的圓滿（永恆）。在筆者看來，這與其說是標顯出海德格與尼采的差異，不如說是標顯出海德格與東方思想的差異，其中也包括與牟宗三思想的差異：就思想實質而言，海德格思想中的「瞬間即永恆」，既不是道家式的，也不是禪宗式的，亦根本不同於宋明儒家和牟宗三的「當下具足」[104]——在後者那裡，「瞬間」並不關乎於任何「決斷」。洛維特定義歌德關於「瞬間」的表述，說：「歌德頌揚當前瞬間的說明不計其數，但並不是強行『決斷的』瞬間，而是永恆從自身出發在其中表現出來的瞬間。」[105]牟先生批評海氏「思之未透，停止在半途中」[106]，他沒能夠了解「半途中」恰恰觸及海德格思想的基本特徵；也沒能夠了解到，這個「停在半途中」的思想架構中隱含著某種「末世」的指向——從此種意義上說，海氏希望扮演的角色不是「哲學家」，而是（近乎猶太教意義上的）「先知」。[107]

（續）

　　劉小楓選編〔上海：華東師範大學出版社，2005〕，頁53）

104 牟先生說：「若自圓頓之教言，則亦可以一時俱盡，隨時絕對，當下具足，此即人的無限性。「（《現象與物自身》，《牟宗三先生全集》卷21，頁28）

105 洛維特，《從黑格爾到尼采》，李秋零譯（北京：生活‧讀書‧新知三聯書店，2006），頁284。

106 《智的直覺與中國哲學》，《牟宗三先生全集》卷二十，頁472。

107 海氏弟子洛維特（Karl Lowith）說：「有如當年的費希特和謝林，而且原因相同：其哲學思想的力量與一種宗教動機相聯。因此海德格的『追憶』中有一種激情，使順從的讀者和聽眾入迷，誘使他們進入到一種虛假的虔誠中。」（洛維特，〈海德格爾《尼采的話「上帝死了」》一文中所未明言〉，《牆上的書寫：尼采與基督教》，

　　「神聖」（或神聖之名）的缺失是現時代東西方所面對的共通問題。面對此種缺失，可以有人文主義的立場，認為根據、法則、目的等等是內在於世界的；也可以有科學實證主義的立場，認為根據、法則、目的等等本來就是子虛烏有的；當然還有宗教復興（重建）的立場，仍然主張訴諸於某種外在於世界的根據、法則和目的。牟先生「道德的理想主義」屬於某種人文主義的類型，他並且堅定地認為通過重建儒家的道德主體性就可以克服虛無主義，重建現代人的神聖價值和信念。這令我們聯想到洛維特對於現代靈知主義的批評，主張天人合一的儒家思想能否逃避此一類批評？我們這裡不能夠展開討論相關問題。

　　我們可以用「世俗的神聖」表述傳統儒家思想的核心特質，這也特別與原本屬於宗教性的禮儀、禮樂貫通於日常生活有關；在傳統儒家那裡，不存在伊利亞德（Mircea Eliade）所說「神聖空間」與「世俗空間」的斷裂。牟先生超越論的講法基本上不涉及禮儀、禮樂的層面，這與現實生活中儒家日常化的生活倫理及其規範遭遇徹底的毀棄、斷裂有關。牟先生轉而訴求「本心性體」的超越性。值得注意的是，牟先生所謂「良知坎陷」及其作為理論架構的「兩層存有論」的敷設，實際上承認某種超越原則與世俗日常生活之間的異質性，這是他區別於傳統儒家的根本點。可是，就整體而言，牟先生思想仍然屬於天人合一的架構，所謂超越原則的異質性也只是內在於世界的異質性。並且通過吸收和扭轉（徹底化）主體性的康德思想，儒家思想去除了一切「給予」的因素，被徹底地主體化了。相比較而言，晚期海德格凸顯了「給予」的層面，人的有限性與「（被）給予」有關，這不僅關聯於康德思想，而且關聯於基督

（續）────────────────
　　頁107。

宗教的傳統，儘管在海德格那裡，「恩典」已然不是絕對超越者（上帝）的恩典。與上一點相關聯，海德格強調「返回」「讓予」「泰然」，這也與「最後之神」退隱的「姿態」有關。可見，後期海德格感興趣道家思想並非偶然。

就基督宗教浸潤的西方思想傳統而言，人的有限性首先是與「被給予」（被創造）有關，這也特別關涉到基督宗教的「恩典」觀念。而在康德和海德格思想中，人的有限性特別與感性直觀的被給予性、接受性和被動性有關，也正是感性直觀的被給予性決定了人是有限的，並且不可能超越自己的有限性；這一點在海德格思想中體現得更為突出。[108]應該說，在儒家早期天命思想中，同樣關涉到（被）給予，這在孔子的天命觀念中仍然表現得非常突出。《中庸》「天命之謂性」和「繼善成性」思想凸顯了「天道性命」的連續性，此一點在宋明儒學特別是廣義的心學系統中有著意闡發，並且宋明心學的相關闡釋進一步凸顯了人性（心性）自本自根、自我圓成、先驗而絕對的一面；先驗而絕對的人性（心性）完全能夠訴諸於自身的潛能（潛具）而克服和超越與人的感性機能相關的種種限制，實現牟先生所說的「人雖有限而可無限」——這不是在道教「長生不老」的意義上，而是在人性（心性）精神內涵的開展及其無限性的意義上，在人性（心性）的完滿實現即是神性的意義上。

牟先生是要借助於吸收和扭轉康德而清理宋明儒學的一筆舊帳。他激烈地批評伊川、朱子「心」「性」之間的劃界：如果「性

---

108 關於認知的有限性與「所予」（被拋狀態）的關係，海德格指出：「有限性首先不是認知活動的有限性，而僅僅是被拋狀態的一種本質性結果。」「『思維』是有限性的指標，也就是說是對直觀之依賴性的指標，而直觀自己，則又從對所予即被拋狀態的依賴那裡產生。」（《康德與形而上學疑難》，頁323）

即理」而「心」不即是「理」，則不僅無從彰顯人性自我超越的能動性，而且使得「性」（理）終究成為某種外在的限制（他律）。牟先生思想的核心是環繞在徹底的唯心論的意義上扭轉和改造康德的自律倫理說，其焦點在於在人性本善的脈絡中肯認人性的自身完滿與圓成。此方面康德思想中始終存在「恩典」與「理性」之間的張力，[109]這無疑是與奧古斯丁以下的基督宗教思想傳統有關。[110]重要的在於：康德正是在恩典與理性的張力之間彰顯人的有限性，這也特別體現為感性直觀與智性直觀的對照：人所擁有的感性直觀必然地關聯於「被給予」，從而迥異於上帝「根源的（創造的）直觀」。海德格同樣是由此出發彰顯人的有限性。牟先生有關「智的直覺」的論述關涉到儒家傳統與基督宗教所掩映的思想傳統之間的對照，並且牟先生的相關論述是要在「神智」／「神知」的意義上極成儒家「德性之知」（良知）的無限性：應該說，德性之知的無限性已然蘊含於儒家有關人性的基本預設之中，而德性之知的無限性又使得儒家先驗而絕對的人性（心性）可以成為某種體認的「呈現」「直觀」（直覺），由此泯滅了（超越了）神與人之間的界限。而德性之知的無限性就在於它可以徹底擺脫「被給予」（恩典）的因素，「雜多」

---

109 此在康德有關「倫理共同體」的論述中體現的最為鮮明，他說：「一個倫理共同體只有作為一個遵循上帝的誡命的民族，即作為一種上帝的子民，並且是遵循道德法則的，才是可以思議的。」「一個倫理共同體的概念是關於遵循倫理法則的上帝子民的概念。」（康德，《純然理性界限內的宗教》，李秋零譯，《康德著作全集》第6卷〔北京：中國人民大學出版社，2007〕，頁98、100）

110 一種觀點認為康德的相關思想是取捨於奧古斯丁與佩拉糾之間，可以參見Gordon E. Michalson Jr, *Fallen Freedom: Kant on Radical Evil and Moral Regeneration*（Cambridge: Cambridge University Press, 1990）.

全然出自於人性（心性）的自我創造，「直覺之即創造之」。[111]

　　牟先生的思想理論是聚焦於如何「超越」而非如何「面對」人的有限性，他實際上是繞過了而非化解了海德格的問題。[112] 需要指出的是，由於缺少超越的宗教及其象徵，現代中國人的「無家可歸」和「飄零」感實際上較比西方社會更有過之，現代性所內含的分裂亦體現得更為突出；「尋根」的路徑恐怕不能夠訴諸於「中西之間」的思想架構。傳統資源固然重要，可是需要某種「轉語」。此所謂「轉語」也絕非是如同人們所議論的只是關涉到「開出量論」，亦即講出一套儒家的（或曰中國特色的）知識論，而是關涉到如何真

---

111 圓照之明澈則如其爲一自在物而明澈之，即朗現其爲一「物之在其自己」者，此即物自體，而非經由概念以思經由感觸直覺以知所思所知之現象；而且其圓照之即創生之，此即康德所謂「其自身就能給出這雜多」，「其自身就能給出其對象（實非對象）之存在。」此顯無普通所說的認知的意義。」（《智的直覺與中國哲學》，《牟宗三先生全集》卷20，頁242-242）

112 牟先生說：海德格所揭示的生存論的「眞實性」，「只是虛蕩的，並不是落實的。人誠然是不安定的，無家性的，不能以習氣，墮性爲家，人能勇於接受此一事實，不蒙蔽自己，固然可顯一眞實性，因而也就是顯示其實有性，但這樣的眞實性，實有性恰正是消極的、虛蕩的，並未正面眞得一眞實性與實有性。我們不應安於習氣、墮性，在這裡實應掏空自己，全體剝落淨盡，但我們卻應安於仁、安於良知、安於性體本心、依止於理。人只有當安止於此正面的實體時，他始眞有其眞實性與實有性，此時這後者是落實說的。人只有當在體現這超越的實體（實有）之過程中，他始有其眞實性，實有性，此時他不是一個偶然而茫然的存在，而是一個眞實而必然的存在。」（《智的直覺與中國哲學》，《牟宗三先生全集》卷20，頁465）他認為海德格所成就者只是「英雄式的勇敢哲學」，海氏的「氣魄承當」，並不是「照『體』獨立，靚『體』承當的義理承當」。（同上）

實而具體地面對人的有限性及其現代處境：這是「工夫」問題，也是「本體」問題。作為一代大哲，牟先生的生存體驗自然根本不同於那些有口無心的誇誇其談者[113]，可是牟先生顯然認為全部問題仍然在於如何堅守儒家人禽之辨的路數，彰顯人性（心性）的「通體光明」。牟先生繼承宋明儒家，進一步凸顯了儒家思想理想主義的層面，而儒家傳統理想主義與現時代的關係絕非是如同人們所議論的屬於「由體達用」一類問題。可以肯定地說，儒家思想未來所面臨的挑戰主要的不是來自康德、黑格爾脈絡的德國觀念論，而是來自海德格脈絡的生存論解析。

令人欣慰的是，牟先生似乎並沒有構想某種道德主義的理想國，在現實政治生活的層面，他呼喚客觀化的形式原則。就此而言，他所謂「坎陷」具有非常積極的意義。他也並不認為歷史上曾經出現某種道德主義的理想國，在「王—聖」政治的架構中，時局的好與壞，當政者的懷柔與殘暴，人民是苦不堪言，危如懸卵，還是可以勉強度日，這些都是偶然的，並不足以推導出某種客觀的範式。倒是當前把儒家思想歷史化的趨向中，不乏有人狂熱地幻想和鼓吹某種理想國，歷史證明並且將繼續證明，任何理想國的實踐都將導致空前的災難，無論倡導者是別有用心還是出自某種所謂信念。

從海德格回到牟先生，首先讓你感到舒緩的就是牟先生思想的明晰性，這與牟氏思想的觀念論形態有關；我完全不能夠理解在任何意義上把牟先生思想歸屬於神秘主義一類的說法，除非你把「思

---

113 牟先生說：「焉有自道德意識入而無深切之罪惡感乎？俗儒自是俗儒，焉可為憑？以往因重視當下道德實踐，又顧及風教故，故多講正面話，反面者多引而不發，然不發非無深入之感也。……必正反兩面皆深入，正面必透悟至心體與性體，反面必透悟至知險與知阻。」（《從陸象山到劉蕺山》，《牟宗三先生全集》卷8，頁435-436）

辨」等同於「神秘」。儒家的世界本來就是神聖與世俗相交融的，不過這與海德格意義上那種糾結和纏繞仍然有很大的不同，後者始終處於某種不可以消解的張力之間。相比較海德格那裡「存有」解蔽與（自行）遮蔽的雙重「顫動」，牟先生的「存有」則是全然敞開的，至少就終極理境而言是這樣，「智的直覺」正是指謂某種全然敞開的並且全然確定的「實在」「呈現」「直觀」。牟先生超越論的講述並沒有使得儒家思想更晦澀、更神秘，而是在概念思辨的意義上使得儒家思想更順暢、更清晰，由此所開顯的世界也是順暢而清晰的。應該說，牟先生「道德的形上學」及其所開顯的順暢而清晰的「世界」在很大程度上繞開了或者說迴避了海德格所彰顯的那種複雜、多元、動態、曖昧，並且可能性徹底取代了確定性的現代人的現代生存境遇。

「啟示是內在於世界的，其實就是世界的本性；……世界是神聖的。」這個論斷完全適用於儒家思想。牟先生超越論的講述並不是要改變和扭轉這個基本點，恰恰相反，無論是60年代的自律說還是70年代的智知論，都是旨在證成世界的神聖性，只是與傳統儒家相比，這其中多了一層「曲折」：「世界」的神聖性不是在「體用相即」（「一陰一陽之謂道」）的意義上，而是在「亦主亦客」「即內在即超越」的道德主體（本心性體）投射、朗潤的意義上。儒家的視域始終是這個世界，這一點沒有改變也不會改變。一種超越論或內在超越論的講法與其說是旨在改變這一點，不如說是旨在強化這一點。這提醒我們注意宗教對話中那些廉價的比附。宗教對話的意義應當是尋求相互理解，並且在相互理解的意義上達成相互尊重，而不是尋求某種「茅臺酒摻水」意義上的亦此亦彼的路徑，因為事實上並不存在這樣的路徑。

牟先生拒絕把儒家思想歷史化，拒絕從文制、治道、現實倫理

規範以及民族特殊性的層面闡釋和弘揚儒家思想，而是從道德精神
（道德理性）之超越性的層面貞定儒家義理，這也使得他既區別於
希望中國文化作為一種與特殊的社會結構相關聯的整體的生活方式
得以保存的梁漱溟；也區別於一邊主張主觀的「境界」說，另一邊
卻認同於生產方式決定論的馮友蘭。可以肯定地說，牟先生並不是
某種狹義的文化民族主義者。可是，牟先生所謂「精神」，當然根
本不同於基督宗教意義上的「精神」，實際上也根本不同於黑格爾
等人所闡釋的「精神」，由此所引發的問題是：牟先生意義上「即
內在即超越」的「精神」可以為歷史批判提供某種超越的基點嗎？
主張「聖」與「王」之間必須經過一個轉折、曲折（坎陷），必須
由傳統儒家的「直通」轉變為「曲通」，這是台港新儒家之「新」
的基本點；牟先生也激烈地批判現實中的「王—聖」政治。可是，
一種即人即天即聖即神的道德理性之「莫逆於心，相視而笑」的「坎
陷」「曲折」真的能夠開出民主，從而阻塞通向王—聖政治的道路
嗎？牟先生的說法與黑格爾有關聯，可是明顯缺乏黑格爾辯證法的
理論強制性。把儒家思想歷史化並且由此推導中國文化和中國社會
的走向，是當前頗為兇悍的一種趨向，此所以牟先生超越論的闡釋
仍然具有重要的思想意義，畢竟認同於「這個世界」也並不等於同
流合污。

　　鄭家棟，曾任中國社會科學院研究員、中國哲學研究室主任，現
為多倫多大學訪問教授、「亞洲神學」中心研究員。主要學術方向
為儒學與中國哲學的現代闡釋、儒家思想轉型與重構、儒家與基督
教對話、中西哲學比較等。著作有《斷裂中的傳統：信念與理性之
間》、《當代新儒學論衡》、《牟宗三》等。

記疫共同體

記疫共同體：
解題

汪宏倫

　　大概沒有人能夠否認，2019冠狀病毒疾病（Coronavirus Disease 2019，以下簡稱「COVID-19」）的出現，可以說是人類歷史上的一個重大事件。這個給全世界人類帶來巨大且深刻影響的瘟疫，從一開始出現就引發諸多爭議。除了病毒起源眾說紛紜之外，世界各地的人們——當然也包括台灣在內——僅僅是為了「用什麼樣的名稱來指涉這個新的事物」，就已經吵得不可開交。有些人稱之為「武漢肺炎」，有些人稱之為「新冠肺炎」，國外更曾出現「中國病毒／中國肺炎」的說法，政治意味濃厚。直到2020年2月，世界衛生組織才正式定調，以「COVID-19」作為官方通用名稱，這個新名詞也逐漸在媒體中散播開來，被廣泛使用。隨著疫情從中國大陸傳到歐洲、美洲乃至全世界，這場瘟疫已經徹底改變了人們的集體與個人的生命樣態，從政治、經濟、社會、法律、文化、教育、日常生活的衣食住行乃至人與人之間的交往互動，無一不受影響。由於疫情所帶來的衝擊是如此深刻而全面，因此對疾病與疫情的探討，已遠遠超出醫學或公共衛生等領域，而是幾乎全面性地涵蓋了自然科學、人文與社會科學的各個領域。更重要的是，僅憑單一學科領域的觀點，早已不足以理解與應付這個驟然降臨的新情勢。跨學科領域的對話、連結與介入，雖然不是什麼新鮮事，但是COVID-19的橫

空出世，使得這樣的努力更顯得急迫必要。

去年此時，《思想》推出了「新冠啟示錄」的專題，當時由於疫情爆發不久，大家對於如何應對這個未知的共同「外敵」，所知還很有限，因此大部分的文章，著眼的是思考疫情衝擊所帶來的「啟示」。歷經一年多、將近兩年的時間，人們對於如何面對及處理這個變局，累積了不少經驗，也慢慢找出了因應之道。除了一開始的口罩、洗手、社交距離等措施之外，根據不同學理而研製的疫苗已經開發出來，在各國獲得緊急授權使用，藥物開發也漸露曙光；防疫生活從「非常態」成了「新常態」，人們面對疫情不再恐慌，也不再束手無策，甚至已經開始思考「後疫情時代」的世界圖像。在這個背景下，本期的專題，著眼的是在疫情發生一段時間之後，對這個陌生的疾病有了更多認識、產生對策、甚至開始學習「如何與病毒共存」的情況下，對這一段歷程的記錄與反思。

本期專題與清華大學林文源教授所主持的「記疫」網站合作，[1]邀請曾在「記疫」網站籌劃的「對話」系列中擔任講者的學者專家，就他們所關注的議題進一步發揮，寫成文稿。如其名所示，「記疫」網站對於台灣社會在疫情期間所發生的諸多大小事，蒐羅了相當豐富的紀錄；遺憾的是，在本刊篇幅有限的專題裡，很難面面俱到地完整呈現。本次專題的規劃側重兩個面向，第一是在地的經驗與觀點，第二是歷史、社會與民主治理的相關課題。這兩個面向的設定，也是考量《思想》的特性與讀者可能關心的議題方向。如前所述，COVID-19出現伊始，即有不同的命名指稱方式；不同的名稱，背後隱含著不同的使用脈絡與專業考量。因此，我們尊重各篇文章的作者，並不求用語的統一。包括本篇序言在內，中外文夾雜的行文方

---

1 有關「記疫」網站的緣起及其意涵，可參見本期林文源一文。

式，也許讓有些讀者不太習慣，但這也反映出COVID-19的特殊複雜之處，請讀者諒察。

　　值得一提的是，本期專題的規劃與邀稿，是在今年（2021）年初，當時台灣算是「防疫有成」，本土案例長期「嘉玲」，整個社會從政府到民間普遍「自我感覺良好」，陶醉在「防疫模範生」氛圍裡。疫情初期，台灣的防疫經驗屢屢登上外文媒體，伴隨著口罩捐贈與「Taiwan Can Help」的口號，填補了台灣長期缺乏的國際肯認，也滿足了「讓世界看見台灣」的國族渴望與集體尊嚴。那段期間在台灣談疫情，有點「隔岸觀火」的味道，彷彿那些因為疫情而起的恐慌、無助、混亂失序，都是別人家的事情，與自己無關。然而，就在5月上旬，我們開始陸陸續續收到作者們的稿件之際，台灣的疫情開始發生戲劇化的轉折，從接連幾樁群聚感染事件、證實防疫出現破口之後，台灣的疫情急轉直下，每天的確診案例陡然驟增，死亡人數也不斷攀升，令人怵目驚心。指揮中心在5月19日將防疫提升到三級警戒，台灣雖然並未歷經正式封城的階段，但民間的自發作為，也讓大家體驗了一段「準封城」的滋味。歐美各國曾經走過的防疫之路，台灣是整整晚了一年才經歷。人們開始發現，原來許多人沾沾自喜、引以為豪的「超前部署」竟然不堪一擊，疫苗短缺、施打混亂、民生經濟受創、所有人的日常生活都受到嚴重影響，可說無一倖免。在全球防疫的圖譜上，台灣一下子從「模範生」掉到「後段班」，隨之而起的政治口水也從沒少過。為了讓這個專輯的內容能夠更及時地反映台灣所歷經的疫情轉折變化，我們十分罕見地在收齊稿件之後，又特別情商作者們重新修改文稿，把五月之後台灣的情況納入考慮。所幸作者們並沒有拒絕我們這個近乎失禮的請求，且多能在期限之內完成修訂。在此要特別感謝林文源教授的協助與諸位作者的配合。

作為一種「生命政治」的手段、形式與媒介,病毒所造成的瘟疫是對「生命共同體」的根本的考驗。這個共同體的範圍邊際,可以大到包含全人類(甚至全球生態體系,不限人類),也可以是一個政治共同體、一個村莊、一個社區乃至一個基本家戶單位。「記疫共同體」,可以說是對這些受到疫情影響的共同體的記錄與記憶,而這些記錄與記憶,也將形塑著共同體的未來。台灣在面對疫情時所呈現出的種種反應與樣貌,無論是正面的或是負面的,某種程度上也反映出台灣作為一個政治共同體的特殊性格。這一部分的相關問題,本次專題未能深入探討,還待有心人持續關注。COVID-19的疫情尚未結束、甚至可能不會結束,對疫情的記錄、記憶與反思也將持續下去。冀望本期的專題,能為讀者思考「後疫情共同體」的未來,提供一點線索與幫助。

汪宏倫,中央研究院社會學研究所研究員,研究領域包含歷史社會學、文化社會學、政治與社會理論等。歷年研究涉及台、日、中等地之民族主義與歷史記憶,探討東亞現代性中戰爭、情感與價值觀諸問題。曾任《台灣社會學》主編,並主編《戰爭與社會》,合編《帝國邊緣:台灣現代性的考察》、《族群、民族與現代國家》等書。

「記疫」：
朝向公共化的在地認識論

林文源

　　「記疫」為科技部支持的新冠肺炎社會反思與紀錄平台。緣起於2020年台灣各界開始為疫情積極應變時，人文司推動「新冠肺炎影響之人文社會反思與治理」專案。記疫為專案的子計畫一，核心是關於重大災難事件之社會影響與研究平台建置。如同「記疫」之名，我們希望藉由匯集社會現象與省思，記住疫情的經驗，以累積為台灣社會面對當下及未來重大危機的公共基礎。[1]

　　如疫情的多面向衝擊，當前許多新興重大災難議題都已無法以過去單一學科的方法、問題界定方式或知識生產模式處理，而成為本質上具有跨學科性質的「後常態科學」（post-normal science），而其中關鍵是牽涉各種異質社會與技術系統。不但各自本身有其不確定性外，多系統耦合點的潛在相互影響愈形複雜，更容易造成非預期的「常態意外」（normal accidents）。在此處境下，難以既有單一學科視野與知識掌握問題本身的脈絡情景、利害關係人之關注

1　蔡甫昌主持此專案，子計畫主持人包含林文源、李建良、蔡錦添、詹長權、周桂田與蔡甫昌。「記疫」由我總籌劃，但實質工作都要歸功眾多支持者。規劃期主要推動成員為陶振超、蕭菊貞、程惠芳、黃于玲、黃俊儒。謹此特別感謝大塊文化郝明義先生的啟發與建議。部分協力者請見https://covid19.nctu.edu.tw/about-us。

點與社會變動，因此仰賴單一視野下的決策與知識方案的風險也大幅提高。緩解方向之一是投入更多利害關係人與專業視野共同探索。也因此，需要擴大知識社群的廣度與釐清各種社會介入後果與複雜性。

　　在此考量下，記疫具體工作包含建置累積專家評論與各界經驗的平台，並辦理各種徵集與對話活動，相關成果與過程皆累積於「記疫」網站。其中，「疫想」為人社專家之評論；推廣大眾記錄的「培力工作坊」累積為「微課程」與「人社誌」，後者也持續包含大眾自發投稿、各種網路發表轉載與相關課程之紀錄；「對話」為辦理全國「後疫情時代的展望」之座談會與書展活動與迴響；「疫見」匯集相關影像紀錄。目前我們也正由上述累積拍攝紀錄片與編輯專書。

　　在此謹提供三個初步觀察與個人學習心得。

　　一、協助人社學界介入與對話：規劃記疫的初心是鼓勵人文社會學群立即投入貢獻，期望建立危機導向人社跨領域知識協力網絡。從疫情一開始只聚焦生醫面向的討論，到各起伏階段的各種社會危機事件中，不但凸顯對人文社會的挑戰，更開啟人社領域連結疫情的可能。人社學界獨特洞見與觀點，都從各種角度思考社會面對此次危機的可能與想像，也都是此重大社會危機的堅實後盾。在這些基礎上，以記疫平台推動的匯集與串連，一方面是針對社會急需，加速人文社會研究者以普及文字、培力課程、面對面座談及書展對話、影像與語音媒介反思等型式，提供視野與方法啟發更多思考。另一方面這也是針對學術社群，希望有助於讓各領域碰觸專業外的視野，尤其是在座談與對話中的跨界共同思索讓我們瞭解差異、正視各自的強項與弱點。而在記疫推動過程牽連起國內外大專機構、官方組織、學會、期刊、社會團體、圖書館、書店、傳媒、

個人社群平台等全國數百個組織與個人，的確在各種反思與討論中，交錯折射浮現疫情的在地人文與社會樣貌，累積人社知識社群共同學習的機會。

二、**看見各界隱形的多重位移**：防疫體制並非單一網絡，其運作仰賴各界合作。相較於每天記者會與媒體版面集中在官方的資訊與策略，記疫的「人社誌」與「對話」蒐集了疫情中不見經傳與傳媒的大眾日常。如同疫調過程彰顯出個人在疫情中的各種活動、連結與蹤跡，其中，面對疫情的考量交織著各種慣性與情境理性，如醫護、警消、鄰里長的使命與壓力、移工的污名與日常、各種產業的經濟考量、運輸業的責任與壓力、分眾的兩岸情結與政治偏好、媽媽的工作負擔、眾人生活變與不變、生涯規劃與展望、鄰里凝聚合作與猜疑獵巫、全球移動者的新常態、海外台灣人的世界觀察與自救、科技產業與股民的起伏、邊緣群體的恐慌與污名、政客的投機與見獵心喜等，這些都不是翻轉社會的決定性事件，但卻點點滴滴地，以各自方向位移著社會。記疫盡力保留這些轉瞬即逝的片段，期待有助於累積公共反思的資產。

三、**重新連結與想像社會**：由這些大紀錄可以發現，不是政治惡鬥才會撕裂社會，也不只有疫情會使社會恐慌，無數行動都同時在切割、縫補，也同時更新、想像著台灣社會。這些就是人文社會本身的樣貌，也是我們共存的多重面向。其中有搶購、囤積、造謠與排擠的爭議[2]，也有「我OK你先領」的互助想像、協助弱勢者與對抗污名的共存想像，「Taiwan can help」與「護國神山」的國際

---

2 不過，限於平台之紀錄完全公開且平台本身帶有一定傳播效力，儘管許多爭議與言論也有重要社會意涵且值得反思，但並未收錄於網站。

定位想像，以及「防疫第一」、「世界看見台灣」、「同島一命」
的國族想像等。相較於中央體系的運作驅動整個社會，每個人在這
些防疫的、產業的、知識的、認同的、情感的各種想像片段，各有
貢獻。而這些有些已在人社研究的理解範疇，但也有不少有待釐清。
尤其是其中不同連結與割裂彼此的方式，是社會持續變遷的線索，
更是人社如何能與不能正視自身社會的職責。

　　這些公共化過程，都是面對疫情的全民學習。我個人的學習是
關於「在地認識論」（situated epistemology）。如同台灣長期處於
全球化經濟與產業長鏈，在地的人文社會知識也鑲嵌在歐美主導的
全球知識長鏈中。當疫情暴露全球化產業長鏈及時（just in time）的
模式缺失，必須轉向以防萬一（just in case）的在地短鏈模式。[3]

　　如同各地都有各自學習如何與疫情共存的軌跡，台灣在此次疫
情一開始即走出自己的策略，在全球蔓延慌亂中維持近一年半的平
行時空，然後又在近幾個月在重新學習。這些在地經驗具有普遍性
也有特殊性。如同這次對台灣伸出援手的立陶宛，讓我們看到台灣
並非唯一，有比台灣更小的國家在面對殖民力量時的韌性與勇於追
求自由的志氣，仍是災難中的普世價值。但相對的，台灣在自身的
地緣政治與社會變遷中，在具體策略上也需要自己探索。這些呼應
著「島嶼生態學／智慧」：在充滿外來異質性人事物、災難與殖民
力量的長期經驗中，持續在獨特條件與危機中學習以求生存。[4]

　　台灣的疫情策略與表現，不正是改變台灣習於歐美知識與政策
風潮的及時快速追隨慣性，轉為正視在地萬（中選）一、獨特處境

3　後疫情時代展望座談一：經濟與科技新日常，與談者林建甫教授的
　　觀點。亦參見https://covid19.nctu.edu.tw/article/5413
4　後疫情時代展望座談二：後疫情時代的自然、生態與風險，與談者
　　林益仁教授的觀點。亦參見https://covid19.nctu.edu.tw/article/5152。

的短鏈模式。指出這個不同的認識策略,希望有助於提醒各種意義下的知識與政策模仿慣性,轉向在地公共經驗資產,探索未來。因此,關於疫情,我們不是談得太多,而是談得太少。記疫記錄的也相當不夠,尚有更多看不見的位移與想像。台灣經驗不只是防病毒,也不只有指揮中心,更不只有國家驕傲。指揮中心、媒體與官方記錄下的全民合作、奉獻與榮耀是重要的,而各種層面的疏失檢討與爭議引發的「破口」與「危機」討論也必須。但疫情不只這些。「記疫」的疫情百態,描繪著台灣各界各自維繫的多重防疫小網絡片段。這些片段可能處於平行時空、或者部分連結,但也可能競爭,甚至對抗,因而以不同方式與中央防疫體制連結與失連。而其中當然也不乏各種追隨歐美與各種強國的知識/政策慣性與爭論。正是這些連結與失連共同構成台灣疫情的「例外」與現況。

　　這些是我們需要從由這些多重連結與想像學習的「記疫」。正當本文寫作時,台灣仍在這波疫情中努力,但在一波波磨練下,各界也展現更為純熟應對。期待疫情危機是一次轉向,更是契機。長期而言,從這次危機導向的跨領域努力開始,有待更為積極在人社領域建立驅動社會影響導向之研究社群、方法與機制,更為積極地介入社會學習過程,甚至連結到在地社會學習的永續生態系(ecosystem),這至少包含:累積公共經驗資產、跨專業反思與方法,公眾協作的政策研擬與決策過程,以及內建利害關係人回饋機制。這些並不新,但是疫情擾動的非常態帶來正視新常態的契機。而這次疫情也已經看到許多類似努力,「記疫」只是其中一小部分。期待各界持續挖掘並由尚未可見的各種疫情經驗學習,這是「記疫」朝向公共化的後疫情認識論。

　　林文源，國立清華大學通識教育中心教授暨「記疫」總籌劃。研究主軸為社會理論、醫療社會學，及科技與社會。近年關注中醫實作，以及人文社會知識的公共性，參與推動「記疫」及人工智慧的公共化。著有專書《看不見的行動能力：從行動者網絡到位移理論》、合作編著有《科技 社會 人》系列STS個案集、《寫給青春世代的STS讀本》系列，目前擔任國立清華大學出版社「AI、科技與社會」叢書主編。其餘請見http://cge.nthu.edu.tw/faculty/wylin/。

疫情的個人書寫：
事件、時間與歷史

李尚仁

「思考流行病與大流行的常見方式是將之視為事件。」[1]

2019冠狀病毒疾病（COVID-19）的大流行（pandemic）無疑是21世紀的重大事件。這場疫情的後續影響還難以估計，但劇變之下全球都受到衝擊。在面臨突如其來的重大事件時，書寫記錄是人們常見的反應。COVID-19疫情爆發時，在武漢封城期間出現多部在社群媒體發表的「封城日記」。由於中國政府的新聞管制以及外界對其官方說法的不信任，這些當事人即時的書寫就更加受到外界注目。其中曾任湖北作家協會主席方方的日記，由於關於疫情的部分描述與官方說法不同調，在獲得國外出版社青睞後反而引發「小粉紅」網路上的圍剿，一時之間成為此一文類最受注目的作品。同樣受到國際注目的是女性主義紀錄片工作者艾曉明在中國遭到網路封殺的封城日記，除在網媒Matters全文刊載，部分內容也獲得英國《新左評論》（*New Left Review*）翻譯出版。[2]女性主義社會工作者郭晶

---

1   Christian W. McMillen, *Pandemics: A Very Short Introduction* (Oxford: Oxford University Press, 2016), p. 1.

2   Ai Xiaoming, "Wuhan Diary," *New Left Review*, No. 122 (March/April, 2020), pp. 15-21.

的封城日記則在台灣成書出版。[3]

　　以日記為名，顯示這是個人生活與思考的紀錄，但選擇在網路上發表卻又表明要向大眾發聲，而在中國媒體環境的大背景下，這些日記的內容也常透露出作者企圖以個人角度記錄與揭露某種「真相」。以上這些性質彼此存在著張力，經常溢出「日記」這個文類的框架。在此姑且稱這類作品為「個人書寫」，以有別於正式的媒體報導或是各種官方與科學界的報告。封城期間個人書寫的湧現表面看似網路風潮的一部分，但我認為這類書寫還有更深刻的緣由。畢竟歷史上的大疫經常伴隨出現這類作品，有些甚至成為經典，例如義大利作家薄伽丘（1313-1375）的《十日談》（*Decameron*），為中世紀末的黑死病留下細膩的描繪，皮普斯（Samuel Pepys, 1633-1703）的日記也成為了解17世紀倫敦大疫的重要史料。

　　美國醫學史學者查爾斯·羅森堡認為「一場真正的疫病是個事件」，具有突發的性質，而其特徵還包括激起「恐懼和突然間四處可見的死亡」。鼠疫、霍亂與黃熱病等曾在人類歷史上引發社會巨大反應的急性傳染病之流行都是如此。羅森堡進一步認為疫情具有一種戲劇結構，宛若起承轉合般依序由「逐漸揭露」、「處理不確定性」、「協調公眾反應」以及「消退與回顧」這四幕劇所構成。[4]如果在歷史學家眼中，典型的疫情是種具有敘事結構的事件，那麼陷入疫情的個人又會如何加以呈現？關於21世紀這場「百年大疫」而言，這些「日記」能提供何種視野和紀錄？這是本文所要探索的

3　郭晶，《武漢封城日記》（新北：聯經，2020）。

4　Charles E. Rosenberg, "What is an epidemic? AIDS in historical perspective," in idem, *Explaining Epidemics and Other Studies in the History of Medicine*（Cambridge: Cambridge University Press, 1992）, pp. 278-292, on pp. 279-287.

課題，但討論的焦點並不是上述幾部武漢封城日記，而是長居加拿大的作家張翎受困溫州後寫成的《一路惶恐：我的疫城紀事》。[5]

選擇以《一路惶恐》作為主要討論對象，並不是因為這部作品記錄最多的「真相」、揭露最多內幕或是批判最為犀利。該書描寫的地點也不是如今已具有標誌性的武漢，而是溫州。事實上，相較於上述幾部作品的見證語調乃至義憤批評，張翎幾乎完全聚焦於描述她疫情期間的生活細節，以及與家人親友的互動和情感，所抒發的多半是個人心情感受，鮮少議論疫情相關的政治、社會或國際議題。她自陳：「我筆下記錄的不是事件和數據……我想還原的是一個糊塗人對外界突發的災難所感受到的哀傷和惶恐。」（頁36）但正因如此，此書反而提供許多值得進一步探究的內容，雖然本文在討論相關議題時也會引用其他的封城日記。

例外狀態下的時間

疫病的爆發給人突然和出乎意料之感，事件常以意外的姿態登場。以流感歷史研究起家、專研20世紀流行疾病的醫學史學者馬克·霍尼斯巴姆在20世紀疫病史《瘟疫啟示錄》的序章〈鯊魚與其他掠食者〉，講了一則和傳染病無關的故事：20世紀初的專家認為「鯊魚從不會攻擊北大西洋溫帶水域內的泳客，也無法一口咬斷泳客的腿……」。然而，1916年7月在紐澤西州的海岸卻連續發生數起鯊魚咬死泳客的事件，以事實駁斥了專家，更激起民眾恐慌，日後成

5　張翎，《一路惶恐：我的疫城紀事》（台北：時報文化，2020）。
　　由於之後內文會經常引用此書，隨後出現的引句將不再逐一使用腳
　　註，而直接在內文標明出處頁碼。

為經典恐怖災難電影《大白鯊》的題材背景。[6]霍尼斯巴姆以這則故事來說明新興傳染病的疫情爆發往往不只出乎意料，而且甚至常超出現有知識的預期。這種突然其來的劇變，甚至在疫情持續一段時間後都仍會帶給人不真實的感覺，如張翎在脫離溫州封城之困後回到加拿大多倫多，仍感嘆：「北國……天空的顏色對作家的詞彙存儲量是個考驗：到底是瓦藍，還是湛藍，還是海藍？每個詞都接近，但每個詞都不精準。只有一點是大致可以確定的──那就是沒有人會從這樣的藍裡聯想到死亡。」（頁24）

如果疫病爆發如晴天霹靂般給人不真實之感，事後回顧通常卻會發現其實大難將降臨之前已有跡可循。張翎是在「2020年1月23日」（頁27）回到她老家溫州為母親祝壽，之前她已先在海南三亞休假探視婆婆，事後回想其實她「在手機新聞」已看到「武漢出現不明原因肺炎」的報導，但當時並未在意，因為「在一個信息像潮水一樣湧來讓人應接不暇的時代裡，我們會隨手接過一些毫無價值的碎片，為此浪費時間，同時也會信手丟棄一兩樣混雜於碎片之中卻不容錯過的重要信息。」張翎傳神地形容：「在沙丘裡仔細過濾並留意到一小片閃亮的金子，是一件耗費心神的事……」（頁49）。在個人的層次如此，在集體的層次又何嘗不是。在疫病出現時，醫療衛生單位與國家政府也常會出現這樣的漏接。

羅森堡提到卡繆（1913-1960）的名著《瘟疫》（1947）開頭，李厄醫師踩到死老鼠後不經意將之踢開的情節，指出「死老鼠象徵並具象化疫情似乎始於細微的事件，當時不注意，事後回顧卻經常

6　馬克‧霍尼斯巴姆著，金瑄桓、謝孟庭譯，《瘟疫啟示：流行病是歷史，也是未來》（台北：三采文化，2020），頁8-23。原著Mark Honigsbaum, *The Pandemic Century: A History of Global Contagion from the Spanish Flu to Covid-19*（London: Penguin, 2020）.

具有揭示性。」[7]真實世界晚近的類似例子是2002年底台灣報紙開始零星報導廣東地區出現致死率頗高的「神秘肺炎」，由於傳言喝白醋可以預防，導致恐慌的民眾將白醋搶購一空。然而，當時媒體充滿了「大陸搜奇」之類的報導，一開始這樣的新聞並未受到嚴肅看待。等到疫情從香港爆發開來，這些報導的重大意義才揭顯出來。在當事人事後思索而有所得的時候，通常周遭社會已然劇變，從細微的線索與零星的個案演變到疫情突然的爆發，轉折之大會讓當事人產生時間急遽加速而扭曲的幻覺。

　　這次疫情讓許多人開始熟悉流行病學的R（基本傳染數，Basic Reproduction Number）這個符號。R的數字意味著一個感染者平均可以傳染給幾個人，如果R是2，表示平均一個傳染者傳染給兩人，3表示平均傳染給三人。只要這個數字高於1，疫情就會一直上升。傳染以類似等比級數的方式擴大，但初時往往是不被覺察地蔓延。讓疫情升溫的還有超級傳播事件（superspreading event），在有利條件下偶發地導致多人遭到感染。等到社會驚覺之時，感染者數量增加已經很驚人，進而帶來時間急遽加速的錯覺，排山倒海的壓力就這麼突然降臨了。張翎描述「這種變化有時甚至不能以天為單位來計算，而是以小時。疫情正將城市裝在一個口袋裡，把袋口的那條繩子一點一點地收緊……」（頁75），疫情與防疫措施所帶來的劇烈變動導致當事人感到失序錯亂，「……而災難來臨時，尋常日子裡的時間概念會突然產生顛覆性的變化」（頁57）。這種突然加速的感覺，除了來自政府當局斷然採取社交距離與封城等防疫措施所導致的衝擊，也有傳染病生物特性的基礎。

　　防疫措施要把R降低到1以下，如此疫情就會下降。大流行爆發

7　Rosenberg, "What is an epidemic," p. 280.

時國外媒體報導常用的「壓低曲線」（flattening the curve）一詞，
就意指要將原本確診人數不斷增加的上升曲線往下壓。檢疫、保持
社交距離、找出受感染者並加以隔離都是壓低曲線的方法，而在疫
情嚴重的地方，封城是最激烈的做法。「時間」則是這些措施的要
素，傳染病防治的關鍵知識經常涉及到「時間」，包括感染到發病
之間的潛伏期有多長、病人從遭到感染到具有傳染力之間的前傳染
期又有多長。兩者之間的差別所構成的發病前可傳染期更構成疾病
預防上必須克服的難題，因為這段期間病人沒有症狀卻已經具有傳
染力了。這些時間的長度都會影響採行的防疫措施。我們現在耳熟
能詳的「十四天的檢疫期間」就與上述時間知識息息相關。

　　防疫措施的時間決定又涉及到科技、實作以及對風險的判斷，
像是檢疫與「自主健康管理」該訂為「14+7」或是像中國某些城市
所採行的「14+14」呢？可傳染期是指受感染者具有傳染力的時間。
可傳染期的斷定對防疫攸關緊要。疫情之初台灣指揮中心以一貫保
守態度，以PCR三次採檢陰性來判定受感染者已不再具有傳染力，
而被稱為是全世界最嚴格的解隔離標準，造成有患者被隔離高達81
天。後來又有一系列的修正調整。醫學實作、經驗累積與專家判斷
決定了隔離者可傳染期何時結束的判準。幾乎所有的防疫措施都涉
及到對時間的判斷和控制。

　　封城管制的強度和時間的長短也和各種判斷密不可分。防疫措
施深刻影響了受管制者的生活節奏，使其備受衝擊。就如張翎所描
述：「這是特殊時期的節奏。我跟跟蹌蹌地跟著這個節奏……」（頁
58）。然而，生活在例外狀態的新節奏一段時間之後，困在城內的
人的時間感轉為一種奇特的停滯，這是在「封城日記」中常讀到的
另一種時間經驗。例如，郭晶某回看到餐廳海報寫著「武漢，每天
不一樣」，注意到「現在武漢每天都一樣，路上空蕩蕩的」（頁136）。

兩者成強烈對比。對於受困時這種時間感,張翎有細膩深入的描述:「天氣陰雨連綿,我甚至不能依照日光的變換來判斷晨昏。」時間似乎失去了節奏和意義:「鐘錶顯示的數字似乎是來自外星球的怪異文字,完全沒有意義。」此外,原本當作金錢般寶貴、可以計量的、需要加以節約與善用的時間,突然失去在現代生活中的這些根本屬性:「時間大量剩餘,貶值到一錢不值……」,「突然變得很便宜,像是一桶水,早上醒來它就在了,夜裡睡去時它也沒消失,無論你取用了多少次,水位始終如一……」(頁118)。

日常生活常規受到擾亂乃至中斷。張翎提到「從前那些被稿約、出版合同和我自己設定的計畫追著跑的日子,已經恍如隔世。」(頁118)除了日常運作遭到打亂,有些人生命中具有重大意義的事也被破壞。例如疫情爆發時,艾曉明正要為剛過世的父親舉行喪禮,卻不得不大幅從簡;張翎一家人慶祝母親九十大壽的規劃也整個走調。也有人積極嘗試突破這種時間感的錯亂失調以及閉禁所帶來的無力感。郭晶在社區尚未封閉時每天一定要到人煙稀少的市區走走看看、拍照記錄,堅持要行使尚能享有的少許自由。因為她知道「重複容易讓人厭倦,但改變也非易事。改變需要我們對自己慣常的行為模式有所覺察,並嘗試走出自己的舒適區,打破常規」(頁29)。但對張翎而言,要走出去必須先克服巨大的障礙,這障礙來自心理,更來自歷史。

恐懼與匱乏

大疫封城時這些作者雖然置身無法預測的變化和風險,日常生活卻是受制於一成不變的重複。封城後移動範圍和活動種類都受到限制,導致了這種重複。所有的封城日記都會提到這些限制,張翎

對於交通安排的詳細描述鮮活地呈現了移動的艱難與重要。她形容溫州之旅「……是一個龐大的涉及到三條線路的跨國行動計畫」：她和先生在不同時間從多倫多前往中國，她先到三亞婆婆家，然後先生經由北京、海口前來會合，然後她又先由三亞前往溫州，稍後先生與婆婆再來溫州參加壽宴（頁45-46）。全書快結尾時，她敘述幸運搶在兩國邊境封鎖前離開溫州返回多倫多的過程，包括在宵禁結束後立刻趕赴機場搶搭早班機，一路擔心若遇上檢查崗哨會延誤搭機，或是預期抵達加拿大時需要進行檢疫（結果沒有）。回到多倫多，在政府並未要求的情況下，張翎負起公共責任自行居家隔離兩週，出關沒多久，加拿大的疫情就爆發了，寫作時確診人數仍在上升。

羅森堡認為《瘟疫》中「老鼠死於鼠疫的屍體也暗示著人是身在難以理解與控制的生物關係的羅網之中。」[8]同樣地，《一路惶恐》對於讓張翎身陷疫城的返鄉與離開之旅的描述，也點出了在全球化的時代人們是如何身陷於複雜的交通網絡。這網絡維繫了文化和親情的交流，卻也是傳染病全球傳播的管道；在疫病大流行下，所有人都必須艱難地面對這不可或缺的流動網絡所帶來的美好、機會與危險。

除了跨國交通面臨中斷，封城之中的在地交通又是一番艱難。張翎回溫州後，自己一人住在一個她稱為「蝸居」的小公寓。恐懼在這次疫情中尋常可見，那是對於在外面感染病毒的恐懼。肉眼不可見的病毒，讓人對周遭一切產生疑慮。張翎形容病毒是「那種像章魚也像蠍子的蟲子，將世界變成了一個巨大的停屍房」，「這些蟲子，讓我們活在了一個懷疑一切的世界裡。」（頁30、33）叫外賣、

---

8   Rosenberg, "What is an epidemic," p. 280.

搭出租車帶母親回家⋯⋯各種移動都伴隨著感染的恐懼。除此之外，張翎還有一種更幽微的恐懼。去國多年，沒有戶口，不熟悉申請通行證的規則，讓她冤枉禁足多日。讓張翎受困的不只是管制措施，更是來自內心久遠的創傷。她在本書接近尾聲時自承，這是當年文化大革命留下的陰影。警察、崗哨、帶臂章的人都會帶給她莫名的恐懼。

除了對傳染的恐懼之外，疫情最常見的是對物資匱乏的恐懼。有些物資的匱乏是極為真實的，像是疫情爆發之初買不到口罩、消毒液等。所有的封城日記都提到剛開始口罩難尋難買的狀況。張翎感念從海口出發時婆婆把僅有的兩個口罩都給了她，之後先生和婆婆四處尋購口罩，兩人走到腳底起血泡。她則是在網上蒐購口罩，卻買到廢紙般的假貨（頁82-83）。艾曉明在她第一篇日記則寫道：「武漢前不久花了上千億舉辦軍運會，很多基礎設施都有變化。你想像不到剛剛花了那麼多錢舉辦盛會，忽然，醫院口罩防護服都沒有，這一點對比是太強烈了。」[9]這次疫情讓許多人認識到「供應鏈」這個名詞，也重新思考了富裕與匱乏的意義。

匱乏也可以是心理上的。有時是受到新聞或謠言影響，擔心疫情和封城等防疫措施會導致民生必需品缺貨，但有時搶購現象只是恐慌的表現。有意思的是，疫情期間世界許多不同地方都不約而同出現搶購衛生紙的現象。一位在英國從事心理諮商工作的朋友曾饒富興味的觀察當地民眾在超商搶購那些品項，而對囤積衛生紙的現象提出帶有精神分析意味的解釋：「在這高度不確定的時刻，能好

9　艾曉明，〈艾曉明武漢日記1：我也用電鍋煮口罩，不然又有什麼辦法呢？〉，Matters，2020年2月1日。https://reurl.cc/NXVXo5（瀏覽日期：2021年5月12日）。

好清理自己的排泄物，想必是件讓人感到安慰的事情」。在一個失控的世界中，搶購與囤積是種設法保住少許自我控制能力的小確幸。

對這些恐懼與囤積的現象，新聞報導很多，細膩的心理描寫卻很少。《一路惶恐》是我讀過對此最為細緻深入的描述與自剖。張翎恐懼飢餓。困於蝸居期間，她不時想起過去在書中讀到對飢餓的描述，憶起小時候目睹飢餓的鄉下人搶食餵雞的米糠。她對食物匱乏的擔心雖有物質基礎，但這種恐懼主要還是心理上的，因為整個受困期間她並未真的短缺食物。雖未有實際飢餓的經驗，但「飢餓」卻縈繞著她。蝸居生活的「六十頓飯」，不是自己偷偷跑去哥哥家「蹭飯」，就是靠哥哥設法送來。這兩種方式都給她帶來很大的心理負擔，擔心自己遭查獲沒有外出證件，更擔心負責一家生計的哥哥惹上麻煩或染疫。青黃不接時，她以家人預先為她準備的泡麵、冷凍水餃充饑，後來甚至滿口潰瘍。閱讀書中對此過程的描述，讀者應會感到這潰瘍恐怕也和心理有關。

張翎覺察到「我的飢餓與食物有關，但又不完全是因為食物⋯⋯我的飢餓來自對下一餐和再下一餐和再再下一餐食物的提前計畫，以及由此而來的擔憂和惶恐。」結果她淪入了一個「怪圈」，「我在吃著食物的時候，還在想著食物」以至於「處於主觀上永遠飢餓的狀態」（頁123）。張翎有幾天「好像總是感覺餓，尤其是在兩頓飯中間的那個階段。」她「焦躁不安地在房間裡走來走去，不停地開抽屜，開櫃子⋯⋯」（頁133）。她曾在先生指導下上網訂外賣，享受豐盛餐飲，但隨即被母親勸誡這樣做可能會遭到感染。後來她決定前往申請通行證，赫然發現過程平順簡單毫無問題，這個戲劇性結果也說明了疫情帶來的心理禁閉，其影響有時不亞於實際的管制。

恐懼、移動的限制也帶來人與人的距離和緊張。《一路惶恐》

記下一段令人心痛的插曲:向來愛貓的張翎,在路上遇到一隻漂亮的貓到腳下跟她撒嬌,當她「蹲下來,正想撫摸牠,卻像看見了屎堆上的蛆蟲一樣,猛地跳了起來,一腳把牠踹開。」張翎被自己的舉動嚇到。原來她之前在網路群組讀到一篇討論貓狗也可能感染病毒的文章。這讓她不禁想,或許這病毒「只是想在人的心頭築牆,然後在牆頭插滿玻璃碴……」(頁184-185)。不過這本書更多的內容是動人地描述疫情中的友情與親情如何讓作者度過困難與煎熬。

記憶與歷史

在武漢封城之後網路上出現的這些日記之所以受到注目,有個重要的背景是對中國政府官方說法的不信任,以及在中國的新聞管制與審查下,希望透過這些個人書寫得知更多的「真相」。張翎則提到,「疫情期間,幾家知名媒體……都派出了他們的最佳『戰地』記者陣容,穿梭於病毒肆虐的險情之中,寫出了許多篇深度採訪報導和人物特寫。」「只是十分遺憾,他們當時寫下的那些力透紙背的文字,如今大多已經在網上消失。」(頁100、101)郭晶則注意到自己的日記遭到審查的方式不是直接刪帖,而是流量遭到限制,「無法自動顯示在別人的瀏覽頁面上」,有時也無法用微信發文章(頁7),這樣的控制手段要比直接刪文來得更加細膩。郭晶感慨網路審查雖然一直都有,然而在封城的時候,當所有人獲取資訊與對外聯繫都依靠網路的情況下,審查與限制「顯得更加殘忍」(頁34)。

在這樣的狀況下,這些「日記」是否能提供與保存更多的「真相」?方方的寫作顯然是抱持這樣的信念的,她在2020年3月15日的日記寫下:「網路有記憶,真好,而且這記憶很長久。所以,我覺得我可以讓我的微博留言成為一個觀察點,可以留下這個時代鮮活

的標本。」[10]艾曉明對此則有一番反思,她在〈封城日記:你們到底想看什麼?〉一文略帶氣憤地表示,日記是「用來和自己對話」,日記也是「我們個人隱私的一部分……屬於神聖不能侵犯的一種權利……寫者才可以暢所欲言。」一旦日記寫作的出發點是要公開發聲,絕對的坦誠就不可得了。艾曉明舉了一些文革期間因日記賈禍的駭人案例,以及她在疫情期間轉貼某人日記遭到刪帖的實況,說明在當今中國的政治情境下,這種公開的「日記」就是「走鋼絲」,即便試圖突破的作品也早已是「自我審查」的產物。艾曉明尖銳地評論,在中共的教育下,「雷鋒式日記遠遠不止是範文,它基本上奠定了當代社會日記體寫作的基石。」「什麼基石呢?就是日記必須作偽」。若是如此,那麼這些「封城日記」其實也沒有我們原先所期許的記錄價值?但這並不是艾曉明的立場。她反而鼓勵讀者,若有懷疑那更需要「你自己寫。成千上萬的人每天寫日記,那就是排山倒海,那就是山高月小,那就是流水知音……」,眾人寫日記就是做方方的後盾。[11]

武漢封城結束之後,關於病毒起源與防疫責任的國際爭議卻方興未艾,而各種的紀念活動、展覽與官方歷史和調查報告,似乎不只無助於了解事情的「真相」,反而帶來更多真假交織的誤導,使人陷入彷若「後事實」的迷宮。張翎說她的真相「是液體而非固體,它將隨著我對世界不同階段的觀察而時時修改更新。」(頁104)這是高度反思性的看法。但不論是張翎的紀事或是其他人的日記,疫

---

10 方方,〈作家方方:這些天,議論復工的人越來越多(51)〉,財新網,2020年3月16日。https://fangfang.blog.caixin.com/archives/223809(瀏覽日期:2021年5月12日)。

11 艾曉明,〈封城日記:你們到底想看什麼?〉,Matters,2020年3月8日。https://reurl.cc/L0R7b3(瀏覽日期:2021年5月12日)。

情的道德教訓是很清楚的。這點明白見諸這些作者對李文亮之死所帶來震撼的描述與記錄。自我審查的委婉筆法和造假之間仍存在著巨大的差距，對日後的歷史學者而言，「走鋼絲」、擦邊球所記錄下的事物仍可能說出事情的另一面，或是提供進一步探索的寶貴線索。對重要記憶的執守不忘以及對液態真相的不斷更新，兩者之間必然存在著緊張關係。這場大疫的歷史，日後的研究書寫者都必須在這張力之下探究與思考。

　　中世紀末爆發的黑死病是人類歷史上最著名的大疫之一，研究歐洲瘟疫史的學者孔亨指出，佛羅倫斯的編年史家喬萬尼·維拉尼（Giovanni Villani, c. 1275 -1348）在死於染疫之前曾自問：這場大疫究竟是起於偶然、和人類無關的因素，還是人類的行為所引起？維拉尼認為是後者，由於佛羅倫斯人的罪惡、貪婪與剝削欺壓窮人觸怒了上帝，才引發這場疫情。孔亨認為，維拉尼的提問指出了日後歷史學者解釋黑死病疫情所面臨的問題：人為因素在疫情中究竟扮演了怎樣的角色？[12]這既是個歷史問題，也是個醫學問題，更是政治問題與道德責任的問題。封城日記這個文類之所以既寶貴又敏感，是因為這些文字日後必然會被用來追問與回答此一至關重要的問題。

後記

　　這篇文章初稿在5月中完成，不久台灣本土疫情旋即爆發。在幾

12　Samuel K. Cohn, Jr. "Introduction," in David Herlihy, *The Black Death and the Transformation of the West*（Cambridge: Harvard University Press, 1997）, pp. 1-15, on p. 3.

無本土疫情一年左右，陸續發生機組員、諾富特防疫旅館的感染事件以及獅子會群聚感染，旋即疫情在萬華大爆發，突然進入其他國家已經歷過的瘟疫情境。短短時間內，確診人數直線上升、等待篩檢者與疑似病例塞滿台北市與新北市各大醫院，令人怵目驚心的死亡案例報導等等，使得台灣也在那時進入本文所說的時間加速的扭曲感與恐懼的瀰漫。從武漢爆發流行以來，此一新興傳染病在台灣就高度的政治化。本土疫情爆發後，分歧的看法和各種假消息大體上也因著政治立場的差異在台灣傳播並強化對立。

張翎寫到「疫情製造了如滿天飛塵般紛繁多樣的媒體，它們有效地攪動著各種各樣的情緒。」但她仍奮力「在信息的海洋裡依照自己的標準艱難地選擇真相。」張翎因而感嘆「這個世界上也許並不存在真正的絕對意義上的真相，所謂的真相，其實都是一個人依據自己的常識、教養和閱歷，對外部現象進行的某種意義上的篩選。」（頁104）類似的情境在這幾個月也出現在台灣，而筆者的「同溫層」，即便是學者、知識分子甚至醫療專業人員，對疫情的嚴重程度、防疫措施的評價或是國產疫苗緊急授權爭議等議題，也有著南轅北轍的看法。張翎提到的影響真相認知的因素，或許還得加上身處的位置與人際網絡所導致的資訊差異，以及政治立場對知識判斷的形塑程度。張翎在序言提到這場疫情奪走了她和幾位老友的友情。「假如沒有這場瘟疫，我也許永遠不會知道，世界在他們的眼中和在我的眼中，原來是兩個如此截然不同的版本。」（頁32）張翎並未著墨這些爭執，而筆者在台灣疫情爆發後也不免有類似的「平行宇宙」之感慨。

最讓筆者困惑的是台灣幾乎沒有出現類似的個人疫情經驗書寫。當然台灣從來沒有實施武漢或義大利北部那種高強度的管制，沒有經歷嚴格意義下的「封城」。然而，本土疫情確實嚴重衝擊不

少人的生活與生計。此外，台灣除了實施嚴格的檢疫和病患隔離措施，社會對此一疾病高度的警戒與恐懼也常讓染疫者或是來自疫區者蒙受歧視汙名。部分媒體揭露了這些現象，也報導了彰化葡萄商等染疫者的感受，[13]以及長期頻繁檢疫的機組員在檢疫所內的身心困頓。[14]然而，從個人感懷出發的疫情書寫在台灣卻十分罕見，乃至絕無僅有（至少筆者並未注意到也沒看到相關的討論）。為何如此？是因為在論述層次上，對台灣防疫的評價已經和國族認同自尊交織建構，以至於任何可能被懷疑「政治不正確」的個人經驗書寫，都因擔心被貼上政治標籤遭到攻擊，而下筆艱難或發表遲疑？又或者高度政治化與兩極化的防疫爭論吸引了多數人的注意力和心力，從而無心於高度個人化的書寫？細思後，我認為這些猜想都不構成完善的解釋，這也是我打算持續關注與思考的謎題。

李尚仁，中央研究院歷史語言研究所研究員，主要研究興趣是現代西方醫學史，目前正在寫作一本關於19世紀在中國行醫的西方醫師的專書。著有《帝國的醫師：萬巴德與英國熱帶醫學的創建》。

---

13 孔德廉、曹馥年，〈小社會裡的替罪羊──幾無容身處的農村感染者，艱難復歸路〉，報導者，2021年8月30日。https://www.twreporter.org/a/covid-19-agriculture-countryside-discrimination（瀏覽日期：2021年9月7日）。

14 翁申霖，〈檢疫所整點廣播、房內有蟲不敢睡 空姐隔離期崩潰「數不清一年有幾個14天」〉，聯合新聞網，2021年9月7日。https://udn.com/news/story/6839/5727510（瀏覽日期：2021年9月7日）。

記錄歷史的伏流：
網路時代中的疫情見證與反思

劉紹華

前言：網路時代的後事實憂慮

從來，防疫敘事就是記憶政治的角力場。然而，這個歷史事實經常在歷史潮流的當下，不是被時代的弄潮兒奮力導向，就是被隨波逐流的大眾忽略遺忘。

防疫敘事經常與科技勝利、政治動員、國族面子、殖民主義、國際事務或治理方針等大原則有關，亦取決於敘事主軸係以執政者（或歷史上的殖民者）或民眾、防疫或其他競合部門、主流或非主流社會群體、城市或鄉村空間的立場孰先孰後，更受到是由哪些立場者基於何種原則而保留、篩選及再現敘事以形塑歷史認識的做法有關。

這個歷史事實之所以能夠被指出來加以分析，正是因為在那當下潮流之中，總有介於導向與忽略之間的人，無論是學者專家、常民文人還是異見之士，記錄下一些與當道主流不同的真實。那些真實紀錄，往後常成為挖掘多音歷史、乃至為歷史翻案時的珍貴材料。經常，後世的歷史反省方向與彼時的敘事主流，相去甚遠。

如此已獲深思論辯的歷史反思，有時成為日後借鑒，有時仍持

續相忘於不同的歷史當下時刻，這也是歷史不斷流轉中的重複與弔詭。誠然，多元豐富的疫病史研究不會只得出此單一結論，而是我個人尤其關注這個面向。

　　我的研究一直攸關1949年後中國的傳染病防疫，在長年研究過程中閱讀世界各地不同時空下的疫病防治歷史，不論是19或20世紀、甚至21世紀之初的研究，都深切體會上述歷史事實。《麻風醫生與巨變中國》一書即曾記下關於此命題的思考：

> 在當代中國的麻風防疫歷史中，公開的或未公開的、已發生的或潛在的爭論，在各地老麻風醫生的心中，頗為常見。1949年後的麻風防疫，一方面規模轟動徹底，史無前例；另一方面則晦暗莫名，在1980年以前可說完全上不了檯面。對麻風的強烈社會歧視，讓低調的浩大防疫運動，影響主要及於與此疾病相關之人，包括患者、醫師，以及雙方的家屬。這些人群大多本來就難入主流之列，因此他們的處境少有人聞問。1980年後，中國與聯合國的全球防疫重新接軌，麻風才逐漸進入媒體與公眾的視聽範圍。然而，在媒體及其所影響的大眾印象中，對麻風防疫的認識似乎僅始於1980年代以後。換言之，在此之前的麻風防疫歷史，模糊不清，爭議難解。（頁36-37）
>
> 1949年之前的歷史，仍在今日的主流之下伏流。而1949年後眾多的前三代麻風醫生，多已走下歷史舞臺，或遁入後臺；他們長期低調謹慎，當年被主流排擠，如今多數成為歷史洪流中的涓涓細流。（頁460）
>
> 在長年的研究過程中，我也逐漸理解到，緩慢是研究歷史的必要心態，尤其是研究近在咫尺、相關之人依然健在的歷史。若非緩慢，研究議題的陌生新奇、偶遇珍貴資料的興奮，乃至受

限於資料的性質，都可能令研究者「見獵心喜」，汲於描繪僅
見或驟下斷言。日後再看，只能汗顏於對歷史再現政治的無知
與斗膽。（頁42）

在此引用過去的思考，是欲突顯歷史敘事的多重性與個人如何
面對此一事實的方法。因為「爭議突顯的總是歷史敘事的生產與再
現倫理」（頁46）。歷史的多重性可能是由於不同立場與觀點、可
能是受限於材料之故，也可能是由於刻意的材料選擇或詮釋、甚至
可能源自於對材料的篡改。這些應是歷史學者經常面對的議題。

然而，對於如我這般從事當代議題研究的人文社會科學者來
說，進入堪稱歷史性的研究之際，由於相關之人可能仍在、觀點與
立場歧異仍可能與人際位階等權力差異和政治氛圍糾結，這些史學
常見的現實問題可能因迫在眼前而更為棘手。甚至，在網路科技所
形塑的「後事實時代」，亦可能導致這個問題更顯尖銳。

長年關注傳染病的社會影響，對於上述歷史事實也了然於心，
當新冠肺炎衝擊全球與台灣之初，面對此一重大歷史事件，我常思
索著該如何面對敘事的角力？更重要的是，在「後事實時代」，面
對網路假消息、另類事實、真假虛實難辨的資料、文件在網路上快
速出現或消失的現象，身處其中的研究者，該如何自處？

這是2020年1月初我開始認真關注武漢的疫情時，所生出的念
頭。

大疫下的研究應對之道

以下容我以回顧經歷的方式來呈現本文關注焦點。

因緣際會，由於我曾研究過中國的愛滋和麻風等高度汙名化的

傳染病，對於中國20世紀初至21世紀、民國時期到集體化中國再到
今日全球資本化中國、國際衛生到社會主義衛生再到全球衛生、以
及中國防疫體制變遷等時代轉型有所研究，當疫情爆發後，因有感
而發撰寫的一篇臉書貼文被轉載廣傳、亦被亞洲民主網絡（Asia
Democracy Network）翻譯成英文，[1]大多以〈說給倖存者聽──「面
子」治理下中國反覆付出的防疫代價〉等類似標題流通。我並非防
疫實務的「貢獻型」專家，[2]不會預測疫情，但始終關注疫情資訊、
汙名與人權、政策與敘事，也表示過對歷史重演的憂慮。

　　2020年2月18日，中央研究院人社中心「政治思想研究專題中心」
邀請演講時，我嘗試藉由麻風病的研究經驗，從中國的「後帝國」
語境看疾病的隱喻與防疫，以提出對於當前疫情的一些思考面向。
現場聽眾都想知道中國究竟發生了什麼事。然而，當武漢封城之際，
不論如何高度關注與追索訊息，我與熱心眾人可能擁有的訊息管
道，其實相去不遠，唯一可能較為具備的僅是研究經驗、觀點及對
訊息的判斷。因此，攸關時事的觀察我主要是分享三點疫情思考和
兩個提問：

　　關於疫情觀察的初步思考為：（一）慢性傳染病和急性傳染病、

1　https://adnchronicles.org/2021/03/30/for-the-sake-of-mianzi-everything
　　-can-be-sacrificed/

2　「貢獻型」與「互動型」專家的說法，引用自哈林・柯林斯（Harry
　　Collins）和崔佛・平區（Trevor Pinch）對於知識技能的概念性區分，
　　大致上是將在醫學領域中的實際介入稱為貢獻型專家技能，而互動
　　型專家技能則意指有能力閱讀並理解醫學文獻，能夠提出具有貢獻
　　型專家技能者感到應該要回應的論點，而不能或不該依恃權威就予
　　以漠視。《醫學的張力：醫學自帶的安慰劑效應、療效不確定和群
　　我衝突》，哈林・柯林斯和崔佛・平區著，李尚仁譯（台北：左岸
　　文化）。

致命傳染病和非致命傳染病、汙名傳染病和非汙名傳染病,在醫療和防疫上有所差異,建議關於以往的疫病或醫療經驗的討論套用,宜留意性質差異。(二)人文社會科學者所討論分析的,主要是政治與社會層面的議題,而非疫病的臨床或醫藥實作。後者需要具備充分的生物醫學知識或至少曾具有相當的「互動型」專家研究經驗,[3]才得以提出具有公共性正直與美德的評論建議,妄下斷言並不恰當。(三)網路時代的新興傳染病事件,讓第一點的界線愈趨模糊;因為時空壓縮,以往因疫病性質差異而可能形成的社會反應差異被淡化。這也造成第二點、即醫療與防疫的發展更為快速緊湊,張力衝突的顯現也更迅速;而既非醫療科學專家、亦非既有「互動型」專家者,其直覺性、反射性或片段性的意見,卻可能因其具有他種來源的權威性或知名度,而在政治趨勢或社群媒體中蔚為主流;專家知識門檻較高民眾不易掌握,而基於感受的普羅性發言則易獲取社會大眾人心。

基於以上觀察思考的兩個主要問題便是:全球化時代下的訊息流通和各種形式的紀錄,看似豐富、快速累積,人類得以保存的歷史資料更為多元。但是,歷史的再現與詮釋軸線會因此而更加清晰嗎?國際之間與社會之內的衝突,會因訊息交流與詮釋得以更為全面而調節得更好、更快,還是敘事的選擇性將愈加突顯、衝突也愈形對立?

如今回看疫情爆發時的觀察思考與初步提問,我以為至今仍然有效。以下討論則聚焦於個人對這些提問的回應嘗試。

以往研究中國防疫史及其敘事時,對於文本資料的蒐集即常生感觸。中國幅員廣大可能令資料散落各地,文本要在紛亂的時光流

---

3 同前註。

轉間保留下來亦不容易。然而,在長年蒐集尚未進入「資料庫」的當代文獻與檔案的經歷中,我也非常感謝資料是以文本的形式留存,這令我感到較有機會看到脈絡,且較有可能留存複本而不至於一鍵刪除,甚至可能看到文本變遷的軌跡,例如版本差異、不同機構或個人如何修改編纂同一份文件等,這些行徑軌跡對於歷史的研究也是珍貴訊息。

基於此研究經驗,2020年疫情開始影響台灣後,我立即留意到,由於政策因應不斷調整變化,即使在網路時代,公文還是「跑得比病毒慢」。有時可能尚未見到正式公文或紀錄上傳,政策就變了;或者滾動式調整的政策宣佈可能不斷覆蓋之前上傳的公開政策,以至於之前的政策版本不見了;偶爾資料也會不知何故被取下而無法再看到。總之,不同的時間點進入官方正式網站搜尋時,可能會看到不同的資料,也因此對於來龍去脈與因果推論的判斷,就可能出現關鍵歧異。

以疫情之初我曾觀察到的一個變化為例。猶記得2020年2月19日美國CDC官網將台灣列為社區感染的國家,連蔡英文總統都為此公開反駁一事?[4]如果只看主流輿論或官方說法,而未能將此事放在我國政策變動與國際觀點的脈絡來看,可能只會疑惑甚至批評美國等國家及世界衛生組織為何看不見台灣防疫有成?要理解衝突的產生原因,必須追溯疫情警戒與防疫升級之間在實作上的微妙關聯。然而,如果事過境遷後(例如今日)才嘗試蒐集資訊,由於諸多原本公開的資訊已經難尋,要重建當時的衝突脈絡就變成一件更具挑戰的研究障礙。

4　https://www.cna.com.tw/news/firstnews/202002205010.aspx ； https://www. taiwannews.com.tw/ch/news/3878819。

　　僅以攸關指揮中心防疫位階升級的「各等級之疫情情境暨風險評估與對應之指揮體系啟動機制表」（後簡稱「對應指引」）為例，該指引的變化有助於理解分析防疫政策的變動與邏輯。

　　如今的對應指引於2020年2月28日出台，然而在此之前至少曾變動過兩次。我見過的最初對應指引為：當「中國大陸武漢地區嚴重肺炎疫情有明顯社區傳播及疫情擴大情形」，指揮中心升三級；當「中國大陸武漢地區嚴重肺炎疫情擴散至其他地區」，升二級；當「我國出現確診病例」時，升一級（以上以「指引A」代稱）。之後，升級指引一度改為，當「我國社區出現境外移入確診病例」，升二級；當「我國出現本土確診病例」，升一級（以「指引B」代稱）。

　　必須說明的是，這兩份指引如今在疾病管制署（後稱「疾管署」）官網上已搜尋不到，也或許是因個人的網路檢索能力有限。這些升級指引變動，與當時密切發生的事件，都在同一個疫情過程中。當中是否有所因果關聯，以及時間順序先後，都需要進一步的資料才有可能探究確認，在此僅是以此變遷為例，說明若要進行事件研究，必須留意資訊變動與可能的相關因素，並突顯由於資訊未公開，而難以深入事件因果之研究障礙。

　　2020年1月20日，疾管署宣布成立「嚴重特殊傳染性肺炎中央流行疫情指揮中心」，新聞稿指出以「全面防範中國大陸新型冠狀病毒肺炎疫情，確保我國防疫安全」。[5]當時係以三級開設，指揮官是疾病管制署署長周志浩。根據彼時的媒體討論可知，此時指引A應

5　〈疾管署宣布成立「嚴重特殊傳染性肺炎中央流行疫情指揮中心」，全面防範中國大陸新型冠狀病毒肺炎疫情，確保我國防疫安全〉，衛生福利部疾病管制署，2020年1月20日，https://www.cdc.gov.tw/Bulletin/Detail/32NPG1QXFhAmaOLjDOpNmg?typeid=9

已為指引B所取代了。

　　1月21日，台灣出現首例境外移入個案，原本各界以為已符合指揮中心二級開設的對應指引B定義（即「我國社區出現境外移入確診病例」），預期將升二級，但當時指揮中心認為「本個案於下飛機後立即送往醫院隔離病房治療，並未進入社區」，繼續維持三級。1月23日武漢封城，指揮中心宣布升至二級，改由陳時中部長擔任指揮官。以武漢封城的理由（即「中國大陸武漢地區嚴重肺炎疫情擴散至其他地區」）升二級，看似符合對應指引A的定義，但此時應已改為指引B了。

　　2月27日，「因國際疫情緊急，將中央疫情指揮中心提升為一級開設」，[6]而非以指引B的一級定義（即「我國出現本土確診病例」）為升級理由。2月28日，對應指引公告更新並沿用至今[7]，升一級的定義改為「我國出現社區傳播情形」。然而，若回溯來看，在2月27日之前，即2月16日的案19白牌計程車司機、2月19日的案24[8]及2月23日的案27[9]等三起緣於家人群聚的本土確診案例，指揮中心將之定調為零星社區感染，卻未按原指引B的「我國出現本土確診病例」定義升一級。

　　換言之，對應指引的定義與變動，以及政策的實作與說法，出現時序和版本的明顯落差。防疫政策與時俱進而滾動式調整並非問

6　https://covid19.mohw.gov.tw/ch/cp-4822-53628-205.html

7　https://www.cdc.gov.tw/File/Get/sR8H-GsvYkVS0nOVFXJ-4w?fbclid
　　=IwAR2-KBQhrWT3RQxCok9XfxalxQ_fLspvsTj53Q1oWVDrZS113
　　zBhgtr8zHs

8　https://www.cdc.gov.tw/Bulletin/Detail/-aJ2VX6yo1lkj-fCLzPB5Q?ty
　　peid=9

9　https://www.cdc.gov.tw/Bulletin/Detail/C7-MYdzbvh6pjXkcto556A?
　　peid=9

題，問題主要在於未能按照指引落實政策，若此，指引的功能何在？即使必須臨時修改指引，變動的討論機制是否周詳、符合法律或行政程序？討論理由與紀錄是否公開？這些都是重要的防疫政策資訊。以我國防疫機制建置多年的成果，既定的相關法律和行政程序應有相當完備的規範，政策實作與檢討應尊重制度為宜。

因此，當時即有媒體和輿論質疑升級理由始終以境外因素為準，並不符合彼時公告的指引定義，認為指揮中心有刻意淡化國內疫情之虞，而不願採取諸多更為積極的防疫手段，例如升級或普篩。這些國內的質疑或批評，對照當時國際與我國政府關於台灣疫情是否進入社區感染的爭論，實則方向一致，姑且不論質疑的動機立場，其陳述背景並非無的放矢。然而，如果缺乏前述的政策變動資料，回看這些爭論，可能就只會陷入質疑各方「動機」的偏頗論述，呈現後事實的主張姿態，而難以從法規制度、國際反應、治理難題、社會信任等不同面向上就事論事。

相較於疫情期間政府公開資訊時有延宕或變更的現象，媒體所留下的每日紀錄，有助於研究者回顧軌跡。不過，媒體的報導經常出現錯誤、不同媒體撰寫的內容也有所出入、報導不一定附上資料來源、可能因網路資料庫容量限制而下架報導等各式問題，也會增添事件重建的困難。

以上的觀察讓我自疫情之初，就很有意識地系統性蒐集資料，尤其是政策性與關鍵事件的資料。但是，如果只是儲存堆疊資料，日後也不一定能記得不同資料之間的連結脈絡，而且，個人能力著實有限。為此，我決定著手進行初步的資料整理，最先採用的方式，就是完成《疫病與社會的十個關鍵詞》一書，撰寫的動念即如序言所述：

　　這本書可說是我在COVID-19的風暴當中，關於疫病與社會的思考分析筆記，涵蓋過去近二十年來我對愛滋、毒品、麻風與相關醫療衛生研究的經驗和感想，以及自2020年1月初開始對於中國、臺灣與世界疫情的初步觀察。（頁6）

　　此書從十個關鍵詞切入討論：〈汙名〉、〈人權〉、〈公衛倫理〉、〈全球衛生：WHO〉、〈全球衛生：CDC〉、〈中醫藥〉、〈道德模範〉、〈標語〉、〈隱喻〉、〈旁觀他人之苦〉。這些討論除了奠基於過去研究的心得，也包含在疫情當中對於諸多現象邊發生、邊見證、邊思考的紀錄。此書並非完整而嚴謹的研究，資料的蒐集局限明顯，沉澱的時間或有不足，但已盡力在短期內根據近二十年來的研究、閱讀與思考，將一個龐大逼近的新興疫情現象，嘗試從十個面向切入，提出觀察分析疫病與社會的方法路徑。更重要的是期望：

　　　　與讀者分享，目的是拋磚引玉，企盼能有更多的人投入開展更
　　　　為深刻的研究，探索影響社會福祉的重要新舊議題，包含本書
　　　　所提的十個關鍵詞，以及書中未能觸及的其他重要面向，例如：
　　　　疫苗的安全、分配與全球衛生的競合；新冠患者的當下之苦與
　　　　康復之後的狀況；CDC等專業防疫機構的未來動向與發展；公
　　　　衛倫理與研究倫理的界線；緊急公衛狀態與法律的角力、法律
　　　　與政治制度的變動；科技與大數據防疫的前景和挑戰；臺灣與
　　　　中國和WHO的關係；全球化交流與國際邊界強化的消長；臺灣
　　　　社會與在中國的臺灣人和來自中國的新移民的關係等，這些都
　　　　有待投入更多的關注討論，不論是學者、記者還是公民團體。
　　　　（頁11-12）

此書於2020年10月出版時，台灣的第一波疫情已趨於緩和，在連續「加零」後逐步恢復尋常生活。因而，此書雖偶獲肯定，但如同許多其他同時也在努力的作者和出版人的體會一樣，台灣讀者對於認識並討論國際或國內疫情的興趣不高，除了極少數彰顯英雄與防疫成效的書冊受到歡迎外，諸多攸關疫情的反思性書籍或文章，不論性質為紀實或討論，受到的關注非常有限。雖然我的小書處境不是最無奈者，但我也感受到社會氛圍對於疫情思辨缺乏興趣，著書就如同只是我個人的筆記出版而已。

三、「後疫情關鍵字」：學者的合作努力

一如各國疫情趨勢與各方專家預期，始終令人憂心的第二波疫情於2021年5月中迅速升溫，台灣各界顯得措手不及，防疫規模立即升級。沉滯許久的疫情檢討與思辨興趣，似乎也在一夕之間甦醒，各方議論蠢蠢欲動。然而，如同一年多前的觀察，社群媒體的訊息虛實難辨、疫情出現後更為分化的輿論氣氛，仍然不利於理性討論。

疫情期間，不少長年從事醫療衛生相關研究的人文社會科學者，包含我在內，都以各自的方式，努力參與討論、撰文、思辨，偶爾我曾有機會與他們交流討論，在後事實時代的疫情當中，理性且智性的關注和交流彌足珍貴。

5月11日指揮中心宣布疫情警戒升二級，5月15日雙北疫情警戒升至三級。5月16日，我與社會學者黃于玲和法律學者吳全峰聯繫，表示想找幾位與醫療衛生有長年「互動型」研究經驗的學者，嘗試一起整理資訊，以利社會思辨討論。我們也邀請了願意擔任隨機性顧問的醫療專家，必要時得以向其請益以協助評估涉及專業的稿件

內容是否正確。

　　隔天，5月17日，我們推出「後疫情關鍵字：整合筆記」的臉書粉絲頁。第一篇討論是以「疫情治理的中央化或分權化」為主題。之後，醫療史學者李尚仁、醫療社會學者曾凡慈也陸續加入團隊。我們的原則性做法是，每人負責周一到周五的某天，根據各自的研究興趣或較能掌握理解的議題，整理資訊，完稿後寄到群組請大家提供意見並確認。通常，群組的功能是確認資訊是否有誤、提供其他相關資訊、針對文章討論方式給予建議以求客觀等，必須「集滿三點」，也就是獲得三名以上群組成員的同意，文章才可發出。

　　我們這幾位學者平常都不重視臉書經營，也不熟悉臉書的諸多功能與設計，自行摸索緩慢進行，遇到的技術問題在擅長網路宣傳者的眼裡過於陽春，經常得向年輕朋友請教，兩、三週後也才在熱心朋友的叮嚀與協助下，同步成立同名網誌。臉書粉專的成立說明摘要如下：

　　　去年初以來，我們各自努力在自己的臉書或學群中，認真討論疫情相關議題或撰寫文章。但我們早已體認到，再厲害的學者或專家，都不可能甚麼議題都能寫長文。甚麼都敢寫的人，不可能是真的專家。我們心知肚明，雖然我們高度關注所有議題，但能耐畢竟有限。那能做甚麼呢？我們以為，至少可以透過長年來從事醫療相關研究的學理經驗或方法，來持續觀察與思考現象。這是為何我們稱之為「後疫情關鍵字」。
　　　在無數個當下，在得以深入研究之前，我們都不可能立即有答案，遑論正確答案。但我們可以有一個學理性的思考方式。所以，我們決定一起用這樣的方式，來蒐集與討論我們覺得值得記錄的文章，可能是新聞報導、可能是學者專家的文章、也可

能是正式的研究論文。

所以，我們也稱之為「整合筆記」，因為，這是一個疫情之下的合作紀錄筆記。我們的宗旨是：

開放理性、多元提問、經歷感受。毋須立即反駁或擁護，讓集體經歷過程中的存在，暫時留在當下思考，待日後有機會回應歷史的召喚，研究它、分析它、借鑑它。

以「整合筆記」為名，亦是因為我們參考的諸多資訊及觀點，廣泛受益於許多專家的討論，而將自己的角色定位為整合主題性的資訊及討論，因而毋須強調作者性。此外，當時只要對於疫情或防疫有所思辨提問者，都常面臨被批評、「出征」的干擾，不強調作者性的方式也可能減少不必要的整理紀錄壓力。

「後疫情關鍵字」的討論主題眾多，偶爾也邀請到其他學者撰稿，大致上，主題都與防疫政策、醫藥疫苗、人權關注、弱勢處境有關，每篇文章都從某個事件、報導、評論或研究論文切入以開展討論，並提供相關資訊與思考面向。首發於5月17日，末發於7月16日。團隊不間斷地努力兩個月後，決定告一段落，一來是在本已繁重的學院工作中附加如此高密度的思考與寫作負擔，整理了相當多元的資訊及討論後，應該可以暫停休息，二來我們認為對於疫情變動與社會動向的關注，亦應逐步進入更為深刻的學術性思考、甚至深入研究，而深刻需要奠基於時空距離與較為緩慢的心態。

四、 期待深入、長遠、比較格局的正式研究

2020年的疫情當中，有些學者已開始深入研究，調查蒐集各種具體經驗或檢視分析政策，陸續於近期或未來出版學術論文，這些

努力將具有記錄與促進未來研究的意義，甚至得以進行國際比較以檢視台灣防疫治理的原則、成果、矛盾與代價，瞭解台灣的優勢、不足及特殊性，也關注在防疫過程中受到傷害的人與制度性問題。

要能持續達成這些學術性目標，研究者必須超越網路時代的後事實限制，才有機會看見疫病、社會與政治的本質性議題。

後事實（有時譯為「後真相」），指涉的並非某起事件沒有真相，而是指受到社群媒體的影響，使得人們不再重視事件的真實性。這種狀況，並非「羅生門」事件所討論的建構現象。羅生門指涉的是不同立場與觀點下的再現歧異，然而，若能深入研究每個再現者，了解分析其再現的動機、選擇與脈絡，仍然可能理解其所建構的某種真實。相較之下，後事實所描述的情境則是一貫指稱他人說謊或錯誤，堅持己見，卻毋須面對自己論點是否前後矛盾、發言是否欠缺根據、是否根據源於不可信的來源、可信與不可信的判斷基礎是否僅為自由心證、是否基於立場或敵我之別而「以人廢言」等極端主觀和黨同伐異型的思考發言方式。換言之，在後事實的語境下，事實的建構性並非討論焦點，而是事實由誰建構以決定是否服氣才是重點。

這樣的後事實思考，與長年以來的學術性思辨方法應屬格格不入才是，因為當中缺乏就事論事的事實陳述、邏輯分析、方法說明。那麼，在這樣的時代、在如此逼近的疫情恐慌與各種力量的角力之中，學術能如何維持尊嚴、正直與存在價值？

曾經，現代學術致力於將真實或事實的判準從神權手中取回，如果學術研究者不希望這個判準又交予另一種玄學——如基於政治意識形態、權力與利益競爭、官僚化科學主義或關係主義思維等，身為研究者的我們該做、能做的，可能至少是釐清自身的研究動念與方法、深入研究不同面向的經驗與政策、為我們所投入建構的再

現表達出具有歷史倫理的認識與誠意。

　　以個人的有限嘗試為例。自2020年疫情之初開始，我在努力蒐集與分析資訊的過程中，包括公開的資訊或個人的經歷敘事蒐集等，便注意到「湖北滯留台人」的事件。在這群人包機返台的媒體報導、輿論爭議和政策說明中，出現了諸多的資訊斷裂或不一致，關於此類事件的深入或追蹤報導亦相當有限。對於國人滯留海外卻難獲得關注、甚至輿論多為負評的現象，令我覺得是一值得關注的人文社會科學議題。於是，我開始深入研究這個案例，自2020年3月至12月間，除了媒體與政府部門網路資訊蒐集外，並多方深入訪談防疫醫師、第一線相關醫師、湖北滯留台人及其家屬等，目前已完成一篇正式的學術論文和一篇科普文章。透過具體的資料蒐集與分析，得以看見在後事實現象中的輿論和話語虛實、政治及風險感知、治理策略及政策矛盾，如何讓無辜國人陷入尷尬險境、公民權益受損，但社會大眾對此卻幾乎一知半解、不知情或不在意。[10]

　　網路時代的記憶更顯紛雜，但若能對本文之初所提的歷史事實與再現倫理保持理性思辨，對於疫情歷程的關注，就值得我們放下既有定見，以努力看見、記錄、思考、分析和比較主流之外的人們、意見、科學、理念、事件、苦難與死傷。就如一向追求和平與諒解的天主教教宗方濟各所言：「擁抱邊緣，就等於在擴大我們的地平

10　〈COVID-19恐慌下的風險感知與治理：湖北滯留台人包機返國過程分析〉，《思與言》，出版中；〈狼來了與替罪羊：新冠恐慌中的社會寓言〉，康豹、陳熙遠主編，《研下知疫：COVID-19的人文社會省思》（台北：中央研究院出版中心），頁349-363，此文精簡版亦刊於中央研究院COVID-19網站，https://covid19.ascdc.tw/essay/175。

線。」[11]

　　教宗方濟各可能是2020年疫情全球爆發以來，第一位就「後疫情未來」廣徵全球專家意見的重要領導人，2020年4月間就組成替未來做準備的委員會，2020年底亦將其對疫情的思考出版為《讓我們勇敢夢想》（*Let us Dream*）一書，他這樣說道：

> 想要擁有真實的歷史，我們就需要正確的記憶，而要有正確的記憶，就代表我們得承認曾經踏過的足跡，即使那是會令我們感到羞愧的來時路徑。將歷史截肢，會讓我們的記憶佚失，但記憶卻是我們為數不多、能用來避免重蹈覆轍的利器。（頁51）

　　教宗方濟各所言總結了本文之初的思考，看見並記錄歷史的伏流，不僅有助於認識歷史事實，更是身處歷史潮流中的公共倫理與自我期許，更何況，新冠肺炎疫情是世人正在經歷的過程，現在已成歷史。

　　劉紹華，人類學者，任職於中央研究院民族學研究所。研究領域為中國的現代性、醫療衛生、性別、少數民族，以及台灣的水資源議題等。著有《我的涼山兄弟：毒品、愛滋與流動青年》（2013）、《柬埔寨旅人》（2005）。

11　方濟各、奧斯丁・艾夫賴格著，鄭煥昇譯，《讓我們勇敢夢想：疫情危機中創造美好未來》（台北：大塊出版），頁209。

新冠肺炎：

一個疾病、科技與社會共同生產的故事

陳嘉新

　　新型冠狀病毒感染自2019年末出現。行文此時，這個全球流行病的確診數已經超過兩億人，死亡人數達到437萬人。[1]疫情對於政治、經濟、社會與文化活動的影響，更是難以估計。台灣5月19日因為本土案例增加而提升為三級警戒，在7月27日因為疫情穩定，又調降警戒層級到第二級，目前累積的感染人數也接近16,000人。整體來說，台灣仍是國際各國防疫相對成功的範例；但是作為世界村的一員，也難自外於疫情下的鉅變，而必須採用特殊經濟刺激，例如三倍券乃至於五倍券。

　　本文試圖描繪與定位台灣在過去這一年餘，面對COVID-19所產生的社會意識轉變，並且將這個轉變連結到因應感染而生的科學知識與防疫技術，以深化科技與社會研究（Science, Technology and Society）長久以來堅定宣稱的論點，也就是「科技與社會的共同生產」。這個論點主張當代社會與科學技術之間有著相互穿透、相互構成，因而共同演化的關係。

1　COVID-19相關數據取自美國Johns Hopkins University的Center of Systems Science and Engineering的網站。網址為：https://coronavirus. jhu.edu/map.html 。資料取得日期為2021年8月17日。

　　這個概念的重要推手是哈佛大學的嘉森諾夫教授。她編輯的論文集*States of Knowledge*則是陳述這個概念的重要論著。[2]嘉森諾夫教授於該書她自撰的章節〈給知識一個秩序，給社會一個秩序〉裡面，[3]提到2001年美國紐約遭逢的911恐怖攻擊給予世人（尤其是美國人）的重大心理打擊。她在這個事件中看到了全球化或者工業社會的異質組成與歧異路線，看到了權力與政治的動力關係無法自外於科技化的潮流，也看到了一個現象：科學也好、技術也罷，在當下的社會中都成為了政治的作用者。

　　嘉森諾夫將近二十年前的宣示如今看來可能並不那麼令人意外，畢竟我們不能否認某些科技物的確深遠地影響了社會的組成與秩序，例如：網際網路既可能串連起恐怖分子的活動，也可能激發起茉莉花革命的火種。[4]影像辨識系統在治安案件的發生時，讓警方得以憑藉影像紀錄追查犯罪人；但同樣的影像辨識系統也可能挪用成為社會監控的體制，讓個人隱私無所遁形。在醫療方面，基因檢測容許某些人得以計算自身的未來罹病風險，因而得以及早預防或者介入處理；但是基因檢測也可能模糊了合理治療的定義與空間，產生保險給付範圍的爭議以及病人身分的界定困難。[5]

2　Jasanoff, Sheila. *States of Knowledge: The Co-Production of Science and the Social Order* （Routledge, 2004）

3　Jasanoff, Sheila. "Ordering Knowledge, Ordering Society," ibid.

4　Lawrence, Sherry. "Was the Revolution Tweeted? Social Media and the Jasmine Revolution in Tunisia." *Digest of Middle East Studies* vol. 25, no. 1, 2006, pp. 155-176

5　類似的例子如美國影星Angelina Jolie因為自身檢測BRCA基因發現突變，被認為在未來將有高度可能產生乳癌與卵巢癌，因而預先性地將乳房與卵巢切除。她還將這個選擇經驗寫成投書，刊載於*New York Times*上面。參見 http://www.nytimes.com/2013/05/14/opinion/

　　當前社會中，我們看到越來越多的創新科技挑戰了社會組成與秩序的認知，衝擊了道德標準與倫理原則的概念，也顛覆了公民身分與國際政治的架構。但同時我們也注意到特定政體運用資通科技如顏面辨識與社會信用作為治理工具，商業巨擘對於個人隱私的蒐集、利用與商品化，或者是民眾挪用或者轉用既有的科技實踐他們心目中的理想民主，並打造一個值得期待的生活環境。當科技改變了社會與政治面貌的同時，社會與民眾也努力地讓科技為其所用，並引領著科技的發展方向與應用可能。

　　然而在新冠肺炎來臨且肆虐全球之後，我們看到了更為複雜的科技與社會的互動現象，因為在這兩個面向之上，還加上了疾病這個因子。一個人類史上前所未見的病毒，產生一連串國際的疾病傳染鏈，急速累積的病患數量迅速崩解了反應不及、容量不夠的醫療體系，導致因此感染或者其他疾病死亡的人數大量增加的慘狀。這個病毒引發的不僅是醫療衛生體系的危機，同時也突顯了世界村裡面各國貧富不均、資源分布不對稱、科技發展程度不一致的現實阻礙。這個阻礙不僅是種比喻，也是事實。以防疫與安全為名，各國實施了或強或弱的國境封鎖，但這些舉措卻實際地阻止了人群的跨地移動，也連帶地阻礙（雖然並未終止）了許多社會互動的面向。

　　要說我們因為這個疫病進入了一個新的時代，很多人都會同意；但要說這個「新的時代」到底是怎麼一回事，恐怕表示同意的人也很難具體說明。不過，要辨識這個新常態有著明顯的科技刻痕，應該對所有局中人都不困難。當下全世界正熱烈施打與爭議的疫苗，不正是一個被認為即將改變社會秩序的科技產品？而這個科技產品不也正是過去一年多不同國家、科學家與藥廠聯手打造的疫情

（續）────────────────────

my-medical-choice.html

解決之道？解決疫情並不表示恢復社會原有秩序，毋寧是建立了一個更新的經濟、政治、文化、道德的全球體制；而且疫苗作為解方，也同時生產了新的問題：疫苗的健康不良反應、產量不足、分配不均、審查程序有爭議等等。新的科技與新的社會，此時正在眾人眼前成形。所謂科技與社會的共同生產，不正是這個意思嗎？

一、由口罩到疫苗：外來與內生的防禦措施

　　本文不擬使用深奧的學術語言或者理論鋪陳，而是希望用淺顯易懂的語言與實際可見的現象說明，讓讀者能夠進入這個共同生產論點的具體呈現。

　　首先要提出的是由口罩到疫苗的這個轉變。

　　2020年1月，新冠肺炎開始傳入台灣。由於過往SARS的經驗，台灣人很迅速地搶購口罩。一時間，口罩就缺貨了。政府迅速地中止口罩出口，並且成立所謂的「口罩國家隊」，極力提高醫療用口罩的生產量，以滿足國人所需。一開始口罩仍需維持數量管制，但是隨著邊境管制奏效，本土感染也獲得控制之後，公私部門合作生產而追上來的口罩數量就開始過剩。口罩價格大幅下降，各通路如藥局、賣場的盒裝口罩則是立成一垛垛地等人購買，之前上架隨即搶購一空甚至需要限制購買的情景已不復見。

　　相對應的，則是對於疫苗的關注逐漸上升。隨著媒體的推波助瀾，疫苗的議題逐漸升溫：台灣會取得疫苗嗎？台灣做得出自己的疫苗嗎？台灣會有哪種疫苗可以打？打了以後就可以減少居家檢疫的時間嗎？打了以後，台灣就可以恢復原先出入國境的規定嗎？要多少比例的民眾打才能夠恢復這樣的秩序？疫苗安全嗎？疫苗有實際的保護力嗎？疫苗有不可預知的副作用嗎？疫苗的利弊得失要怎

麼分析呢？或者是更貼近自身的問題：我該打疫苗嗎？我甚麼時候應該／可以打？

這些問題以不同的方式與語氣在中央疫情中心的記者會與街頭巷尾的民眾閒聊中出現。如果說2020年的防疫焦點在口罩，2021年的防疫焦點顯然已經轉移到疫苗。

如果我們思考這個由口罩到疫苗的防疫重心轉折，我們可以看見一些個人化措施與集體性作為，是如何重複著這種由外部防禦到內部抵抗的變遷。口罩配戴在個人身體之外，用物理性、非特定性的方式阻斷病原體進入人體，除了減少新冠肺炎感染，也可以減少其他飛沫傳染。這是去年（2020）流行性感冒個案數大幅減少的一大原因。[6]

同樣的，在集體人群的層次上面，台灣也採取了類似口罩原理的防堵措施，也就是有效的邊境管制，即針對入境旅客進行入境限制或密切管理等措施。隨著檢驗技術與量能的改善，這些入境者也同時加上了密集的檢驗，以期將所有可能的感染個案都阻絕於外，就像是口罩內外多層的防護措施。隨著科技的更新與檢測量能的提升，這種非特定式的阻絕防疫措施也可以發展成為較為細膩的、具有內部差別性的管制作為（例如區隔出不同風險層級的國家或者不同職業別如機師而為的防疫規範）。

另一方面，新冠肺炎疫苗的研發與分配成為一場全世界的競爭賽。人類有史以來，從來沒有在這麼短的時間研發出一個病原體的疫苗。過往的疫苗開發往往是以年甚至是十年作為計算的基期；但

6　例如盧映慈，〈「口罩防疫」模式大成功！2020年以來流感、呼吸道病毒人數「一片平坦」〉，HEHO，2020年7月31日。參見https://heho.com.tw/archives/128298

是新冠肺炎疫苗的開發與生產，卻是以月作為計算單位的。能夠在
這麼短的時間內擠出Moderna、Pfizer-BNT、Janssen、AstraZeneca
（AZ）等等好幾種疫苗產品，其實是生物科技相關的既有基礎建設
加上全球科學、國家與產業社群集體合作的結果。疫情之初，對於
這個新型冠狀病毒的遺傳結構就開始在網路的病毒遺傳碼分享平台
流傳。過去禽流感時期偶而會出現的病毒主權（viral sovereignty）
宣稱，也就是國家宣稱病毒基因碼屬於「該國的」，因而禁止跟其
他國家分享；這次新冠肺炎疫情則沒有這種情況。[7]整體而言，我們
看到的更多是病毒科學家群策群力，分享資訊。在網路與資料庫做
為基礎建設的前提下，大家分享訊息因而變得簡單方便許多，也更
容易比對不同病毒株在基因序列的親疏遠近關係，藉此判斷感染途
徑與變異類型。在此同時，醞釀超過十年的mRNA疫苗科技，也首
次得以在新冠肺炎這個RNA病毒感染上施展身手。

　　生技產業的全力研發、國家經費的大膽挹注、甚至是群眾自發
性的參與疫苗臨床試驗，都使得這些產品能夠盡快地完成臨床試驗
資料，以符合各國食品藥物管理署（或者相當機關）的審查所需。
然後是政府體制的流程配合，得以允許疫苗的緊急使用授權
（EUA）。當疫苗生產之後，則有多個國際組織合作組成的「新冠
肺炎疫苗全球取得計畫」（COVAX）協助疫苗在不同國家之間的
分配，促使這項難得的生技產品與防疫利器得以合宜地配送到不同
國家，以符合全球正義公平的救濟原則。尤其是那些低資源的貧窮
國家，更需要這種國際組織的協調分配以確保自身不會在這場全球
浩劫中受傷更深。至於疫苗配送過程當中的冷鍊設置、配送條件與

7　陳嘉新，〈由COVID-19看全球衛生治理〉，《科技、醫療與社會》
　　第30期，頁257-265。

數量的確保，這些則考驗了各國的技術能力與行政效率。

　　回到防疫意義來看，疫苗跟前述的口罩顯然不同。相較於口罩的非特定性保護功能，疫苗則是特定針對某種病原體的防護機制：水痘疫苗不會讓我們對麻疹免疫，B型肝炎疫苗也無法防範A型肝炎感染。而且疫苗激發的是自身產生的抗體與細胞免疫，所謂防疫力乃是一種源於自己體內的基本生理力量，而非外加於身體的盾牌保護。這種特定性與內源性的特質，使得疫苗的防疫機制大異於口罩非特定性與外加性的特色。

　　換言之，注射新冠肺炎疫苗，在防疫上的意義在於讓抗拒病原的基本作戰單位回歸個人，但此處所謂的「個人」也蘊含了集體性。因為夠多的「個人」接受疫苗注射後，理想上就會達成「群體」免疫，傳染途徑將因為較多具有免疫力量的個體而產生傳播鏈上的斷點，容易停止在群體中散布。也就是個人接種疫苗這件事本身，就是促成免疫整體的手段。

　　總結來看，由2020年的口罩熱潮到2021年當下的疫苗關注，我們看到的是防疫焦點的轉變。在起初的低技術性、非特定性、外加式的阻隔手法外，又加上了高技術性、專一特定性、內源性的抵抗力。防疫焦點的轉變，不僅改變了民眾對於防疫措施關心的焦點，也提示了科技與社會兩者密切的彼此糾結對於個人與群體在心態與行為上的深遠影響。

二、追個案管人群：由顯著到隱藏的風險控管

　　另一個防疫的面向，則是兩種衛生介入的手段比較。一種是以個案為基礎（case-based）的管理方式，例如針對已知感染者的相關接觸者所設置的居家隔離措施；另一種是以人群為基礎（population-based）的管理方式，也就是針對一般人的行為介入，例如前述的口罩佩戴與社交距離宣導。根據最新的研究報告指出，[8]台灣防疫的成功有賴於這兩個措施的結合，兩者缺一不可。

接觸者調查與隔離措施顯然是針對特定族群，而這些特定族群的辨識乃是以感染風險的評估結果而定。這些評估則又建立在對於病原體傳染途徑的了解（例如：空氣傳染、氣膠傳染、飛沫傳染還是接觸傳染？）以及實際疫調的發現。換言之，所謂特定族群的風險判定，乃是結合了科學知識、行政動員以及社會互動而產生的綜合結果。甚至在某些情境之下，這種風險判定還會動員通訊、定位、傳訊等等兼具政府治理與安全維護功能的技術系統。想想去年依循鑽石公主號遊客的行蹤而發布的國家級警報之細胞警訊，或者是居家隔離或檢疫者所接受的手機定位監控，就可以理解這種風險管理所牽涉的多重知識、技術、行政人力、民眾動員的複雜性。近年來的研究重複指出，風險已經是晚近現代性的特徵之一，且科技與風險的關係日益密切。[9]科技一方面是因應風險而為的對策，但也可能是風險產生的原因。在上述的例子裡面，科學知識與技術顯然被大量使用在特定族群的風險估算與控管措施之中，但是科技也可能產生新的風險，例如細胞簡訊的龐大發送量所產生的社會集體焦慮，或者是居家檢疫或隔離者的GPS定位飄移的假警報問題。這些問題

8　日前臺大公衛學院發布新聞，表示該單位研究結果被美國醫學會雜誌接受刊登，內容為以模式說明台灣防疫措施的有效因素，該論文為 Ng, Ta-chou et al. "Comparison of Estimated Effectiveness of Case-Based and Population-Based Interventions on COVID-19 Containment in Taiwan," *JAMA Internal Medicine*（2021）. E-pub. DOI: 10.1001/jamainternalmed.2021.1644

9　風險這個主題著述甚多，此處不擬列舉。較為綜合性的論述可參見 Lupton, Deborah. *Risk*（2nd edition）（London: Routledge, 2013）

的解方不見得是更好的科技，而可能是更合宜的科技使用與管理監督方式。這也成為思考當代科技與社會互相生產與構成時的一個重要切入點。

　　另外一種衛生控管方式是以人群為基礎的治理方式，也就是要求一般民眾配戴口罩、保持社交距離等等的作為。這些介入方式並非建立在具有區別性的風險判準上，而是將防疫的要求經由一般性的衛生行為達成。相較於特定族群的較高風險而言，一般民眾顯然較沒有被傳染的危險；針對較低風險的一般人群提出防疫要求，就可能有兩種解釋：一種是防範於未然的預防演練；另一種則是因應潛在風險的搶先作為。

　　在此稍微說明一下「預防」（preventive）與「搶先」（preemptive）兩個概念的差別。這兩個字義相近的詞彙應用在戰爭或類似情境（例如防疫）上，有著細微但必要的不同。[10]

　　所謂預防性的作為，是針對一個尚未發生，但可能發生的事件提出的準備動作。套用在防疫的例子上來說，是認為還沒有社區傳播，但可能會有社區傳播的情況之下，要求人群戴上口罩且保持距離，是一種預防社區傳播發生的舉措。

　　而所謂搶先性的作為，則是指當事者面對一個被設想為已經或確認即將發生的事件，因而先行採取行動，以阻止該事件對當事者產生巨大且不可逆的影響。以防疫的例子來說，則是當社區感染被認為已經發生，但為了讓影響幅度最小化，而進行這種物理性阻斷的介入措施。

10　例如Gray, Colin S. *The Implications of Preemptive and Preventive War Doctrines: A Reconsideration* （Washington DC: Strategic Studies Institute, 2007）

　　這兩個詞彙的差異，不僅在於對於危機存在的確認程度，也在於這些舉措實施的範圍與強制性。在去年台灣多日沒有本土案例的情況下，這樣以人群為基礎的口罩與社交距離宣導的「新生活習慣」，可以視為是一種預防性作為。戴口罩和保持距離是一種被標定為可欲的生活習慣，而非強制要求的防疫措施；好習慣只是讓個體與群體減少危害與預防風險，是一種日常化的風險管理措施。

　　然而，今年部立桃園醫院院內感染事件（簡稱部桃事件）爆發乃至於5月進入三級警戒後，一個又一個的新增案例隨著感染者的職業與社交逐一擴散的時候，「是否有發生中的社區內感染」成為了當時許多人的質疑，而且這個猜想客觀上也可能發生。當這樣的質疑逐一出現了可能成真的佐證（例如公布的感染者足跡，涉及了可以接觸到更多人的市場、餐廳、速食店、高鐵），那麼配戴口罩、保持社交距離，甚至是減少出遊，就變成是一種因應不可見風險的搶先性處置了。

　　因此我們看到不同類型的風險管理，因應著可見與不可見的風險源頭。儘管當中的分野也可能是相當模糊的，例如在部桃事件之後的桃園地區真的有比其他地區更高的感染風險嗎？這顯然不是可以在地理區域上一刀切得乾淨的問題。所謂風險的高低與可不可見這些特性，受到科學知識、辨識技術、行政處置、政治盤算、社會恐懼等因素共同且多重決定，並不完全是個來路透明、乾淨俐落的明確數值。

　　更值得關注的是這種「可見風險與個案基礎管理」和「不可見風險與人群基礎管理」的連結。這樣的連結把風險的可不可見或者高低連結到不同的管理模式以及對象族群。這樣的風險計算影響了許多層面的政策安排，包括檢驗資源的控管與使用。例如去年度中央疫情中心和彰化縣衛生局之間的著名爭議：基於檢驗精確度與疾

病流行率的簡單機率計算，以人群為基礎的普遍篩檢被認為會出現相當多的偽陽性案例，因此彰化市衛生局的大規模篩檢（雖然並不是全人群的篩檢）並不被中央疫情指揮中心支持。中央疫情指揮中心支持的，毋寧是針對高風險的少數特定族群進行篩檢，這樣的做法被認為是較具有成本效益且符合科學實證的做法。這種行政邏輯，乍看之下有其道理，但是這樣的理路乃是建立在社區感染的低可能與低流行率之前提上。但某種程度來說，另外一派贊成擴大篩檢的思路，正是要挑戰這種低流行率的假設。

這個假設並不是不能被討論的，但對於本文的關切來說，此事的有趣與有關之處，在於風險本身是如何被打造且如何被確認的過程。過去一年來多次對於某些特殊個案的爭議，例如高雄金巴黎的舞小姐，或者後來八大行業因被認定有「較高風險」乃至於警戒降級到現在仍不能開工，其實都值得仔細審視此中的風險建構與治理。這個面向上，新冠肺炎防疫經驗具體說明了知識、政體與防疫治理如何在以個案為基礎與以人群為基礎的兩種治理與風險模式之間游移在不同類型的爭議之中。

三、求清零或共存：疫苗對於防疫共同體的涵義與挑戰

在我另外一篇文章中，我由傅柯（2003）的法蘭西學院演講系列中「必須保衛社會」的內容，討論到台灣在對付新冠肺炎而產生的防疫共同體。[11]我那篇文章主要是由生命政治的諸多措施討論台灣社會因應疫情而產生的各式區隔，此處不再贅述。不過傅柯對於

11　陳嘉新，〈防疫共同體的生命政治〉，《臺灣社會學刊》，第 67
　　期 （2020年6月），頁237-246。

生命政治與保衛社會的關聯上提出的一個論點仍值得在此一提，也就是戰爭與社會的關係，而這個主題跟本小節要談的議題是有關係的，此處稍作解釋。

傅柯的論述裡，這種戰爭並不全是對外的武力戰事，也可能是非武力式的內部持續抗戰。在他的論述架構中，他將這個內部戰爭稱之為「種族戰」（race war），但這邊「種族」的意思並不限於膚色的外顯特徵或者血統的生命連結，而是一種以科學知識為基礎的人群區分類別。[12]在這樣的分類裡面，精神病者、癡愚者或者某些體質特性或疾病的患者，都可能被歸為這種常規化社會的異常者，而接受社會不同制度（矯正機關或者醫療體系）的管理與監控。這種「種族戰」概念的特出之處，是把對於異常者的管制連結到社會秩序的穩定與社會意識的建立。但是這說法當然有其值得商榷之處，不過他的說法多少提示我們一個社會心理的面向：構成「我群」的精神基礎不免建立在排斥「他者」的層面上。過去一年多台灣堅守防疫成果的背後，也充斥著不少對於感染者的疑懼心理與抗拒行為。去年3、4月間中研院物理所爆發感染案例之後，不少學校與社區對於該院人員與學生明示或暗示要保持距離，就是當中一例。[13]類似的恐懼與疑慮在今年的部桃事件中還是明顯可見。

但眼下的局勢已經跟一年多前撰寫那篇文章有點不同，當年的防疫共同體的情感基礎，是面對疫病的恐懼與威脅而產生的共同意識；是面對失能的國際組織如WHO而興起的自我防衛與排外態度。

12　Foucault, Michel. *Society Must Be Defended. Lectures at the College de France, 1975-1976*（New York City: Picador, 2003）

13　類似新聞可見〈中研院台大鬧矛盾引發資訊揭露爭議，指揮中心將訂指引〉，《中央廣播電台》，2020年3月28日。網頁連結為https://www.rti.org.tw/news/view/id/2057448

台灣去年防守了新冠肺炎的攻擊，也挺過了今年5月以來的疫情緊繃，可以說還是相對成功的防疫典範，這種一體感，促成了防疫共同體的共享心態。然而，我們過去藉著上下合作，堅壁清野的共同意識打造出來的防疫共同體，遲早必須面臨一個新的挑戰：也就是在疫苗逐漸普及的世界村裡面，台灣要何時且如何開放與開展經濟、文化、政治等活動，但又不傷及防疫過程中建立的集體信心與認同？

過去一年來，台灣在新冠肺炎連帶而出的產業供應鏈轉變中獲益不少，單單疫情輕微這件事情就讓台灣成為極少數GDP仍保持正成長的國家。但是隨著疫情知識增長、疫苗發放廣泛、治療技術改善，新冠肺炎的影響力將可以得到控制，雖然這個「控制」顯然是全球不均等的。目前的科技發展沒有理由讓我們繼續對疫情悲觀，但是也不能否認我們還有許多值得憂慮的面向。

過去幾個月來的台灣疫情發展，似乎把這個封鎖到開放的轉折集中在疫苗之上，包括政府是否能夠提供足夠量的疫苗、疫苗是否真能應付當前世界不斷突變的病毒株、是否拿夠發給國際承認的疫苗護照，另外也關乎邊境管制，例如是否能夠有效調整入境人士的管制方式以免重蹈之前感染的風險破口？

本文並不擬對各類疫苗的優劣評論，而是想針對疫苗對於這個共同體想像的影響進行分析。如前所述，邊境管制所意味的人我區隔含意，多少貼合於共同體的人我意識；但是疫苗對於共同體意識的效應，則需要仔細一點的分析。

對於防疫共同體來說，疫苗是什麼？這個問題有很多回答方式，每個回答方式則又對應到不同的疫苗建構：疫苗是種關鍵資源、戰略物資、科學產物、公衛措施、政治象徵等等。

截至2021年8月25日的統計，[14]台灣目前一共施打了1040萬劑新
冠肺炎疫苗，其中以AZ疫苗最多（644萬餘劑）、Moderna其次（367
萬餘劑），而後是國產的高端疫苗（28萬餘劑）。接種人口涵蓋率
為40.91%。除了少部分人施打兩劑以外，大多數人只有施打一劑。
多重品牌但不足需求量的疫苗提供，加上民眾主觀的接種偏好，突
顯了疫苗作為關鍵資源所產生的分配不均等：這種分配不均等有時
候會加重了過去社會不均等的斷層線（例如階級高、手段多的人較
可以取得各類名目而先行接種），有時候則翻轉了既有的斷層線（例
如體衰力竭的較弱勢年長者較諸活力充沛的年輕力壯者，可以優先
得到接種機會）。這種分配不均等所帶來的情感剝奪與不滿憤慨，
可能會威脅共同體意識的鞏固程度。

然而疫苗又被視為是一種戰略物資，是新冠肺炎作為一種普遍
戰役的前提下，國家維護人民免於死亡或疾患的武器。所以買來的
疫苗可以看成是分發給民眾的防彈衣，自製的疫苗則是國家得以獨
立生存於百年大疫的自保武器。因為是戰略物資，因此自主生產變
成是優先價值，使用國產疫苗則成為保命愛國之舉。疫苗品牌的選
擇，變成了消費國家與共同體意識的簡化論述。

就算剝除了疫苗外裝的國族象徵而將疫苗視為科學產物，需要
經過嚴謹的科學驗證過程才能確認有效性與安全性，環繞疫苗的爭
議也很難減少。這一系列的爭論常常環繞在EUA的正當性與合理
性，集中於EUA所憑藉的依據是否在科學界取得共識而能夠獨立於
政府的政治意志。這種定義下的疫苗相關論述，看似純屬科學討論
也相當技術性，非科學人士常常覺得難以置喙。但這種「怎樣的疫

14　https://www.cdc.gov.tw/File/Get/7pBpdKvyOeJnyqKJqk1Tfg。資料取
　　得時間：2021年8月25日。

苗（與其審查程序）才算是科學上站得住腳」的討論，卻可能陷入一種科學與政治的簡單對立關係，忽略了疫苗之為物的意義，常常繫乎其所連結的其他人事物而決定。在科學秩序穩定的實驗室裡，疫苗的意義往往可以依循既定的程序推衍而出，例如對抗病毒株的抗體效價；但是當疫苗拿到治理情境乃至於實際生活施用的情況中，其連結就不再是實驗室中較容易控制的變因，而是真實世界當中極度複雜的無窮因素之間的相互牽動，包括不斷突變的病毒與施打實況的差異。堅守既定程序，就可能輕忽了這百年大疫的稀有性與特殊性而失去變通從權的機會。

還有一派的疫苗觀點也同樣強調疫苗效用的實際性格，認為一個在實驗室裡表現優異的疫苗最終仍須回到人群實際使用的效果，才知道是否真能保衛生命。這種看待疫苗的態度是將之視為一種公衛措施的工具，也就是為了群眾整體生命而實施的健康計劃。這種觀點將疫苗放在集體性的利益與代價來考慮，而非個人性的得失。因此計算疫苗的有效與否，固然需要考慮疫苗副作用與不良反應，但是最終決定是否繼續疫苗計畫的決定因子，往往需要從更鉅觀而整體的衛生角度來衡量。

回到傅柯的生命政治概念來看，衛生還只是這種以生命為對象的治理手段當中的一個焦點，其他焦點還包括經濟生活、規訓管理等等面向。套用前面種族戰的概念，疫苗變成了區隔人我的政治象徵與常態指標。「你打疫苗了沒」、「你打哪一種疫苗」這種話，不只是取代「你吃飽了沒」這類問句的單純問候，更隱然帶有「你跟我一樣有／沒有保護力」、「你支持哪一種疫苗」的含意。前者在安全性的基礎上區分你我，後者在疫苗選擇上辨別認知取向與情感偏好的陣營。因此，政府是否阻擋某種疫苗成為一種政治表態，而民眾是否偏好或選擇哪種疫苗則成為具有知識與政治意涵的自我

技術。

　　疫苗的多重建構可能彼此衝突，也意味著台灣作為一個防疫共同體必然充斥著內部矛盾。從這個角度來說，疫苗接種是否可能帶來更開放的邊境管理乃至於內部交流，則仍有賴於共同體的成員是否也能更包容而非更排斥地處理這種內生的區隔與對立。目前仍在爭議中的「清零」與「包容」的兩種政策論調與實作取向，可以看成是兩種不同構建防疫共同體的方式，[15]而未來的走向仍難以斷言。

結語：變動中的疾病、科技與社會

　　本文試圖指出一個科技與社會研究已經反覆論證的主張，也就是社會與科技是共同構成與相互生產的。但是這樣的論證除了描述這個疫情仍舊肆虐不休的當前世界之外，還能夠給我們什麼指引呢？

　　前文所述的三個面向，都不是一個斷然分野的改制過程，而毋寧是個漸次增強且來回激盪的疊加經歷。也就是說，有了疫苗激發後的內生性保護，我們也不見得可以直接拋棄口罩，直接上街；有了人群為基礎的全體風險控管，我們還是會持續以個案為中心的疫情調查與管理；不管選擇的是清零或是共存心態，我們還是可以保有持續的共同體意識。這些變遷的速度與程度都取決於多重因素。

　　新冠肺炎的出現到底與人類活動有何關係尚無定論，但是天災往往夾雜人禍，自然也必然交融於社會。人們因應疾病帶來的鉅變採用了眾多的科技工具，想要解決眼前迫切的問題，但解決問題的同時也可能創造出來新的問題：科技如何被不同國家、不同族群、

15　可參考https://www.cna.com.tw/news/ahel/202108240234.aspx 。

不同階級、不同性別與年齡的人群使用？分配的正義如何維持？疫苗是否能夠與疫病一樣地「公平」對待每個人？

　　這些問題列下去簡直無止無休，但是這正是我們面對的局勢，一個常被稱為是「新常態」（new normal）的世界，一個揉合了自然與社會、科技與風險的複合世代。疫苗改變了疫病恐懼的地景，但是改變的方向並非全球性的改善，而是局部的、不均等的變遷。疾病對於老弱人口的高危險性，導致某些受創嚴重地區的人口結構調整；病毒變異的速度，使得疫苗必須成為新常態的一部分，而可能必須定期注射最新的疫苗才能維持一定的抵抗力。病毒持續地在人類社會生存，將迫使社會生活必須持續性地保持戒備。「防疫如同作戰」這句比喻如果要繼續說得通，那麼這種戰爭就會變成一種持續性的常態。疫病創造了更多社會迫切解決的問題，而這世界用科技做為籌碼，以生命作為賭注來試著回答。作為變局中的一分子，我只願還能像狄更斯在《雙城記》裡面那樣說上一句：「這是個最壞的時代，也是個最好的時代。」

陳嘉新，國立陽明交通大學科技與社會研究所副教授兼所長，研究興趣是當代醫學科技與社會研究，尤其集中於神經、成癮與精神科學的社會與政策面向。著作多以英文發表，中文著作則散見《科技、醫療與社會》、《台灣社會學刊》，曾與中研院社會所蔡友月副研究員合編《不正常的人？台灣精神醫學與現代性的治理》（2018年）。

疫情社會的民主、法治與人權：
若干反思性批判

李建良

一、引言：疫情下的社會與公民

　　席捲全球的COVID-19大流行，影響範疇不明、症狀莫辨，帶來了舉世經濟市場與醫療體系的重大危機，同時對整個社會形成巨大的挑戰。2020年1月起，人們自願或被動地進入某種「封鎖」狀態，自始及今，大流行支配著人們的生活方式，或顯或隱地左右人們的思維模式，不問是公領域或私部門，無不皆然，臺灣亦不例外。疫情爆發之初，拜政府及時邊境管制之賜，臺灣在2020年抵擋住疫情的首波攻勢。進入2021年，5月間臺灣防疫出現破口，爆發社區感染，短期間內確診數從連續「加零」到每日數百例，染疫總人數激增累計突破萬人，死亡人數上看超過800人，國家防疫標準亦從二級提升到三級警戒。[1]儘管8月底疫情趨緩，三級警戒降至二級，其間連動產生的各種措施與法制課題，例如居家檢疫的強度、疫苗的供給量

1　相關數據，參見國家高速網路與計算中心，台灣疫情報告（數據來源：衛福部疾管署），https://covid-19.nchc.org.tw/dt_005-covidTable_taiwan.php。

和安全性,以及施打順序等問題,在在使國家與人民的回應力與調適能量處於重大考驗之中。

　　大流行與大危機的交互衝擊,不斷重塑國家、企業、個人的決策思考與生活模式,讓法制、政治、經濟、社會等各層面的弱點或問題顯露出來;同時也活絡有效或正面的應變措施與解決機制。人類是否及何時擺脫新冠肺炎病毒的威脅,至今仍難預測,經濟何時止跌回穩,無可逆料,許多問題沒有答案。不過,政府、產業、個人的周遭世界、生活型態、行動方案、思考模式不斷被顛覆、被重新塑造,其輪廓卻是相對清晰而可辨,可能而且可以確定的是,疫情蔓延時的各種改變將會是永久性、指向未來。

　　進入後疫情時代,伴隨危機未解除的同時,公民與社會經歷並面臨諸多當下與未來的課題與問題。簡單的說,當瘟疫在社會蔓延時,公民應如何自處?在面對巨大挑戰時,如何認識事實、感知問題,智慧以對,尋找出路與解方?

　　在西方民主憲政的歷史進程中,civil society[2] 經常被視為民主制度的社會條件之一,於今猶然。往昔公民社會是威權國家的相對概念,用來表徵對舊時代束縛的擺脫,富含反威權、反教條、反特權的精神意向;「舊制度」往往是「大革命」的成因與動力,有史為鑑。「公民」的圖像在自由與權力的衝撞與鬥爭的過程中形成,一定程度具有除魅、啟蒙、解放的社會作用,進而造就出以自由平等為核心價值的法治社會,儘管程度有別。公民社會的元素是自立、自理、自律、承擔責任的自由人。[3]如果自由的意義非僅止於撞擊權

2　civil society一詞,語源societas civilis,觀念淵遠流長,涵義多元,遞有變遷,法政思想史上且涉及國家與社會的分合論辯,非本文題旨,於此不擬深論。

3　李建良(2014)。〈法治、民主、責任——自由人的條件與代價〉,

力體制，與國家處於敵對的狀態，而是不假外求、本乎諸己的自由自在，則在今之民主法治體制下的公民課題是：在自由的社會中思考自由，尤其在疫情下的社會。

「不自由，毋寧死」！在疫情大流行期間聽起來讓人覺得格外古怪。因為這句話的文化意涵在於衝撞威權政體，為了爭取自由，不惜以死相抗。反之，在一個自由民主法治國家中，**生命與自由的兼容並併顧**是國家的政治責任與憲法義務，也是人民基本權利的核心底蘊。國家既要保護人民的生命不受侵害（包括來自國家權力的侵害），亦要使人民的自由不受到過度的限制，同時還要確保人民**免於恐懼的自由**。當「大流行」成就「新正常」，是否同時以新的政治秩序取代了既有的法律秩序，值得關注。疫情過後，如果我們不是回歸正常，而是適應改變過後的正常，便需要在疫情蔓延中運用法律邏輯，追蹤人為走過的路徑，從民主、法治與人權的視角，進行若干批判性的反思。

二、疫病防治與民主法治的競速

疫情爆發伊始，要求總統依憲法增修條文第2條第3項發布緊急命令的聲音不絕於耳，理由各異，其中之一是民主立法程序無法趕上疫情擴散的速度，應由總統發布「緊急命令」，期期以「急令」濟「常法」之緩。截至本文脫稿為止，總統並未發布緊急命令。其間，立法院於2020年2月25日，13時56分，三讀通過「嚴重特殊傳染性肺炎防治及紓困振興特別條例」（下稱COVID-19特別條例），[4]同

《知識饗宴》系列10，2014年11月，頁199-220。

4　第1條規定：「為有效防治嚴重特殊傳染性肺炎（COVID-19），維

年月日，17時30分，總統公布施行，費時約2小時，以「緊急立法」
替代「緊急命令」。

　　從制定的程序及時間來看，循民主程序之緊急立法，其速度未
必慢於總統發布緊急命令。不問是緊急命令或是緊急立法，均需要
總統、行政院及立法院三個憲法機關合作，方有可能。差別只在於
緊急命令是總統先發布，後由立法院追認；反之，緊急立法則是先
經立法院三讀通過後，再由總統公布施行，重要關鍵仍在行政院各
部會的政策議定與法案擬具。[5]

　　或謂：COVID-19特別條例之所以能夠火速通關，實拜民進黨於
立法院掌握多數席次之賜。換言之，緊急立法（行政院→立法院→
總統）的速度是否不亞於緊急命令的發布（行政院→總統→立法
院），繫於總統與立法院多數是否屬同一政黨，或多數黨與執政黨
為聯合政黨；如果總統所屬政黨於立法院無法取得多數席次（「朝
小野大」），則緊急立法也有可能受到立法院反對黨的多數杯葛而
難以快速通過。例如2000年總統大選，民進黨勝選，政黨輪替，但
國民黨立法委員於立法院仍占多數。新上任的行政院院長計畫停止
興建核四電廠，遭立法院多數黨（國民黨）反對，引發憲法訴訟，[6]
最後停建計畫無疾而終，[7]足資證明當「朝小野大」時，國會多數若
要反對總統暨閣揆的「緊急政策」而有意杯葛者，即使總統緊急命
令發布在先，立法院多數亦能掣肘在後。換言之，防疫特別條例的

(續)————————————————————
　　護人民健康，並因應其對國內經濟、社會之衝擊，特制定本條例。」
　　直接在法條中使用英文「COVID-19」。
5　緊急命令的內容，由總統一人自擬，理論上不無可能，實際上殊難
　　想像。
6　司法院大法官為此作出釋字第520號解釋。
7　核四電廠興建完竣後，是否商轉的問題，爭議迄今。

通過需要立法院多數的支持；同樣地，防疫緊急命令的追認，也要獲得立法院多數的同意。因此，總統與國會多數屬同一政黨，為緊急立法與緊急命令的共通有利條件。

　　然而，觀察過去的憲政運作經驗，當國家發生重大變故或遭逢緊急危難，而有制定緊急法律或發布緊急命令之必要時，縱令在野黨佔國會多數席位，理應會共體時艱予以支持，而不致於議事上無端阻擾緊急法案或緊急命令的通過。例如1999年9月21日，臺灣遭遇前所未有的強烈地震，李登輝總統隨即於同年9月25日發布緊急命令（925緊急命令），經立法院於同年9月28日追認通過；[8]出席投票的立法委員有204人，同意追認201票、不同意追認2票，無效票1票。儘管當時立法院多數黨為國民黨，[9]但從同意追認的票數來看，在野黨亦是高度支持緊急命令的發布。反而是在行政院訂定「緊急命令執行要點」時，引發在野黨立法委員是否應送立法院審查的質疑。為此，司法院大法官作成釋字第543號解釋，要求緊急命令「以不得再授權為補充規定即可逕予執行為原則，其內容應力求詳盡而周延」；同時指出此種例外之補充規定「無論其使用何種名稱均應依行政命令之審查程序送交立法院審查，以符憲政秩序」，附加比「緊急立法」較為嚴格的限制。[10]

8　《立法院公報》，88卷41期，頁71。

9　1998年選舉結果，立法委員共225席，國民黨占123席、民進黨70席、新黨11席，其餘為無黨籍人士。

10　參見釋字第543號解釋：「若因事起倉促，一時之間不能就相關細節性、技術性事項鉅細靡遺悉加規範，而有待執行機關以命令補充，方能有效達成緊急命令之目的者，則應於緊急命令中明文規定其意旨，於立法院完成追認程序後，再行發布。此種補充規定應依行政命令之審查程序送交立法院審查，以符憲政秩序。又補充規定應隨緊急命令有效期限屆滿而失其效力，乃屬當然。」上揭解釋意

　　根據上述分析，可知緊急命令與緊急立法的機制選擇，考量重
點不在何者比較具有民意，亦不在何者比較快速，就防疫而言，毋
寧是何者比較有效但又不致過度侵犯人權等實質法治問題。

三、防疫法制的要素與制度理性

　　從防疫法制的角度出發，臺灣疫情防治並不是從2020年2月25
日制定公布COVID-19特別條例之後才開始，而是早在2020年1月15
日衛生福利部（衛福部）依傳染病防治法第3條第1項第5款，將「嚴
重特殊傳染性肺炎」列為第五類法定傳染病起，[11]即已啟動防疫機
制。相對於「已知」的傳染病，「第五類」傳染病是針對「未知」
的傳染病，經中央主管機關認定有依傳染病防治法建立防治對策或
準備計畫必要的「新興傳染病或症候群」。換言之，第五類傳染病
的認定（刊登公告於行政院公報）形同一把開啟傳染病防治法律機
制的鑰匙。這套防疫法制係2003年爆發「嚴重急性呼吸道症候群」
（SARS）之後，累積防疫經驗，逐步修正建置的機制。從制度理性
來看，傳染病固然一變再變，但防疫法制理應不是一套緊急性法制，
而應是一套常備性的應變機制。除了紓困及補貼等涉及財政經費，
礙於預算法制需臨時規定外，[12]相關機關允應借鏡過去經驗、預設

（續）

　　　　旨，正面理解的憲法要求是，總統原則上應於緊急命令中明定規範
　　　　事項，不得授權行政機關以命令定之；緊急命令受到的限制大於緊
　　　　急立法。反向的法治思考則是，非有必要，緊急法制的建構與運行，
　　　　仍應循「立法部門代表國民制定法律、行政部門負責執行法律之憲
　　　　法原則」。就制度以論，緊急法制的完備，法律猶較緊急命令為善。
　11　衛授疾字第1090100030號公告。
　12　COVID-19特別條例於2020年4月21日修正公布，即涉及紓困及補貼
　　　　問題。

未來情境、模擬防治機制與運作。

　　回顧SARS 期間，為了因應傳染病防治法的規範不足，立法院亦曾於2003年制定公布「嚴重急性呼吸道症候群防治及紓困暫行條例」（SARS暫行條例），全文19條，以應付疫情。然而，此種立法模式只是凸顯（舊）傳染病防治法制有所不足與闕漏，不應是傳染病防治緊急立法的常態（化）模式。也因此在事隔17年之後，當全球再度爆發「史無前例」大流行的時候，COVID-19特別條例的制定（同樣也是19條），除了紓困與補貼規定外，值得探究的是，相對於傳染病治法的常規法制，特別條例的*特別之處*何在？諸如禁止出國、邊境管制、疫情調查、人流管制、居家隔離或檢疫等措施，難道不是傳染病防治的必要措施，何以需要緊急立法？此等問題同時是緊急命令發布與否所應考量的問題。

　　先以民生物資供需調控問題為例，重要民生物資囤積居奇、哄抬物價，非始於今，見諸過去，未來亦會發生，COVID-19只是一次的個案。設若現行法無民生物資供需調控的機制，則問題不在是否發布緊急命令，而是現行法制出了問題。

　　再以疫苗注射為例，眾所皆知，疫苗接種的覆蓋率是拉長戰線、持久防疫的至要關鍵。衛福部於2021年2月訂定「110年COVID-19疫苗接種計畫」，將疫苗接種分為三階段，又於同年6月公告「COVID-19疫苗公費接種對象」，修正前揭計畫的接種對象與優先順序。暫且不問接種順序是否公平合理，令人驚訝的是，傳染病防治法對於疫苗接種順序的原則及決定的程序，竟無任何規定，作為上述接種順序的授權依據，僅僅是同法第5條第1項第1款第1目的空泛組織法之規定。[13]

13　條文內容為：「中央主管機關及直轄市、縣（市）主管機關（以下

　　反向思考，人民有無請求國家提供疫苗接種的公法上權利？單從國家保護人民生命權的憲法義務來說，原則上應持肯定之見解。然因疫苗涉及醫學科技實驗、醫療資源分配等主客觀因素，且確保疫苗的安全性同樣亦是國家對人民生命權保護義務的一環，故亦須由立法者建立一套管控機制及分配標準，並賦予人民在一定條件下之請求權基礎，方得順遂運作。其間，曾有人民要求衛福部「足量進口世界衛生組織認證之疫苗」，並向行政法院提起給付訴訟，行政法院遂以判決駁回。[14]固然，本件訴訟的主要請求的是「給予原告及全體國民疫苗預防接種」，政治訴求意涵大於個人權利救濟（關於權利救濟問題，容後討論），仍然透露出現行疫苗法制的不足與闕漏。

　　由上述三例可知，吾人在探討防疫法制問題時，應跳脫緊急命令的思維框架，不執意於發布「一次性」的緊急命令，而是啟動「持續性」的法治持久戰。因應緊急狀態的立法工程是民主法治國家的經常性課題，不像緊急命令或緊急立法的「即時性」與「限時性」。[15]COVID-19的猛爆力可以讓我們快速梳理、盤點現行相關法令，毋寧不是對法律體系進行徹底總體檢的最佳時機；而疫情持續嚴峻，意味的是法制研修與整備不是等到疫情過後才開始，實則應與疫情同步共進。換言之，立法相關部門不能因疫情而停擺，反而應針對

（續）────────────────

　　簡稱地方主管機關）執行本法所定事項權責劃分如下：一、中央主
　　管機關：（一）訂定傳染病防治政策及計畫，包括預防接種、傳染
　　病預防、流行疫情監視、通報、調查、檢驗、處理、檢疫、演習、
　　分級動員、訓練及儲備防疫藥品、器材、防護裝備等措施。……」

14　臺北高等行政法院110年度訴字第623號判決
15　特別條例或緊急命令通常定有「施行期間」規定。例如九二一緊急
　　命令第12點規定：「本命令施行期間自發布日起至民國八十九年三
　　月二十四日止。」

疫情浮現的法制漏洞，隨時調整、修補，使完備之。

四、例外狀態的思辯與典範變遷

　　與本文上述「常備法制」思維不同的觀點是，把憲法緊急命令制度解釋為制憲者有意將國家緊急權力集中於總統一身，並且建議當前的防疫決策權應提升到總統緊急命令的位階。[16]細察此種見解的底蘊，實與所謂「例外狀態」的思考模式有關。一般認為，我國憲法第43條[17]繼受自德國威瑪憲法第48條第2項緊急命令制度；[18]而施密特於1922年《政治神學：主權學說四論》一書開篇首句：「主權者，即例外狀態的決定者」（Souverän ist, wer über den Ausnahmezustand entscheidet.），[19]用以標誌並詮釋帝國總統的緊急命令權，廣被引用，後則成為討論例外狀態的經典語句。

16　參見邱文聰，〈在例外與常態間失落的法治原則——論臺灣防疫模式的法制問題〉，《法官協會雜誌》，第22卷（2021），頁128-145。

17　條文內容：「國家遇有天然災害、癘疫，或國家財政經濟上有重大變故，須為急速處分時，總統於立法院休會期間，得經行政院會議之決議，依緊急命令法，發布緊急命令，為必要之處置。但須於發布命令後一個月內提交立法院追認。如立法院不同意時，該緊急命令立即失效。」

18　條文原文：「（2）Der Reichspräsident kann, wenn im Deutschen Reiche die öffentliche Sicherheit und Ordnung erheblich gestört oder gefährdet wird, die zur Wiederherstellung der öffentlichen Sicherheit und Ordnung *nötigen Maßnahmen* treffen, erforderlichenfalls mit Hilfe der bewaffneten Macht einschreiten. Zu diesem Zwecke darf er vorübergehend die in den Artikeln 114, 115, 117, 118, 123, 124 und 153 festgesetzten Grundrechte ganz oder zum Teil außer Kraft setzen.」

19　Carl Schmitt, *Politische Theologie*, 4. Kap.: Zur Lehre von der Souveränität, 2, Aufl., 1934, S. 13.

從規範憲法與比較法的觀點出發，首應指出三點：其一，我國憲法第43條與德國威瑪憲法第48條第2項並不全然相同，最主要的差別在於威瑪憲法並未如我國憲法規定緊急命令之發布限於「立法院休會期間」，且需制定「緊急命令法」（「依緊急命令法，發布緊急命令」）。礙於此二限制，我國總統未曾依據憲法發布緊急命令，而是依動員戡亂時期臨時條款發布緊急處分。其二，威瑪憲法第48條第2項除了授權帝國總統得採取「恢復公共安全及秩序之*必要處置*」外，並規定總統於必要時得*暫時凍結*若干基本權利[20]之全部或部分效力。其三，德國於二次戰後制定的基本法（憲法）中未承繼威瑪憲法第48條第2項的總統緊急命令制度，聯邦總統並無緊急命令權。是以，「主權者，即例外狀態的決定者」之說，至少不適用於德國當前的憲政體制。[21]

經由上述比較，可以得出兩點推論：一、我國憲法的總統緊急命令權屬民主憲政體制內之緊急法制。二、我國憲法並未賦予總統得透過緊急命令暫時凍結人民基本權利之權力。換言之，我國憲法雖設有總統緊急命令制度，然仍受到民主程序的制約（縱使透過增修條文鬆綁），且無暫時凍結法秩序的權力；緊急命令與法律居於特別法與一般法之關係。從規範面的角度出發，不問是緊急命令或是緊急立法，皆不得牴觸憲法，特別是憲法第二章保障人民權利規定，具有本質之重要性，乃現行憲法賴以存立的基礎，凡憲法設置的機關均有遵守的義務，構成修憲的界線，[22]依憲法所發布具法律位階的緊急命令亦不得牴觸憲法，自不待言。

20　即威瑪憲法第114, 115, 117, 118, 123, 124及153條規定之基本權利。

21　參見 Horst Dreier, "Rechtsstaat, Föderlismus und Demokratie in der Corona-Pandemie," *DÖV* 2021, 229 f.

22　司法院釋字第499號解釋。

　　回到防疫法治課題，自疫情爆發以來，儘管防疫措施接連實施，法律爭議問題不斷，諸如邊境出入管制、醫療人員禁止出國、營業場所暫停營業、公共場所強令戴口罩等等。不過，至少在結構上係以「正常狀態」之法制對應「非常狀態」之疫情。即使於2021年5月11日起因本土確認數的急速攀升而面臨疫情爆發的重大危機，防疫措施亦是在憲法秩序的框架下運行，終而於8月底回到疫情的受控狀態。[23]在此期間，人民的基本權利固然受有限制，但不是被「凍結」。[24]也因此，在當前全球疫情仍持續在蔓延、病毒不斷變種的當口，所謂「例外狀態」的討論與思維不能僅侷限在總統的緊急命令權，或被簡化成「誰是主權者」的架空論題，而應更大格局地思索在民主法秩序中是否存在necessitas non habet legem（緊急不識法律）[25]的空間，以及受憲法規範拘束的權力體系是否容許法治以外

---

23 關於臺灣於2021年5月前的防疫與法治之關係，參見Chien-Liang Lee, "Krise als Chance – das taiwanesische Corona-Management auf dem Prüfstand demokratisch-rechtsstaatlicher Verfassungsmaximen," *DÖV* 2021, 767-777.

24 基本權利若被「凍結」，一如威瑪憲法下總統緊急命令權的效力，意味的是行政機關及法院可以不受基本權利的拘束。關於威瑪憲法時期的學說見解，參見Gerhard Anschütz, Die Verfassung des Deutschen Reichs vom 11. August 1919, 14. Aufl. 1933, Anm. 15 zu Art. 48（S. 289）.

25 necessitas non habet legem 的全文是"Satius est missam non cantare aut non audire, quam in his locis ubi fieri non oportet, nisi pro summa contingat necessitate, quando necessitas legem non habet.".大意是：「除非事出緊急，否則應該遵循彌撒的原則（與其在不對的地方作彌撒，不如不作也不聽），因為緊急不識法律」。最早出自班乃迪克教派修士Gratian於1150年所寫的 Decretum Gratiani，後來被教宗Pope Gregory IX編入1230年完成之宗教法典 Decretales Gregorii IX。參見Decretales of Pope Gregory IX, Book 5 Title 41 Canon 4 /

的「例外狀態」。唯有擺脫建構「憲法特別法」的思維框限，方能
持平地審究民主法秩序下防疫法制與措施的合憲性問題。換另一種
說法，縱使總統不行使緊急命令權，所謂「例外之法」是否以另一
種形式轉移到其他行政權身上，[26]值得留意、嚴肅以對。

「事急從權」的說法，自古有之。然在民主法治國家中，仍須
在法治原則框架下運行。需要特別指出的是，所謂necessitas non
habet legem（緊急不識法律）之說，原為中世紀宗教法的一環，規
範的對象是個人，[27]而非世俗國家，與今之國家權力受憲法及人權
制約的法治理念，非可同日而語。是以，縱令事急必須從權，亦須
在憲政法治秩序之下建立「例外之法」，而非「法外之例」。立法

（續）————————————————

Gratian, De con. D.1 c.11.

26 疫情期間，在德國有所謂「行政時刻」（Stunde der Exekutive）的
　　說法與論辯。參見Tristan Barczak, Die "Stunde der Exekutive" –
　　Rechtliche Kritik einer politischen Vokabel, RuP 2020, 458 ff.「行政
　　時刻」（Stunde der Exekutive）一詞早在疫情爆發之前即已存在，
　　例如Martin Diebel, *Die Stunde der Exekutive*（2019）一書，主要記
　　述1949年至1968年間德國制定緊急法律與聯邦內政部緊急權力的
　　爭議。

27 波隆那神學家Huguccio（d. 1210）曾對此格言評論："necessitas non
　　habet legem: Idest in necessitate positus non subest legi, non dicitur legis
　　esse transgressor, idest reus transgressionis, licet aliter faciat quam
　　precipiat lex"，大意是：「於緊急之時，個人不受法律拘束，亦不
　　能稱之為違法者；即使他做了法律所要求以外之事，亦只能說是對
　　違法的罪惡感 。」即是對個人而發，可資佐證。參見Kenneth
　　Pennington, "Innocent III and the Ius commune," in: Richard Helmholz,
　　Paul Mikat, Jörg Müller, Michael Stolleis（Hrsg.）, *Grundlagen des
　　Rechts: Festschrift für Peter Landau zum 65. Geburtstag*（Rechts- und
　　Staatswissenschaftliche Veröffentlichungen der Görres-Gesellschaft,
　　NF 91; Paderborn: Verlag Ferdinand Schöningh, 2000）, S. 349-366,
　　352.

者應在常備法制中建置緊急之法與例外規定，以應急需[28]；而法律適用者則應遵循「特別法優於一般法」、「例外規定應從嚴解釋」的基本法則。至緊急法制與法治原則之關聯，非可抽象一概以論，需以人權保障為支點，交互權衡思辨之。

五、數位防疫與人權防護的折衝

承上法治理據，續論疫情社會的人權課題，首先觀念上須區分的是「規範上違法／違憲」與「適用上違法／違憲」兩種不同層次的問題。例如主管機關實施師生禁止出國、醫護人員禁止出國，或是入境後的居家檢疫或強制隔離治療等措施，基本上是行政機關（流行疫情指揮中心）依據並適用法律所為（相對人雖非特定）之具體措施，是否「違法」乃至於違憲，例如是否違反法律構成要件的意旨，或牴觸比例原則或平等原則，應依具體情節判斷之，並得為行政法院審查之標的。不過，行政機關適用法律是否違法或違憲的前提問題是，有無法律依據？或其所適用的法律是否足以作為依據？或其所依據的法律本身是否違憲？為人權保障機制與違憲控制體系的重要環節。

基本問題是：防疫法制究竟應鉅細靡遺悉加規範，還是儘可能概括授權，以免掛一漏萬？礙於題旨與篇幅，本文不擬針對截至目前為止之各項防疫措施逐一進行法規盤點與法律分析，僅就爭議性最大的COVID-19特別條例第7條，略作析論。

28　此猶如中世紀宗教法之另一法則：necessitas set ipsa sibi facit legem（緊急可以造法）（全文：Quia enim necessitas non habet legem, set ipsa sibi facit legem），亦出自 Gratian 的 Decretum Gratiani，後收錄於 *Decretals of Gregory IX*（X 5.41.4）.

　　本條規定：「中央流行疫情指揮中心指揮官為防治控制疫情需
要，得實施必要之應變處置或措施。」僅以「為防治控制疫情需要」
為構成要件，授權防疫指揮官實施「必要之應變處置或措施」。此
一近乎空白的授權條款，遭致違反法律明確性原則的違憲質疑，實
不意外。然亦有支持此「概括授權條款」之必要性者，理由主要是：
疫情散布快速、病原前所未見，爆發點或蔓延面都難以事前預料，
因此主管機關需要有依個別具體情形判斷的權力與應變的空間。防
疫急如作戰，確實如此，然能否防護人權，則需分說。

　　除了刑法受「罪刑法定原則」的制約外，[29]「概括條款」為所
有法秩序常見之規定，形式不一，例如民法第72條：「法律行為，
有背於公共秩序或善良風俗者，無效。」警察職權行使法第28條第1
項：「警察為制止或排除現行危害公共安全、公共秩序或個人生命、
身體、自由、名譽或財產之行為或事實狀況，得行使本法規定之職
權或採取其他必要之措施。」是以，問題不在概括條款的存在，而
在於概括條款「能否」動用？「如何」適用？

　　從立法論而言，「概括條款」之所由設，不外有二，一則補條
文規範之不足，蓋「法條有限，人事無窮」，疏漏之處，自所難免；
另則濟規範者未知之不能，也就是立法者無法規範其所不知的事
物。同理，就法解釋以論，概括條款既是「補餘」性質，則其適用
應後於「有限」的相對具體規定。以前揭警察職權行使法第28條第1
項為例，警察在「採取其他必要之措施」之前，自應先適用「本法
規定之職權」；同條第2項：「警察依前項規定，行使職權或採取措
施，以其他機關就該危害無法或不能即時制止或排除者為限。」將

29　不過，刑法的構成要件要素中使用抽象概括之不確定法律概念者，
　　頗為常見。

「警察」職權的行使，列於「其他機關」之後，其理亦同。又，所涉規範事項若已非屬立法者所不知，而其處置或措施對人民權利干預甚鉅者，行政機關亦不得動用概括條款，以圓其法源之不足。以下試以數位防疫為例，略論述之。

臺灣防疫有成，少不了數位技術的動員，傳染病的通報、預防、研判、合作、監控，無一不是透過對人民digital footprints（數位足跡）的掌控，例如使用數位足跡進行疫調（確診者與接觸者），並發送cell broadcast（細胞簡訊）。疫情當口，數位技術與用途自需不斷加碼與升級。但疫情趨緩，相關防疫措施逐步鬆綁、解封之後，數位資料不得繼續儲存或利用；尤其透過各式手機獲得的數位足跡不得成為數位監控的元素，人民的個資更不能被串連而數位化成為可被精準捕捉的人格形象。這一連串環環相扣的人權問題，指向一個關鍵性的問題：主管機關蒐集並利用人民的手機資料的法律依據何在？能否動用COVID-19特別條例第7條？特別是主管機關在未經當事人的同意之下，要求電信業者提供其客戶的手機資料？

如果立法者可以預見、而且已經看見確診者與接觸者的數位追蹤被廣泛且持續的運用，考量其可能涉及個人的敏感資料，則在法制上無疑可能而且應該建立一套嚴密而完整的運作要件與防範機制。此不僅涉及動用的時機與要件，還包括蒐集的正當程序、取得資料的處理管理、告知當事人機制，保存方式、期間，資料的用途等等，均有特別明定的必要。[30]更重要的是，必須明確告知並提供

30　參見司法院釋字第603號解釋意旨。（舊）戶籍法第8條第2項「請領國民身分證，應捺指紋並錄存」規定之所以違憲，乃因其未於法律中明定其蒐集之目的，並應明文禁止法定目的外之使用。反觀數位防疫大規模蒐集、錄存人民數位足跡，並建立資料庫儲存，再進一步分析、演算，其對人民資訊隱私權的侵犯，不亞於要求人民捺

人民救濟的機會。與此同時，主管機關也已經失去動用概括條款的正當性。[31]

六、人身自由的限制與權利救濟

　　數位足跡涉及個人的資訊隱私與自決權，對於人格發展固然影響至鉅，但個人資料受到侵害時，卻未必有感。相比之下，因居家檢疫、自主健康管理或隔離治療等措施而人身自由受到限制或剝奪者，則切身而難行。以自外國入境者皆須配合居家檢疫14天為例，雖有科學依據（COVID-19的潛伏期大約14天），但實際上未必當然，加上起迄日如何計算，各自解讀不一，遭致違規而處罰者，為數不少。觀察截至目前為止的訴訟案件多半集中在違反居家檢疫規定的處罰問題，可見一斑；其主要爭執點在於居家檢疫期間的計算、違反居家檢疫者是否出於故意？裁處的罰鍰是否過重等問題上。[32]

　　值得注意的是，部分人民認為其無居家檢疫或隔離治療之必要，而依提審法向法院聲請提審，以便快速獲得救濟，免除身體自由的限制。不過，提審法院多半一方面以系爭限制或剝奪人身自由的措施合法為由，駁回聲請；另方面又指「聲請人如有不服，要係

（續）————————————————
　　　指紋並錄存之，則數位防疫的要件與相關程序，更應嚴格而周密。
31　參見司法院釋字第535號解釋不僅要求臨檢的要件應趨於嚴格，且
　　應提供人民救濟的機會。「數位疫調」對人權干預之程度，猶甚於
　　「臨檢」。若臨檢不得依據概括條款為之，則「數位疫調」自亦不
　　可。抑且，警察以肉眼或體力蒐集人民的個資，須以有相當理由足
　　認其行為已構成或即將發生危害者為限，則強度數倍於肉眼或體力
　　以上的數位搜索，需要更嚴密的發動要件及防範濫用的法律機制。
32　參見李建良，〈COVID-19行政法裁判選評〉，《月旦實務選評》，
　　1卷3期，2021年9月，頁32以下。

應循訴願程序救濟，非屬提審事件所得審究事項」。[33]實則，之所以有提審制度的設置，乃因國家機關對人民之拘禁嚴重侵犯人民之基本權利（人身自由），而讓人民可以經由提審程序，由法院直接審查「拘禁行為」的合法性，儘速決定是否構成違法拘禁，並儘早解除對人民身體自由的剝奪。需要指出的是，現行提審法之所以修正（103年1月8日修正公布），肇因於司法院大法官釋字第690號解釋（100年9月30日公布）認為剝奪人民身體自由不需要如同羈押被告一樣經過法院的決定（學說上稱為「法官保留」）。[34]因此，隔離檢疫或治療的決定，只需要由兩位專科醫師鑑定即可。因此，立法者特別修改提審法，擴大向法院聲請提審的適用範圍，以防杜大法官解釋造成的權利救濟破口。

固然，居家檢疫或強制隔離為防疫的必要措施，但正因為當疫情嚴峻時，類此限制或剝奪人民身體自由措施的實施對象數量龐大、範圍極廣，主管機關反而更應該遵行正當法律程序，且給予人民及時救濟的機會。未來除了期待司法院大法官修正釋字第690號解釋的意旨、回歸「法官保留」原則（至少是事後的法官保留原則）外，立法機關應檢視目前相關措施的合理性與合法性，適時增修相關法律，並完備救濟管道，建立兼備傳染病防治效能與人權保障周全的法治體制。

---

33 例如臺灣臺北地方法院110年度行提字第1號裁定。

34 本號解釋的原因案件即是2003年臺北市政府為防治SARS疫情，而對和平醫院進行封院措施，進而引發違憲的爭議。

七、疫情社會與民主政治的韌性

回到本文開篇論及「緊急立法」與「緊急命令」的法治之辯，以及接續而後的防疫人權課題，均同時涉及防疫法制的民主課題。雖然論之最後，實則貫穿其間。民主是現代國家的政治型態之一，復為民主憲政體制的基本原則，既屬國家權力的結構要素，又橫向連結社會關係脈絡。防疫與民主的關聯，至少可以化約成三個觀察面向：一、防疫法制的民主正當性；二、疫情期間的民主行動；三、民主制度的自體防疫。

關於防疫法制的民主正當性，就抽象層面來看，緊急命令由總統發布、立法院追認，與法律由立法院通過，總統公布，如同法律有一般法與特別法之分，法律的效力為另一法律暫時替代或變更者，法之位階，並無不同，法之民意基礎亦無分軒輊，二者均以全國民意為後盾。相對來說，行政機關訂定行政命令或採取具體措施，其民主正當性一方面來自由總統而來的間接民主鍊條，另方面則依附於國會制定的法律規定或授權。不過，法律要件越抽象、授權條款越概括、正當程序越寬鬆、司法救濟越不足，則防疫行政的民主正當性越低，反之亦然。在此民主制度彈性之下呈現的來回拉扯關係中，立法機關扮演樞紐的角色，前述如何*比較有效但又不致過度侵犯人權*的實質法治問題，同樣也是民主正當性的問題，並且會反映在人民對執政者的民意走向上。

疫情期間，臺灣選舉相關活動照常舉行，如里長選舉或補選等，同時歷經史無前例地方自治團體行政首長罷免成功案，以及兩次的地方市議員罷免案（一次成功、一次失敗），展現臺灣在疫情中的民主時刻。不過，當疫情持續在人與人接觸之間蔓延時，虛擬世界

與數位空間成了人們群聚互動及交換資訊的主要場域。資料驅動下的數位轉型，從大數據進化到大演算，資料串連而成資訊「造假」的可能性亦隨之大增，除了disinformation或misinformation等流行語彙外，更有infodemic（訊息疫病）的創用，對決諸正確資訊與選民自主的民主政治而言，衝擊之大，顯而易見，不言可喻。另方面，源於很難完全避免群聚的實體投票行為，一定程度降低投票意願及其投票率，亦對民主運作產生無形的影響。隨著疫情的升溫與選舉投票規模的加大，例如全國性立法委員罷免案及全國性公投案，臺灣民主政治正面臨前所未有的挑戰。就投票而言，制度上可設計通訊或線上投票機制，其他民主國家，早有先例，運行多年。然則，制度設計可能，實際運作是否可行，則是對民主政治成熟度的嚴峻考驗。所幸除了選罷之外，攸關直接民主的數起公民投票案，儘管因2021年5月間疫情升溫而一度延宕，仍將於12月如期舉行，不管結果如何，都是臺灣防疫與民主雙贏的寶貴成果。

　　民主的悖論在於，**民主無法保證選民是民主的！**在人類歷史的長河中，民主理念的具體實踐，相對少數，及至當代，縱有選舉的民主形式表徵，國家是否由人民真正的自由作主，仍然是一個巨大的問號。民主制度並無自體免疫體系，未內建自我防衛系統，無法在偵測到有外來病菌入侵時，自動產生抵抗力而免於受到病菌的攻擊，亦難以在異質器官移植時，發生拒卻的排斥反應。今之所謂「防衛性民主」，不是來自民主自身，而是建構在各種防弊的憲法或法律規定以及司法審查機制之上。除了選民是否具備民主素養及自由尊嚴的核心價值外，操作選舉制度的國家機器及其公務員亦是民主政治成敗的關鍵要素。

　　進入後疫情時代，政府為了抗疫，管制假訊息，提高對人民言

論的監督，並且以（加重）處罰為手段，似乎是理所當然之事。[35]無可諱言，當疫情升溫時，誇大恐懼或焦慮的無心之見或惡意攻擊也隨之加劇，除了依賴人民自身的情緒管理，避免同溫層效應而陷入集體理盲外，公權力進入言論市場，勢不可少。[36]暫且不問公權力的介入是否產生寒蟬效應（有待驗證），觀念上必須指出者，民主政府對假訊息的管制或處罰，不等於戕害言論自由、進而破壞民主體制，可以當然被貼上「反民主」或「專制獨裁」的標籤。因為保障言論自由以健全民主政治與管制假訊息以避影響民主政治，不可同日而語，更與沒有民主選舉制度的集權政權假防疫之名、行侵害言論之實，不能相提並論。面對假訊息的攻擊，民主自身是脆弱的，因此對抗假訊息的法治是保護民主的必要之舉與正當機制，但如何不會因此而危及民主的核心價值，卻是艱難的課題。[37]有機民主的運作有賴資訊的自由流通與意見的自由互動。資訊可能左右民主政權的更迭，但透過訊息可能取得的政權，同樣也可能被另一套訊息所輪替。民主的基礎是自由，自由的保障有賴法治，法治又是民主的實踐型態，法治、民主、自由之間形成良性的互動關聯，需要時間，而民主政治的韌性也在此展露無遺。

---

35 參見COVID-19特別條例第14條加重處罰散播有關嚴重特殊傳染性肺炎流行疫情之謠言或不實訊息的規定。

36 自2020年COVID-19爆發以來，警察就與疫情相關的假訊息（包括對防疫政策的批評），依社會秩序維護法第63條1項5款（散佈謠言，足以影響公共之安寧者）移送法院審查的案件激增，可見一斑。

37 參見李建良，〈真疫情與假訊息：民主悖論的再思考〉，《月旦醫事法報告》，54期，2021年4月，頁7-13

八、結語：疫情時代下人的處境

　　預防勝於治療！與其事後道歉，不若事前防範；及早採取完善的措施，建立眾所咸遵之準則，儘管總是嫌不夠早、不夠快！事理固如此，人在局中，卻未必知局。在大流行的衝擊下，國家與社會的多重面向，相對清晰又一再變貌。維持秩序、確保安全，為國家的核心任務與保護義務。為了阻止疫情的蔓延，國家必須限制人民的行動與生活，卻不能毫無限度。為了不讓醫療體系負擔過重，醫事人員疲於奔命，避免公衛體系超載崩潰、人民正常生活為之失控，國家必須採取各種高強度的人肉搜索與數位追蹤，以便能夠及時斷絕傳染鏈。種種防疫措施是否「適當合度」，也許可以或只能留給時間證明，但知否人權底線日益模糊、人權防線刻正點滴流失。[38]

　　微危察之為難！當舊的事物被賦予新的定義、新的正常帶來新的視角方位與思維模式時，新的陰影、新的隱患也同時隨之而來。數位技術可以有效防疫，同樣也會作用在人的身上。疫情期間，中央流行疫情指揮中心持續公布確診案例，區分「境外移入」與「本土感染」，兩邊的數字隨著時間，互有消長。境外移入的確診案例，病毒傳入的來源、路徑與區域，相對清楚，可以採取針對性的防堵措施；反之，本土的確診案例，感染源隱晦不明，找出病毒源頭、傳播足跡及影響範圍，難度較高，群聚感染的威脅也大於境外移入的確認案例。2021年5月11日起，當本土確診案例逐漸攀升時，臺灣

38　參見李建良，〈遊走在疫情熱點與人權紅線的數位足跡〉，康豹、陳熙遠主編，《研下知疫，COVID-19的人文社會省思》，2021年7月，頁297-310。

面臨前所未有的嚴峻挑戰，可為例證。法之移植與法治生根，亦復如此。本土法學與法制的病因探索與疫情調查，其難度遠遠大於外國法制的引介與外國學說的探討。

　　疫情時代下，人面臨什麼樣的處境？民主法治的理性建立在客觀的事實基礎上，當事實基礎不在或未知、需要依賴人類「主觀理性」的時候，我們是否有此能力？身為公法學者，不能不抱持公權力應受民主法治人權拘束的學術理性，即使是在疫情期間。縱然事變無窮，難以逆料，亦不可預定，只要人在其中，就別無選擇！

　　李建良，中央研究院法律學研究所特聘研究員。研究領域包括憲法、行政法、基本權理論、法學方法論。曾任科技部法律學門召集人（2017-2020）。近期著作包括：《人權理念與憲法秩序：憲法學思維方法緒論》（2018）、（主編）《法律思維與制度的智慧轉型》（2020）等。

台灣新冠肺炎疫情的風險治理初探：
歷史機遇、暴露度、脆弱度與韌性[1]

林宗弘

　　新型冠狀病毒肺炎（COVID-19）疫情是最近三十年來最嚴重的全球災難事件，台灣在這次疫情期間的治理表現引起國際關注。從新冠肺炎爆發近兩年以來，台灣的疫情可以分為兩個階段，第一個階段可以稱為「國境管制期」，從2020年1月到2021年3月，在這段期間感染者大約1,200人，死亡12人，絕大多數都是境外移入，防疫非常成功且有助於經濟成長；第二個階段為2021年4月到8月的「境內控制期」，由於Alpha（B1.1.7）病毒傳入台灣而導致較嚴重的社區感染與全島擴散，在五個月內造成共計約15,000人確診、超過820人死亡，引起國內民眾恐慌與國際關注，卻也在中國大陸的外交與軍事壓力下，促成日本與美國捐贈疫苗的重大國際合作事件。由於全球疫情與台海政治局勢還在持續變化，本文僅能提供最近期的觀察，尚未能做出明確的結論。

　　在疫情肆虐進入第二年之後，全球學者發表不少傑作，希望釐

1　本文修訂筆者在2021年3月26日於日本山口大學的線上演講「COVID-19における台湾の社会的リスク：曝露、脆弱性、強靭性の分析」，部分參考修訂自林宗弘，2020，〈建構韌實力：全球疫情下臺灣的公民社會與創新福利國家〉，《臺灣社會學刊》，67期，頁203-212。

清與疫情有關的政治、社會與公共政策因素，以利於減少疫情損失。
相對於公共衛生常用的模型，本文採用災難社會學的理論架構，引
用氣候變遷的風險函數：包括危害度、暴露度、脆弱度與韌性這四
個概念，來說明台灣疫情風險在「國境管制期」與「境內控制期」
兩個階段的變化，其中，台灣的全民健康保險與中央流行疫情指揮
中心（英語：Central Epidemic Command Center，縮寫CECC）的制
度反應迅速，國境管制期的核心策略是以移入者隔離檢疫控制暴露
度，而境內控制期的關鍵問題是社會脆弱度，至於在韌性方面，台
灣的公民社會在兩個階段都有重要影響。最後，則是檢討台灣案例
在兩個階段所得到的啟示與教訓。

一、探索影響疫情的社會因素：氣候變遷風險分析的啓示

　　全球疫情是跨學門的研究領域，較常見的研究策略是以公共衛
生傳染病模型為基礎，加入新的中介因素以修訂相關模型。例如，
有關文獻大量引用經典的SIR模型，逐漸發展為MSEIR模型。SIR模
型指的是暴露人群之可感染（susceptible, S）、感染（infected, I）、
與康復（recovered, R）三個階段的函數，MSEIR則是把整個模型擴
大到被動免疫M（passive immunity）、暴露E（expose/exposure），
這兩個階段的策略，例如以疫苗達成可感染群體免疫，或是用口罩
與社交距離來減少其暴露度，均可用來阻斷或減少傳染。[2]此外，在
I與R之間的醫療也是考驗一國公共衛生制度與能力之處，包括治療

2　Hethcote, Herbert W.（1989）. "Three Basic Epidemiological Models."
　　In Levin, Simon A.; Hallam, Thomas G.; Gross, Louis J.（eds.）. *Applied*
　　Mathematical Ecology. Biomathematics. 18. Berlin: Springer. pp.
　　119-144.

用的藥品、病床與呼吸器等醫療資源的品質與數量，會影響確診者
的死亡率。

　　公共衛生模型雖然留下了非常豐富的文獻，從災難社會學或氣
候變遷的風險研究，或許也能為分析疫情提供一些有創意的觀點。
氣候變遷與全球疫情的類似之處，是進行中且有高度不確定性的風
險，需要跨學門的理論架構。在氣候變遷文獻裡，依據聯合國政府
間氣候變遷專門委員會（Intergovernmental Panel on Climate Change,
IPCC）與後續文獻，某種天災的風險函數可以表示為：[3]

風險＝f（危害度(hazard,+),暴露度(exposure,+),脆弱度(vulnerability,
+),韌性(resilience,−),…）

　　從函數的依變量來看，此一風險是規模與機率相乘並加總的期
望值，其分布有時間與空間的向度，然而其操作化仍視研究主題而
定，例如在一百年之內某國遭到全球流行病侵襲的頻率、或每年的
發生率（每十萬人中的新感染者比例）或死亡人數，其用來估計風
險的依變量可以是類別變量（如死亡事件）或連續變量。這個天災
風險的期望值，至少受到下列四組因素影響：

　　（1）危害度，指的是造成意外事故的物理、化學或生物衝擊事
件，例如地震發生規模與機率的分布。以傳染病來說，學界關注的
包括傳染途徑、致死率與基本再生率等病理特徵，致死率高的傳染
病通常會導致宿主太快死亡而難以傳染，因此與基本再生率有負相

3　本文的風險函數參考自 IPCC. 2012. *Managing the Risks of Extreme Events and Disasters to Advance Climate Change Adaptation*. New York: Cambridge University Press, pp. 31-34.

關,也可能使低基本再生率與高致死率傳染病的總危害度(例如總死亡人數),比較低致死率與高傳染性的疾病更弱。相反地,新冠肺炎的中低致死率與較高的基本再生率,反而比先前致死率高的SARS、與致死率更低的流感,其危害度可能更為嚴重。此外從最早期的疫情研究已指出新冠肺炎對高齡者有明顯較高的感染致死率。[4]

在同一次疫情的跨國研究裡,危害度通常被當成是恆定的常數,這個假設卻在新冠肺炎疫情期間遭受重大挑戰。例如,已經有研究指出全球不同人群可能對冠狀病毒產生不同的病理反應、而且病毒株也在不斷變異,從Alpha、Delta到Mu的基本再生率似有提升趨勢,對不同病毒株的致死率統計卻難以比較,不過「全球疫情下各國人民所面對的病毒危害度類似」這個假設,仍比不同類型流行病的跨國比較(例如比較流感、麻疹與冠狀病毒)更符合現實。因此,在此次全球大流行的風險函數裡,社會科學學者經常認為造成各國防疫差異的是暴露度、脆弱度與韌性這三個社會風險因子、與這些因子的交互作用。

(2)暴露度,在災害研究裡通常是指受前述危害度衝擊的人口與財產總量,例如某個災區的總人口、人口密度、或房屋的總面積與資產總值等。[5]公共衛生學上的傳染病模型很早就考慮到暴露度這個因子,主要用總人口、分世代人口、人口密度或人口流動來測量。

4　參考Meyerowitz-Katz G, Merone L (December 2020). "A systematic review and meta-analysis of published research data on COVID-19 infection fatality rates." *International Journal of Infectious Diseases.* 101: 138-148.

5　Kuan-Hui Elaine Lin, Yi-Chun Chang, Gee-Yu Liu, Chuang-Han Chan, Thung-Hong Lin, and Chin-Hsun Yeh , 2015, "An interdisciplinary perspective on social and physical determinants of seismic risk," *Natural Hazards and Earth System Sciences*, 15, 2173-2182.

在台灣的案例裡，從2020年到2021年3月這段國境管制期對暴露度造成的限制、個人傳染網絡的追蹤以及戴口罩、勤洗手等國內措施，是阻斷全球疫情的有效策略。2021年4月之後的「境內控制期」除了採取居家或分流上班、上課、禁止集會與餐廳內用等群聚活動、再次擴大強制集中隔離與居家隔離、自主健康管理的時空範圍，對於違反強制隔離規定、違反社交距離與未戴口罩等行為也有較嚴厲的處罰。

（3）脆弱度，通常指影響人們受害期望值與其離散程度的社會、經濟或身心條件。[6] 例如在個人層次，中下階級或低所得家庭、因族群或膚色受歧視的人群與貧困社區居民、各種身心健康、年齡所造成的行動能力障礙者、或是負起照護責任的女性，常有較高的災害風險發生率與死亡率；在總體層次研究中，前述弱勢群體透過居住社區醫療資源不足、住房或公共工程品質較差、性別與文化歧視導致營養匱乏，或個人行動能力與公共交通不便等中介因素，也會影響災害死亡率。[7] 至於影響一國的脆弱度因素，包括經濟發展與貧富差距、醫療資源或品質、年齡或人口結構、政治經濟制度或性別因素等，會影響國際比較的災害發生率與死亡率差異。[8] 總之，災害風險反映社會不平等，新冠肺炎疫情的感染與死亡風險也部分反映此前的健康不平等與社會不平等。[9]

6　Adger, W. N., 2006, "Vulnerability." *Global Environmental Change* 16: 268-281.

7　Cutter, S. L, 2003, "Societal Vulnerability to Environmental Hazards." *International Social Science Journal* 47（4）：525-536.

8　Lin, Thung-Hong. 2015. "Governing Natural Disasters: State Capacity, Democracy, and Human Vulnerability." *Social Forces* 93 （3）: 1267-1300.

9　Wilkinson, R.G., 1997. Health inequalities: relative or absolute material standards? *British Medical Journal* 314（7080）, 591-595.

（4）韌性，通常指災難發生期間有助於社群或個人因應受災衝擊與災後復原的特質與條件，包括家庭財富、政治參與、心理健康等。因此，韌性有不少因素與脆弱度重疊、或成反向關係，即脆弱度高者有時韌性也較低。近年來，學者發現韌性與人際之間的社會網絡密切相關。許多研究證實，社會網絡對災難緊急應變與災後重建——包括物質與心理復原有重要影響。上述社會網絡常被稱為「社會資本」。[10]值得注意的是，各種被稱為「社會資本」的特質，例如個人關係、社團參與、制度信任與投票行為等，在不同災害類型、與災後各種復原項目裡，會發揮不同的效應，也在新冠肺炎的研究上引起重大的爭論。

在新冠肺炎的社會學研究裡，許多研究顯示個人的社會網絡或對一般人的信任，與全球疫情的發生率與致死率正相關，也就是「個人社會資本」容易造成疫情擴大，這也是世界各國採取社交距離、減少群聚來防疫的主要理由。[11]相反地，研究也發現對政府、公民團體、醫療機構與科學的信任，這種「集體社會資本」可以增加民眾採取防疫行為，例如戴口罩、保持社交距離、接受政府防疫指引的服從程度[12]。這些發現將會修改學者對社會資本或韌性的理論認識。我們發現，台灣的案例顯示「集體社會資本」亦即公共信任與

---

10 Aldrich, Daniel P. 2012. *Building Resilience: Social Capital in Post-Disaster Recovery*. Chicago: University of Chicago Press.

11 Elgar FJ, Stefaniak A, Wohl MJA. 2020. "The trouble with trust: Time-series analysis of social capital, income inequality, and COVID-19 deaths in 84 countries." *Soc Sci Med*. doi:10.1016/j.socscimed.2020. 11336

12 Bargain, O., Aminjonov, U., 2020. "Trust and compliance to public health policies in times of COVID-19." *Journal of Public Economics* 192, 104316. https://doi.org/10.1016/j.jpubeco.2020.104316.

公民社會配合政府指引對防疫的正面影響，筆者將在後續分析說明。

　　此外，筆者在其他研究裡也曾經主張，應該在前述的災難風險函數之上，加入歷史制度論（historical institutionalism）的觀點，透過歷史與跨國的比較方法，才能完整了解人類災難風險的長期變遷。從較長的歷史時期來看，天災風險的變化可以被視為人類社群不斷受到災難衝擊所形成的風險治理循環，減少災前危害度、暴露度與脆弱度主要仰賴科學防災，特別國家的科技發展與治理能力。災後重建的韌性，則相對仰賴公民社會的資訊傳播、動員協助、心理陪伴以及自主規範。也就是說，國家能力改善可以減少災前風險因子，公民社會活躍可以擴大災後重建的韌性，兩者既合作又競爭的關係，可以構成防災與防疫的正面機制。[13]此外，林宗弘以150國災難資料的跨國研究發現，歷史經驗與地理條件帶來弔詭的影響，某些國家總是位在某一類高風險地區，但通常某種災難越頻仍的國家，平均每次該種災難受災傷亡人數的比例越低，顯示記取歷史教訓的重要性。在新冠肺炎流行初期，台灣、香港與新加坡即受益於先前的SARS防疫經驗，顯示歷史事件在防疫制度改革的作用。

　　以下我們以台灣防疫的相關政策為例，說明歷史經驗、暴露度、脆弱度與韌性這四個因素，在新冠肺炎的兩個疫情時期所造成的影響。整體來看，台灣在治理疫情的表現上，與東亞周邊國家或已發展國家相比，仍然可以算是相當優良。從2020年1月到2021年3月的國境管制期，基本上沒有境內社區感染，僅有1200餘人確診，主要是境外移入，當中僅有12人死亡；在2021年4月之後的「境內控制期」

13　筆者曾在前述演講中提出此處的論點，主要獲益於Acemoglu, Daron, and James A. Robinson. 2019. *The Narrow Corridor: States, Societies, and the Fate of Liberty*. New York: Penguin Press.最近，周睦怡與陳東升曾經提出類似的觀點。

受到社區感染的衝擊，感染人數為15,000人左右，死亡人數達到800
餘人，在三級警戒持續大約三個月之下，到8月下旬每日感染與死亡

表一　台灣新冠疫情風險治理的兩個時期與四個因素

	國境管制期（-2021年3月）	境內控制期（2021年4-9月）
歷史因素	SARS經驗與制度變革； 總統大選兩岸關係緊張	全球半導體供應短缺 防疫管理的危機疲乏
暴露度	兩岸與國境防疫管制成功；國內防疫措施與疫調有效；「小明事件」影響兩岸移民群體的公民權利	國境管制鬆懈後加嚴：機師違規與「諾富特」群聚； 活躍的個人社會資本使疫情擴散：「獅子王」事件
脆弱度	少數職業群聚案例如磐石艦群聚事件與部立桃園醫院群聚事件均平息； 遭受數波境外假資訊攻擊	特殊行業與受社會排除群體導致社區群聚：如萬華「阿公店」與苗栗電子廠外籍移工、大型醫院與長照機構感染； 生技產業限制與疫苗短缺
韌性	資訊流通：中國大陸吹哨人資訊觸發官民警覺； 資源動員：產業公會配合組織口罩國家隊； 自主規範：集體社會資本有助於遵守防疫指引	資訊流通：如PTT防疫資訊； 資源動員：協助社區（萬華）弱勢群體捐款與NGO活動； 自主規範：遵守防疫指引； 國際影響：「疫苗之亂」北京壓力反促成美日台國際合作

人數已經降到個位數（見圖一），然而，第二個時期所造成的國際
政治影響卻超乎預期，如表一的分析架構所示，以下分別介紹歷史
經驗、暴露度、脆弱度與韌性四個因素對兩個時期疫情治理的影響。

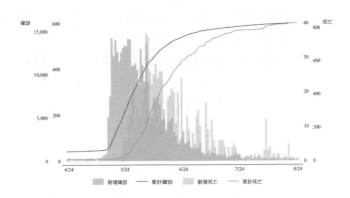

圖一　台灣新冠肺炎「境內控制期」的確診與死亡趨勢

2021年4月24日至8月24日

資料來源：衛生福利部疾病管制署 https://www.cdc.gov.tw/

二、歷史經驗與暴露度：台灣「國境管制期」的成就與 限制

在歷史制度論的理論框架裡，國家能力與公民社會的互動影響災難整備與災後因應的績效，這些反應往往是在歷史偶合的機遇裡發生、未必是有意圖的政策設計造成的後果。在新冠肺炎發生以前，台灣的醫療制度與歷史經驗影響後來的防疫表現。例如，在1995年由李登輝前總統所建立的全民健康保險制度，並非僅為防疫所設，民進黨蔡英文總統選擇公衛學者陳建仁擔任副總統、內閣醫生成員較多也是巧合。此外，2020年1月總統選舉前後兩岸緊張的政治氣氛，使得台灣在1月15日、比中國大陸提早六天將新冠肺炎指定為人傳人的重大傳染病、並且在1月20日成立中央疫情指揮中心（中國國務院疫情小組1月26日才成立），回顧當時的跨國資料可以發現，與

中國大陸人流隔離越晚、後來的疫情越嚴重，台灣社會對中共強烈
不信任，也是國境管制期防疫較佳的關鍵。

台灣曾經有過SARS（2003）的風險治理挫敗經驗，影響日後防
疫制度設計與核心策略：首先，是導致台灣社會對中國大陸流行病
警覺較高。其次，SARS之後已經發展出國境管制與疫調追蹤、減少
境內暴露度的原則、對脆弱度稍有警覺。第三，台灣產業的韌性體
現在防疫物資生產，建立政府與民間產業公會合作的「口罩國家
隊」。最後，則是政府與民間善用公民社會的自主規範來推行防疫
政策。台灣已有公衛研究指出，國境管制期的強制隔離與個人資訊
追蹤的疫情調查極為有效，戴口罩等個人自主防疫行為所產生的效
益也不可忽視。[14]

2.1歷史遺產與政治機遇耦合

在跨國比較的層次上，研究發現原先表現較好的醫療制度，例
如出生嬰兒死亡率較低或平均預期餘命較高的國家，各種呼吸道感
染疾病與新冠肺炎的感染發生率與死亡率都會較低，台灣也屬於醫
療制度較佳的一群。[15]雖然學者可能會批判過去一個多世紀以來的
國家過度「醫療化」，台灣在日本殖民統治時期開啟現代醫學發展、

---

14 Ng T, Cheng H, Chang H, et al. "Comparison of Estimated Effectiveness
of Case-Based and Population-Based Interventions on COVID-19
Containment in Taiwan." *JAMA Intern Med*. Published online April 06,
2021. doi:10.1001/jamainternmed.2021.1644

15 Lin Thung-Hong, Min-Chiao Chang, Chun-Chih Chang, Ya-Hsuan
Chou, 2020, "Government-Sponsored Fake News Worsens Epidemics
of Respiratory Infections Including the Coronavirus: Global Survey,"
paper presented at 2020年臺灣社會學會年會，國立臺灣大學，
2020-11-27～2020-11-28.

與戰後逐漸積累公共衛生經驗，1995年起建立的全民健康保險制度對於當前的疫情因應皆有一定程度的貢獻。然而2003年的SARS事件對台灣傳染病防治的衝擊，是近期推動制度改革的重要歷史事件。

回顧SARS事件，台灣發生在2003年3月14日到7月5日，近4個月間共有664人感染（事後篩檢為346人），其中73人死亡，主要集中在台北市和平醫院，當時該院收治的SARS患者感染醫護人員與醫院外包的清潔工，但院方延後通報當時的中央主管機關衛生署，試圖隱瞞疫情而導致病毒外流，由於未告知醫護人員及員工院內有案例，隨後卻由台北市衛生局採行封院的強制隔離政策、後來被認為導致更多院內人員群聚感染與死亡。SARS事件的檢討確實改變台灣的傳染病治理，將院內外疫情調查、醫院內部隔離管控、居家隔離、戴口罩與洗手列為最優先程序，封院、封城為最後手段。[16]

SARS當時的衛生署長即為陳建仁，此後傳染病防治法與災害防救法有大幅修改，並在陳水扁政權結束前夕的2008年初修正案與施行細則裡，建立國家衛生指揮中心之下為特定傳染病成立的中央流行疫情指揮中心，簡稱CECC的制度。2013年台灣行政院組織改造建立衛生福利部與疾病管制署（以下簡稱疾管署），進一步提升了CECC的權威。SARS期間遺留下國境管制如登機檢疫、強制隔離、隔離期間的薪資補償、個案基礎的防治（疫調）方案、也建立防堵社區群聚的全民量體溫、勤洗手、戴口罩的防疫習慣。有些全球疫情初期的研究認為，台灣本來就有儒家文化或集體主義的傾向，所以很快接受戴口罩等政策，其實在SARS發生之前，台灣民眾隨地吐

---

16 衛生福利部疾病管制署，2013，嚴重急性呼吸道症候群重要指引與教材，網站下載：https://www.cdc.gov.tw/File/Get/InG8jagjxffXBD W1UexnrA （下載日期2021/06/22）

痰或吐檳榔汁、衛生習慣不佳的情況很常見，並不存在戴口罩的文化，這種落實到個人衛生的習慣，是SARS衝擊與規訓之後的身體政治遺產。

　　除了SARS所留下的教訓之外，在中國大陸武漢地區爆發新冠肺炎之前，緊張的兩岸關係意外地有助於防疫。例如，中國國務院文化和旅遊部在2019年8月單方宣布取消陸客來台旅遊的自由行簽證，並且對外放出消息說9月1日起陸客團數量「對半砍」，以表達對蔡英文政府兩岸政策的不滿，後來數據顯示9月份陸客來台人次由每月近30萬降到11萬，減少了三分之二，也是2016年民進黨執政後的單月最低。不過，在2020年1月仍有91,000名商務與團客來台，兩岸交流並未被完全禁絕。2月起武漢已經封城，兩岸交流幾乎中斷，從中國大陸入境人次急速下降到5,000人。[17]由於中國大陸對台灣觀光客發放簽證數量大幅限縮，前述的兩岸交流活動減少，已經使得疫情爆發時的暴露度大為降低，接下來，台灣對武漢出現的流行病資訊也採取極為強烈的反應。

2.2控制暴露度：「國境管制期」的核心策略

　　2019年的12月30日，武漢中心醫院急診科主任艾芬，將華南海鮮市場人員確診SARS之報告書，拍照上傳至微信科室醫生群並與上級報告。武漢中心醫院的眼科醫生李文亮，轉傳確診報告至微信群組的畫面外流。同日武漢市衛生健康委員會發布不明原因肺炎緊急通知文件。當晚開始的兩天之內，新浪微博「#武漢SARS#」標籤已超過千萬閱讀量，[18]這些資訊也被轉貼在台灣最重要的網路社群批

17　台灣交通部觀光局統計資料庫，2021，https://stat.taiwan.net.tw/
18　雲昇，2020，〈肺炎疫情：「發哨人」引發反審查戰，中國人用創

踢踢（PTT）八卦版，午夜時分，疾管署防疫醫師鄭皓元轉發PTT
網民文章至該署群組，由羅一鈞副署長在31日時開會報告，並以電
子郵件寄至中國大陸詢問疫情與知會WHO。[19]這封電子郵件被認為
是台灣先通報WHO武漢疫情的第一封信，早於中國大陸官方提供
WHO的資訊。同日晚間，台灣疾管署首次派員對武漢航班進行登機
檢疫，開始保留所有從武漢入境台灣者的資料。

　　中國大陸吹哨人冒險提供的資訊，在兩岸遭到完全不同的對
待。12月31日李文亮遭武漢中心醫院監察科約談，武漢市衛生健康
委員會（簡稱武漢衛健委）雖有通報疫情、卻對外堅稱未見明顯人
傳人和醫護感染。隔天1月1日，武漢市公安局發布對於8名散播不實
謠言者進行查處。1月2日，艾芬遭醫院監察科約談訓斥，警告禁止
談論有關肺炎消息。1月3日，武漢公安局要求李文亮簽署關於發表
不實言論的訓誡書，國家衛生健康委員會卻同時發布《關於在重大
突發傳染病防控工作中加強生物樣本資源及相關科研活動管理工作
的通知》，這個針對實驗室洩漏風險管理的通知，被認為可能與後
來的新冠肺炎擴散有關，然而後來對病毒源頭的調查卻被引導到自
然方向。隨後武漢衛健委通報41例「不明原因病毒性肺炎」，主要
群聚在華南海鮮市場，並宣稱未見明顯人傳人和醫護感染。1月9日
武漢出現死亡首例，12日在泰國出現第一個海外病例。1月15日，武
漢市衛生健康委員會公告中明確表示「未發現明確的人傳人證據，
不能排除有限人傳人的可能，但持續人傳人的風險較低」。在封鎖

（續）

　　意接力反擊〉，BBC新聞網，2020年3月11日，https://www.bbc.com/
　　zhong wen/trad/chinese-news-51831652（下載日期2021/06/22）

19　曾佳萱、林昆慶、李文勝，2020，〈獨／失眠逛PTT發現武肺一線
　　消息　防疫偵探鄭皓元就是他〉，三立新聞，https://www.setn.com/
　　News. aspx?NewsID=736044（下載日期2021/06/22）

疫情資訊的情況下，武漢百步亭社區持續舉辦「萬家宴」，農曆年前「春運」人流仍然持續從武漢往全中國大陸擴散。1月23日上午，習近平參加春節團拜會談中國夢，晚間才緊急宣布武漢「封城」，導致武漢部分人員外逃。

2020年1月11日，雖然台灣仍處在總統大選開票的狂熱氣氛裡，1月12日疾病管制署已經派出莊銀清和洪敏南醫師前往武漢了解情況，並在1月15日返台，就兩人後來的說法是認為中方似乎對疫情有所隱瞞，同日根據他們的報告將新冠肺炎指定為可能人傳人的第五類重大傳染病、在1月20日成立CECC，1月23日發布台灣首例，1月26日起禁止湖北出境者入境，隨即擴張到禁止全中國大陸旅客入境，2月10日逐步縮減兩岸客運航班直到全面停飛，香港與澳門禁止入境，從中國大陸入境之本國人全面強制集中隔離14天，3月6日已經完成全球旅客出入境資料與健保資料的整合查詢系統，對所有入境者採取居家隔離，搭配3月18日啟用電子圍籬與高額罰款。隨著病毒擴散到全球，2020年3月19日全面禁止非本國人入境，本國人入境全面隔離14天加上7天自主健康管理，同月開始提供防疫補償金：遵守集中隔離檢疫與居家隔離檢疫14日規定者，無論國籍每日可得到1000元補助，4月起加入防疫旅館之業者可另外得到1000元政府補助。從2020年1月起到2021年的3月底止，國境管制策略扮演最重要的角色，使得台灣民眾的暴露度大為降低。

在減少國內的暴露度方面，台灣民眾此時對中國疫情訊息之警覺性極高，以至於1月中就開始搶購口罩，迫使行政院在1月24日宣布禁止口罩出口，2月7日展開口罩購買實名制，加上強制配戴規定，23日起禁止醫療人員出國、實施社交距離等政策。由於SARS的歷史記憶，台灣政府實施這些政策時很少民眾抵制，反而是反對禁止口罩出口與國境管制的異議遭到嚴厲批評。

關於暴露度的一個重大爭議，來自兩岸關係緊張下的「武漢返台包機事件」（2020年2月3日）與後續的「小明事件」（2020年2月11日）。在武漢封城之後，世界各國派出飛機撤僑，台灣民眾卻因為兩岸身分問題而無法離境，在行政院大陸委員會（簡稱陸委會）與國民黨人士介入後，由湖北省對台事務辦公室與陸委會確定乘客名單，在2月3日完成第一班中國返台包機。飛機抵台後疾管局發現，一位不在陸委會優先名單上的乘客成為第11例確診個案，使得台灣輿論譁然，認為中國大陸方面任意改變旅客名單讓染疫者入境，雙方對後續包機程序無法達成共識。[20]此間又發生陸委會宣布領有長期居留證、長期探親證之台灣人與中國配偶子女「小明」（未領取身分證者），可准予入境返台，再次引起輿論批評而撤回，直到3月10日，第二批包機乘客確認成行，7月16日之後才逐步放寬「小明」入境。雖然台商子女確實面臨較高的暴露度與脆弱度，國內民眾卻強烈支持國境管制，凸顯政治共同體的想像與排他性、使得在中國大陸的一部分新移民被排除在醫療制度之外。[21]

然而，隨著台灣第一波疫情幾乎清零，民眾的生活大概在2020年秋季就已經恢復正常，僅有公共場所與搭乘交通工具強制戴口罩等少數規定，台灣經濟強勁復甦，特別是半導體產業的產能不足導致全球市場供應短缺，更使得國際貿易負責運送半導體等產品的航空產業，基於機組人員調度困難、營運成本與家庭困擾等問題，急於要求政府縮短對航空從業人員的隔離日數。

20　前述過程見中央通訊社，《2020，百年大疫：COVID-19疫情全紀錄》（台北：印刻出版社）。

21　曹馥年、果未、2020，〈愛在瘟疫蔓延時──封關8個月，扛著時代巨石的兩岸家庭〉，報導者：https://www.twreporter.org/a/cross-strait-marriage-during-covid-19-lockdown（下載日期2021/06/22）

2021年4月15日時，CECC曾宣布放寬航空機組員返國檢疫措施，由「5+9」（「居家檢疫」5天採檢陰性，再「自主健康管理」9天）調整為「3+11」（「居家檢疫」3天採檢陰性，再「自主健康管理」11天）。然而，這個政策是否直接導致社區群聚疫情，仍有很大爭議。就資料顯示，四月最早被確診的兩個傳染者，是中華航空的貨機機師，第一位在「自主健康管理」期間違規赴台北市清真寺參與禮拜，造成小規模群聚感染，第二位機師於「自主健康管理」期間違規到台北市松山區酒吧，兩位都未遵守CECC的「3+11」規定，後來航空業人員也衍生出諾福特旅館群聚事件。這家旅館在台灣是由華航代理經營，提供華航機師集體隔離，旅館卻為了營業利益違反CECC規定，讓一般旅客與檢疫隔離人員混合居住。依據CECC的調查，旅館群聚感染的有44名（20機師、2空服員、12機師家人、5檢疫旅館人員、3檢疫旅館家人、1檢疫旅館外包商、1檢疫旅館員工接駁車司機），可能傳染給其他旅客而擴散到台北地區。

三、彌補脆弱度：「境內控制期」的風險治理困境

在2021年5月的社區感染疫情爆發之後，美國Bloomberg新聞社多篇報導指出台灣在「國境管制期」的成功所導致此後疫情爆發的五項弱點：心態自滿、縮短機組員隔離天數、沒有疫苗、篩檢太少，以及萬華的情色業。[22]確實，在前一年三個月防疫期間，台灣航空

---

22 Samson Ellis, Cindy Wang, and Michelle Fay Cortez, 2021, "Complacency Let Covid Erode Taiwan's Only Line of Defense," May 19 2021, Bloomberg website: https://www.bloomberg.com/news/articles/2021-05-18/complacency-let-covid-break-down-taiwan-s-only-line-of-defense （下載日期2021/06/22）

業人員與一般民眾的防疫危機疲乏造成了國境管制的挫敗。從航空機師往外傳播之後，這個時期疫情發展顯示的，主要是台灣社會裡的脆弱度，不僅包括性工作行業，也包括外籍移工等，都是台灣社會底層遭到污名化（stigma）的勞動者，這些高脆弱度、高流動性的社會排除群體，最後造成難以治理的疫情蔓延。

3.1「國境管制期」所隱含的脆弱度

在國際比較研究中，公共衛生與醫療是政府所提供最重要的公共財之一，有經濟學者論證，民主或貧富差距越小的國家，每個民眾所負擔的公共財成本較為接近、平均額度也較少，例如全民健保或公共免費醫療等政策，通常出現在比較民主與平等的國家。相反地，貧富差距較大會導致每個有錢人必須負擔更多窮人的醫療支出，富人對全民健保或公費醫療的抵制較大，寧可由財團提供昂貴醫療，讓病人自己負擔醫藥費。因此，政治不民主與貧富差距被認為是影響健康不平等的主要政治與社會因素。[23]在東亞的日本、韓國與台灣，健康保險都是由民眾負擔部分自付額立即進行門診或急診，這也使得感染者可以很快確診，而前英國殖民地多半使用公醫制度，雖然國民個人就醫負擔更少，卻需要先預約看診時間，可能耽誤感染者就醫，進而擴大傳染的基本再生率。[24]

---

23 健康不平等文獻極多，最近的證據來自 Bollyky, T.J., Templin, T., Cohen, M., Schoder, D., Dieleman, J.L., Wigley, S., 2019. "The relationships between democratic experience, adult health, and cause-specific mortality in 170 countries between 1980 and 2016: an observational analysis." *Lancet* 393（10181），1628-1640.

24 這是山口大學高橋征仁教授、名古屋大學學者上村泰裕與筆者討論所提到的觀點。

在疫情爆發後的少數國際研究裡，證實貧富差距會使疫情惡化。首先，針對美國各州的研究裡控制了65歲以上人口、女性、非裔美人與拉丁裔、貧窮人口比例、各州家庭所得中位數、篩檢的陽性比例、人均醫師數（2019）與人均病床數（2018），以及是否採取封城與集中隔離的醫療場所等政策。在加入這些控制變量後，發現以吉尼指數衡量的貧富差距會明顯提高死亡率、對發生率則稍有提高。美國醫療保險覆蓋率低於其他先進國家，窮人比例較高的州民眾可能無法負擔醫藥費用，難以獲得妥善治療，導致死亡率提高。另外，一群歐洲學者對全球86國的分析證實類似的結果。針對2020年9月3日以前超過10人死亡的國家（因此這個研究不包括台灣），使用世界所得不平等資料庫所得出的吉尼指數，發現吉尼指數越高的國家，染疫死亡人數就越多。因此，加總層級的社會脆弱度是影響疫情死亡人數的關鍵之一。[25]

傳染病在個體層次的社會脆弱度因病而異，有點簡化地說，一般而言窮人與服務業工作者通常有較高的染疫風險。有鑑於SARS事件期間，醫護人員與外包清潔工是病毒外流的關鍵，台灣CECC意識到社會脆弱度可能導致意想不到的感染過程，對受疫情衝擊的產業提供補償方案。然而，國境管制期仍出現許多與職業暴露度、脆弱度有關的感染案例，較明顯的例子包括從中國大陸返鄉的台商與台籍幹部感染白牌計程車司機、多件航空機師的感染案例、東南亞家務移工、大樓保全人員的感染案例、以及「八大行業」[26]女性

25　請參考 Oronce, C.I.A., Scannell, C.A., Kawachi, I. et al. （2020）
　　"Association Between State-Level Income Inequality and COVID-19
　　Cases and Mortality in the USA." *J GEN INTERN MED* 35, 2791-2793.
　　https://doi.org/10.1007/s11606-020-05971-3

26　係指包括「視聽歌唱業」、「理髮業」、「三溫暖業」、「舞廳業」、

工作者的群聚案例等，都是職業風險不平等導致防疫漏洞的例子，雖然這些案例並未擴散，卻使得CECC採取更嚴格的防疫政策。2020年4月7日起，CECC曾經首次要求八大行業停業、取消大型活動如媽祖繞境與限制觀光景點人流，4月到6月對交通業無條件發放紓困補助金，包括計程車、導遊等每人每月一萬元等。

　　不過，到了國境管制晚期，有案例呈現醫療工作者的高風險。與SARS事件的和平醫院群聚感染類似，發生桃園醫院群聚事件（2021年1-2月），呈現醫護人員的高職業風險與脆弱度，但該事件在CECC王必勝醫師主持「前進指揮所」進駐、採取疫情調查、分散隔離治療後，僅21人感染、2人死亡，隨後恢復正常。與SARS和平醫院群聚感染事件相比，桃園醫院群聚感染事件並未封院而是疏散隔離。相對於和平醫院事件，桃園醫院防疫策略成功得多。[27]

3.2 「境內控制期」的脆弱度與感染擴大

　　事實上，在國境管制晚期，已經有些資訊顯示後來的防疫漏洞，卻遭到忽視。2020年CECC曾經強迫八大行業停止營業三個月（4-6月），當時造成從業人員的抱怨、或轉為個人地下經營，但是由於新冠肺炎被成功阻絕在國境外，地下經營沒有演變成群聚。在2021年的2月份，航空機師與諾富特旅館的一些違規行為就已經遭到民眾檢舉，當時地方政府相關機構的警覺性卻較低。

　　台灣經濟發展相當依賴活躍的中小企業，這些中小企業在地方上經常組成社團，其中又以國際獅子會台灣總會的會員人數最多，

（續）────────────────────────

　　「舞場業」、「酒家業」、「酒吧業」及「特種咖啡茶室業」，也就是可能涉及性工作的八種受台灣警察管制的特殊產業。

27　台灣衛生福利部，2021，衛福部桃園醫院事件，網頁：https://covid19.mohw.gov.tw/ch/cp-5122-58855-205.html （下載日期2021/06/22）

有35,000人。可以說，獅子會是台灣中小企業主聯誼網絡的代表性社團。在2021年4月中，新北市五股區獅子會的活躍成員團體成為重要的傳播者，五股獅子會的會員有人到過諾富特旅館與萬華茶室、以及宜蘭的三家「遊藝場」，並且參加婚宴與宗教活動，成為銜接航空機師群聚事件、造成疫情擴散的重要網絡，因此被台灣輿論戲稱為「獅子王」，甚至以此名稱得到國際媒體的報導。[28]

在「諾富特」、「獅子王」之後造成全島擴散的關鍵地區是萬華。萬華著名的青山里（舊名寶斗里），位於台北市龍山寺周圍、西園路一段至梧州街的三水街，為著名的「阿公店」、「茶仔店」巷，此地性工作產業可追溯至清治時期，萬華是大台北最早發展的港口，性產業歷史悠久，今仍約有160多家「阿公店」。所謂阿公店是指無包廂的台式KARAOKE店，有包廂較貴的則被稱為「飲酒店」，兩者皆有女陪侍與消費者唱歌、聊天或有性交易。阿公店由於裝潢較普通、從業人員年齡較高、價格較便宜而受高齡男性消費者喜愛。在從業人員方面，通常高齡卻仍從事阿公店業的女性勞動者，往往有其弱勢背景，例如替家庭負擔債務之類，近年來有外籍移工或外籍配偶，如越南或中國大陸女性工作者，多數是所謂「非法打工」，成為台灣底層男性民眾偏好消費的性產業。[29]

從新冠肺炎傳染的社會網絡來看，阿公店結合了病毒感染下最

28　Tim Culpan, 2021, "Sexy Tea, the Lion King and Taiwan's Lost Innocence," Bloomberg, https://www.bloomberg.com/opinion/articles/2021-05-17/taiwan-loses-covid-innocence-with-partying-pilots-and-a-lion-king （下載日期2021/06/22）

29　鍾錦隆，2021，〈打開一頁滄桑史！萬華茶室女侍的美麗與哀愁〉，中央廣播電台：https://www.rti.org.tw/news/view/id/2099937 （下載日期2021/06/22）

脆弱的高齡男性消費者、與可能「非法打工」的女性從業者，這種「人與人的連結」成為這一波疫情爆發的關鍵。萬華阿公店在兩、三週內可能感染的消費者有上萬人，其中男性消費者傾向隱瞞資訊、女性從業者可能非法打工或不願被限制工作機會，有部分人員在疫情爆發後迅速離開萬華，事後CECC無法監控接觸人員，只好利用手機紀錄對出入過萬華的六十萬人發出電子警報。此後，阿公店的感染者持續擴散到苗栗、台中、南投、彰化與嘉義等地。隨著不知情的感染者之家人、朋友，在5月第一個週末的母親節聚會，感染人數指數上升，迫使CECC在5月18日宣布三級警戒，在感染者不願檢疫或說明的情況下，過去台灣有效的疫情調查與個人資訊追蹤政策幾乎癱瘓。[30]

　　在「獅子王」造成新北市蘆洲、五股等地社區感染之外，台灣學者從人口流動數據發現，萬華雖然在台北市最西側，卻與台北市民交流較少，例如北投與中山北路（六條通）確診人數非常少，與西門町隔著中華路的政府要地中正區也很少感染者，相反地以淡水河相隔的新北市板橋、中和與三重區、甚至是基隆市與桃園市，與萬華的就業與消費人口流動關係卻較為緊密，這使得新冠肺炎主要向西南方傳播，造成新北市民眾的大量感染。

　　由於阿公店的消費者之中，以高齡男性、退休人士居多，這個世代又較需要醫療服務或長期照護，使得疫情蔓延到許多醫院與長期照護機構，到6月下旬至少有29家主要大型醫院（醫學中心與地區綜合醫院）、85家長期照護機構發生群聚感染，而且感染者常不願

30　陳潔，2021，〈台灣社區流行傳播大解盲：哪些是超級傳播事件？三級警戒政策夠即時嗎？全民防疫效果如何？〉報導者：https://www.twreporter.org/a/covid-19-rt （下載日期2021/06/22）

配合疫情調查，結果迅速提高醫療人員與長照機構住民及看護人員的感染率與死亡率。[31]此外，疫情爆發後的5月底，由於確診案例暴增，一度使得專用病床與集中檢疫隔離所數量不足，一部分患者必須在家休息等待通知與治療，導致更多家庭感染與在家死亡。

病毒也滲透進台灣最重要的電子業半導體產業鏈。從2018年的美中貿易戰開始，國際投資與訂單陸續湧入台灣的半導體產業，在台中與新竹兩大都市之間的苗栗、或台北與新竹之間的桃園設置新廠，生產線上需要引進大量的外籍移工。然而在2020年的國際管制時期，台灣停止外籍移工來台的新申請，只有在2020年以前已經獲得工作簽證者能夠入境，入境必須遵守檢疫隔離規定，在勞動者短缺的情況下，台灣勞動部放寬外籍移工轉換雇主的規定，這就使得台灣的人力仲介公司在不同工廠之間大量調動外籍移工，而且對移工宿舍防疫管理、與生活上的協助非常鬆散。2021年5月疫情爆發在苗栗京元電子等數家封裝測試工廠，可能由於台灣管理者或少數移工在北部染疫，回到工廠與外籍移工宿舍感染迅速擴散，數日內幾乎癱瘓台灣最重要的全球供應鏈。後來CECC指派王必勝醫師設立前進指揮所，情況逐漸受到控制。[32]

從「諾富特」、「獅子王」與「阿公店」到電子業，新冠肺炎一層一層地突破台灣的國境管制與社區防疫，使得台灣在5月陷入疫情爆發、緊急醫療短期癱瘓、政府聲望暴跌與民眾恐慌的情況，然

---

31 陳婕翎、江慧珺，2021，〈85家長照機構染疫 士林某護理之家群聚已48確診〉，中央社報導2021/06/21。https://www.cna.com.tw/news/ahel/ 202106210246.aspx

32 吳柏軒，〈中央進駐苗栗電子廠18天 今確診數已接近清零〉，自由時報 2021/06/21： https://news.ltn.com.tw/news/life/breakingnews/3577048 （下載日期2021/06/22）

而，歷史經驗造就台灣的國家能力與公民社會韌性，並沒有被這一波疫情擊垮，更激起國際支援。

四、展現韌實力：台灣的公民社會動員與國際合作

文獻曾指出公民社會或社會資本，在協助災後重建上可以產生以下四種主要的機制：第一、資訊傳播：在言論自由的社會，除了國家或市場媒體之外，網路對疫情資訊的自由傳播可能協助民眾自主救災或防疫，當然也可能有假訊息傳播的負面作用。不過，疫情資訊傳播通常能夠提升民眾對疫情的風險感知（risk perception）。第二、資源動員：在結社自由保障下，除了國家所能動員的資源，產業團體與民間團體也可以組織、捐款或捐贈物資，與政府合作生產防疫用品，口罩國家隊是個成功的案例。第三，自主規範：家人與社區鄰里能夠相互提醒、規範防疫的日常生活行為，大幅減少國家以強制力介入監督、威嚇或罰款的成本。最後一種機制則是心理重建：家人、鄰里、社團陪伴，協助度過災後重建或疫情時期，減少受害者心理症狀如PTSD或憂鬱症等。[33]也有學者指出，災後的公民社會活動有助於社會團結與激發民族主義。[34]本節我們將探討台灣公民社會在「國境管制期」與「境內控制期」的作為。

---

33 林宗弘，2020，〈建構韌實力：全球疫情下臺灣的公民社會與創新福利國家〉，《臺灣社會學刊》，67期，頁 203-212。

34 例如Xu B （徐彬）（2009）"Durkheim in Sichuan: The earthquake, national solidarity, and the politics of small things," *Social Psychology Quarterly* 72 （1），5-8.

4.1 「國境管制期」的公民社會動員

針對新冠肺炎的國際研究認為個人信任與社會網絡使得社交距離難以維持，可能有擴大疫情的效應，台灣的「獅子王」或「阿公店」案例裡的「個人社會資本」成為疫情擴散的主要關聯。但這些國際研究同時指出，對政府、公民社團、科學社群與醫療機構的信任、與公民服從政府指引的「集體社會資本」能有效降低傳染率，這些針對「社會資本」與「信任」的疫情研究，已經引起學術興趣與爭論。

如九二一震災、莫拉克風災後湧現的民間捐助、或太陽花運動與台灣總統選舉所呈現的組織動員，筆者認為活躍的公民社會是台灣防疫韌性之所在。例如在資訊傳播方面，台灣社會的言論自由使得中國大陸艾芬與李文亮醫師等吹哨人的警示，獲得官方與民間的重視，台灣政府得以比中共更快建立CECC與國境防線，民間甚至比中國大陸更早開始搶購口罩等民生物資。

不過另一方面，台灣對言論自由的保障難防中共刻意的資訊操弄。從兩岸包機中斷後的2020年2月7日起到3月中為止，台灣社交媒體遭受第一波大量疫情假訊息攻擊，例如使用韓國電影劇照造假說台南或台東河裡有浮屍、台北大巨蛋工地正在掩埋屍體等，許多假訊息夾雜簡體字或中國大陸慣用辭彙，有些也能查到在中國大陸的訊息發布來源，顯見疫情期間中國大陸仍對台灣進行資訊戰，使得CECC必須出面澄清、並且引用傳染病防治法的刑法與罰款追究境內散布者、部分案件交由國安與檢調單位調查。隨後在2020年底美國總統選舉期間、與2021年4月後「境內控制期」，台灣再次遭到大量假訊息攻擊，或是刻意利用網路資訊來引導台灣內部的朝野黨派政治衝突。

　　在國境管制期公民社會資源動員方面的傑出表現，以口罩國家隊為代表。2020年一月開始台灣口罩陷入短缺， 1月31日台灣行政院宣布投資擴增口罩生產線，以供應疫情期間對口罩的大量需求，台灣區工具機暨零組件工業同業公會自願協助此項政策，在經濟部的協調下，公會派出員工組成千人團隊協助製造，在40天之內組建完成92台口罩產線，交付數十家口罩生產商生產醫療用口罩，而國軍也派人力支援，使台灣口罩產能從1月的日產188萬片，在5月達到日產2000萬，此外呼吸器產業也迅速擴張，足夠國內使用並捐贈口罩、防護衣與呼吸器給國際友邦，包括美國與歐洲各國如捷克、立陶宛等。此外，由於CECC發放實名制口罩必須靠健保IC卡才能運作，全國藥局成為發放口罩的前線，台灣藥師公會也大力協助口罩實名制的推動。至於分配口罩的APP開發方面，政務委員唐鳳動員了g0v等網路活躍人士有關的新創軟體產業，在口罩產能尚未充足之前，部分舒緩了限額購買口罩的分配成本。[35]

　　在自主規範方面，民眾自願配合防疫措施，可以大幅減輕國家實施政策的監督與處罰成本。為了研究民眾在網路上的自主討論與防疫行為，國立清華大學的研究生簡維江與筆者等，嘗試分析PTT八卦版與COVID版的網路大數據當中的討論，觀察台灣民眾對防疫的關注程度，從2020年到2021年超過一百萬筆貼文的資料裡，我們定義了二十幾個疫情與防疫行為辭彙，經過文本分析後顯示，在PTT活動的網民裡，每日常有將近一半的民眾關注防疫行為，例如去哪裡買口罩、如何戴口罩與洗手才有防疫效果等。民眾在網絡上大量

35　中央研究院社會學研究所謝斐宇、交通大學人文社會學系潘美玲、清華大學通識教育中心鄭志鵬三位優秀學者正在進行口罩國家隊的研究，筆者感謝他們對研究成果的討論與分享。

討論防疫政策，呈現台灣公民社會資訊自由與自主防疫的特質。[36]

在疫情期間的心理韌性方面，許多國際研究認為封城或居家隔離的政策將會嚴重影響心理健康，甚至造成婚姻失和或引發家庭暴力事件。由於台灣在國境管制期並未出現長時間限制人口移動，2020年6月的中央研究院社會學研究所台灣社會意向調查發現，民眾認為與家人關係改善而非惡化。在風險溝通與民眾對政府的信任方面，CECC實施了每日疫情記者會，改善民眾對防疫措施的信心，直到2020年12月的調查顯示，CECC陳時中指揮官的網路聲量遠高於其他政治人物，對蔡英文總統的施政滿意度維持在近六成高水準。

4.2 「境內控制期」促成日美國際合作

然而，在5月底、6月初，疫情爆發嚴重打擊蔡英文總統與CECC的聲望，在此之前難以推廣的疫苗，由於台灣的注射率極低、所擁有的疫苗數量極少，突然成為國際政治的焦點。事實上，如圖二所示，全球各國的疫情確診發生率與疫苗施打率是呈現正相關，也就是疫情越嚴重的國家，政府才會加速購買與要求民眾普遍施打疫苗，而在覆蓋率極高的少數國家如英國與加拿大，才能達到群體免疫與發生率下降的效果，逐漸變成倒J型曲線。由於發生率低的國家多半依賴國境管制等傳統控制暴露度的防疫手段，對疫苗施打採取觀望態度，台灣民眾並不例外，僅冰島與新加坡等少數島國達成較高的疫苗覆蓋率，結果，台灣在6月底疫情爆發時期的疫苗施打率，仍低於10%。

---

36 資料詳情請見簡維江，2021，〈疫情資訊的網路傳播，台灣與中國在COVID-19疫情初期的比較研究〉，國立清華大學社會學研究所碩士論文。

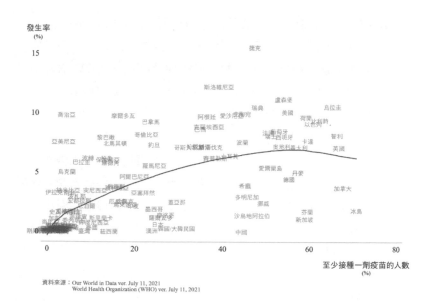

資料來源：Our World in Data ver. July 11, 2021
World Health Organization (WHO) ver. July 11, 2021

圖二　2021年6月底止的疫情發生率與疫苗覆蓋率，全球138國的資料

　　在這個時期的防疫政策與爭議裡最引人注目的，是台灣的疫苗問題立刻觸發了東亞敏感的地緣政治。從2018年以來，中共介入台灣政黨與選舉的情況日益明顯，經常透過親中媒體與社交網站的假訊息影響台灣輿論，然而在2020年1月國民黨總統候選人韓國瑜敗選、在疫情期間遭受罷免而喪失高雄市長的職位，使得國民黨政治實力與中共對台灣社會的影響力受挫。2021年4月起「境內控制期」的疫情爆發，就成為中共再次干預台灣政治的重要機會。

　　依據目前的少數公開報導顯示，台灣在採購疫苗過程裡可能受到中共阻礙。由於2020年國內生產的高端與聯亞等疫苗仍在發展初期，台灣在2020年9月加入COVAX並在10月初簽訂合約，採購量476萬劑，11月跟AstraZeneca（AZ）簽約購買1000萬劑疫苗，12月與

Pfizer/BNT疫苗的合約談判暫緩，外界猜測似乎遭到干預。此後，台灣在2021年2月簽約購買美國Moderna疫苗505萬劑。其中最先到貨的疫苗是AZ，在3月3日取得11萬劑、4月4日透過COVAX取得19萬劑。然而，在「境內控制期」之後成為民眾急需的疫苗，在此前其實遭到冷落。由於國境管制期的防疫成功，前兩批AZ疫苗抵達台灣之後乏人問津，就連醫療人員也沒有完成注射。[37]

　　2021年5月18日CECC宣布台灣進入三級警戒，確診人數與死亡人數上升，原先剩餘與19日到貨的40萬劑AZ疫苗很快就被預約注射完畢，甚至出現北市分配疫苗不當的「好心肝」等違規注射事件，國產疫苗研發也緩不濟急，使得國內輿論急切希望進口大量疫苗，五月底在野國民黨人士開始呼籲進口中國大陸疫苗，配合媒體與藝人批評政府不顧人命等，而中共國務院對台事務辦公室發言人馬曉光也在6月1日回應疫苗問題：「台灣疫情持續蔓延，台灣民眾面臨的防疫壓力日益增大。近日，台灣一些政黨、縣市、團體和人士紛紛呼籲開放引進大陸疫苗或購買BNT疫苗。台灣有民意調查結果顯示，超過九成受訪民眾表示，只要有合格疫苗可打，他們都願意打，包括大陸疫苗。」並指出「上海復星醫藥集團擁有BNT公司mRNA武肺疫苗在中國及港澳台獨家商業權益；該醫藥集團此前表示願意將其代理的BNT疫苗服務於台灣民眾」、「我們積極協助台灣有關方面與復星方面接洽」，[38]等於承認中共以外交手段介入德國BNT

37　張庭瑜，〈為什麼疫苗買不到？政府錯在哪？了解過去一年國際各國在疫苗開發與採購上的困境〉，數位時代，https://www.bnext.com.tw/ article/63196/vaccine-taiwan。（下載日期2021/06/22）

38　中國新聞網，2021，〈國台辦：民進黨當局應儘早為大陸疫苗輸台拆除人為障礙〉，2021/06/01，http://www.chinanews.com/tw/2021/06-01/ 9490227.shtml，（下載日期2021/06/22）

疫苗對台灣輸出的法律權利,也使民進黨政權承受極大的政治壓力。

事實上,中共所陳述的民調數字與現實有出入。當時國立政治大學的民意調查顯示,基於安全顧慮與對中共不信任,即使在5月疫情爆發期間,仍有七成五以上的民眾不願意打中國製造疫苗,但是有超過半數民眾能接受中國大陸代理進口德國疫苗,[39]這個調查結果也顯示民進黨政府面對疫苗取得與兩岸政策的兩難,因為接受中國大陸代理德國疫苗必定會有政治上的附加條件。

正是在這個疫情爆發似乎即將引起民進黨政權危機的時刻,台灣獲得日本友善的援助。日本政府在5月21日通過AZ疫苗的緊急使用許可,5月24日,台灣駐日代表謝長廷邀請美國駐日大使楊舟、日本前安倍首相輔佐官薗浦健太郎等人餐敘,傳達台灣急需疫苗的訊息,並獲得日本政府考慮,五月底由產經新聞與每日新聞披露消息,並迅速在6月4日對台灣捐贈124劑AZ疫苗,CECC在一週內開始注射,獲得台灣公民社會與政府一致的感謝。[40]

除了日本的友善援助之外,美國也迅速採取對台的協助行動。2021年6月6日,美國聯邦參議員達克沃絲、蘇利文及昆斯搭乘美國軍機訪台,達克沃絲參議員在抵台簡短演講中宣布,美國將捐贈台灣75萬劑疫苗。[41]隨後,美國國務院宣布在6月19日追加捐贈台灣

39 羅立邦,2021,〈政大民調 7成民眾拒打中國疫苗 5成可接受中國代理的歐美疫苗〉,新新聞2021/06/06,https://www.storm.mg/article/3730326,（下載日期2021/06/22）

40 野島剛,2021,〈日本獨立記者野島剛專訪謝長廷　揭日援台124萬劑AZ疫苗始末內幕〉,蘋果新聞網,20210614,https://tw.appledaily.com/forum/20210614/VQIGOQOIPFCW3JTB4H5ZV6QQWQ/,（下載日期2021/06/22）

41 游凱翔、葉素萍,2021,〈美國參議員訪團抵台 宣布將捐贈台灣75萬劑疫苗〉,中央社2021/06/06,https://www.cna.com.tw/news/first

Moderna疫苗總數達到250萬劑。6月22日，在疫情爆發初期曾獲得台灣捐贈口罩的立陶宛，宣布捐助兩萬劑AZ疫苗給台灣，也使台灣民間輿論肯定美國對台善意。

　　雖然日美為主的國際援助迅速消解了台灣透過中共取得疫苗的急迫性，有關疫苗取得與研發的資訊戰與政治競合仍然持續，其中又以BNT疫苗與國產高端疫苗的發展最為戲劇性。在蔡英文總統會見鴻海、台積電雙方代表之後，對BNT疫苗來台的規範達成共識。2021年7月11日，上海復星宣布旗下子公司復星實業與鴻海精密、永齡基金會、台積電及裕利醫藥簽訂1000萬劑BNT疫苗銷售協議。7月21日，慈濟基金會宣布與復星實業簽訂500萬劑BNT疫苗採購及捐贈合約。在鴻海集團郭台銘親自前往歐洲爭取下，2021年9月2日，第一批93.2萬劑BNT疫苗由盧森堡運抵台灣。

　　另一方面，2021年6月底，高端疫苗公司結束二期試驗後將資料送食藥署進行緊急使用授權申請，一度傳出爭議，食藥署於7月19日宣布核准高端疫苗專案製造，8月23日正式大規模施打，總統蔡英文於當天早上前往台大接種會場施打第一劑高端疫苗。隨著高端疫苗與BNT、以及各國援助疫苗到貨量穩定，各種疫苗競爭、黨派鬥爭與假訊息的「疫苗之亂」才暫時平息。

　　「境內控制期」疫情的主要影響至今已經將近落幕，雖然仍有零星感染事件，但CECC在8月底宣布解除三級警報。事實上，回顧此時期，台灣壓制疫情的能力主要仍來自國家防疫政策與公民社會的配合。除了政府強化原有足跡追蹤與居家隔離等控制暴露度的政策以外，也考驗疫苗產業的技術能力與產能、民眾對政府與CECC的信任、以及公民社會的韌性。

（續）─────────────────────

news/202106065002.aspx （下載日期2021/06/22）

　　CECC的防疫政策雖然重要，但仍需民間配合才能發揮成效，而公民社會再度分發揮資訊傳播、資源動員與自主規範的效益。例如，簡維江與筆者對PTT的網路分析發現，民眾在2021年4月到6月再次出現討論疫情的貼文與留言高峰，這些網路言論若作為民眾風險感知的指標，其實有助於落實民眾戴口罩與社交距離等自主規範、減少暴露度，而與後來的疫情有明顯的統計負相關。

　　另一方面，公民社會的資源動員有助於減少脆弱度。以萬華地區為例，社區裡的服務產業遭到空前打擊、社區民眾飽受污名化之苦，間接導致當地老人與弱勢族群例如街友的生活陷入困境。萬華一位里長方荷生發起為街友與獨居老人募集「食物包計畫」，內含麵包、口糧、罐頭，提供受疫情衝擊影響的家庭，在無法工作和收入減少情況下維持生活，原希望募款150萬購置，三天就超標達到500萬。此外，萬華一度陷入困境的社工團體「人生百味文化建構協會」、「台灣芒草心慈善協會」也獲得大量捐助，得以在疫情爆發下持續協助社區弱勢者的照護服務。[42]傳統社區鄰里互助合作也有助於防疫，例如7月份Delta變種病毒在屏東坊山群聚感染17人，導致1人不幸死亡，卻被縣府與村民有效圍堵而未擴散，感染者已於8月康復出院，獲得英國衛報的專題報導。

　　總之，台灣國家公衛能力似乎再次通過了疫情考驗，公民社會雖然對民進黨政府有批評，仍相當遵守CECC的防疫指引，分享資訊、動員資源協助受災社區、落實自主規範，在疫苗全面施打之前先壓制疫情，使得這一波擴散迅速受到控制。因此，疫苗顯然並不

42　林育綾，2021，〈萬華「這種連結」被讚爆！林立青分享疫情現況：急難時發揮作用〉，2021年5月21日ETtoday新聞雲　https://www.ettoday.net/news/20210521/1987831.htm#ixzz767CexIbe

是台灣「境內控制期」改善疫情的關鍵。

　　有趣的是，台灣缺乏疫苗的危機卻促成東亞地緣政治上的重要變化。在中共壓迫下，日本與美國在台灣爆發社區群聚疫情初期捐贈疫苗的善意援助，對改善台灣民意對美日態度與抵銷中共影響力相當有效。台灣疫苗取得與研發進展，扮演改善國際關係與對政府信任的重要角色。隨著疫情趨緩與疫苗施打覆蓋率擴大到四成以上，在2021年8月之後所進行的民意調查發現，對蔡英文總統的施政滿意度，已經逐漸恢復到接近2020年底的水準。

五、結論與討論

　　整體回顧台灣在新冠肺炎疫情期間的防疫表現仍相當優良。從本文所提出的歷史制度、暴露度、脆弱度與韌性四項主要社會因素的分析框架來看，國家與公民社會能有效防疫，是多重因素偶合的機遇所造成的結果，首先是醫療制度條件與SARS歷史經驗的影響、以國境管制有效限制暴露度、對社會脆弱度有一定程度的認知、與公民社會資訊自由、資源動員、自主規範與心理陪伴所形成的社會韌性等因素，構成了治理疫情風險的有利條件。

　　然而，回顧台灣「國境管制期」的經驗，可發現及時發動嚴厲國境管制是總統大選後的特殊情境所造成，他國不僅難以複製，進入社區感染時期的國家參考價值不大，也對於2021年4月之後的「境內控制期」對策造成限制。首先，台灣在2021年4月前並未遭受境內社區感染擴散的考驗，因此很難被其他已經有本土社區感染的國家引用，只有少數國家例如紐西蘭、冰島與帛琉等島國，明確採用類似的國境管制策略、同時控制社區感染而獲得防疫成果。

　　其次，台灣在2021年4月之後的「境內控制期」顯示社會脆弱度

與疫情傳播的關聯。首先是航空業追求利益與保障從業人員的勞動權利要求放鬆國境管制，而台灣常見廣泛的社會網絡迅速導致疫情擴散。疫情滲透到萬華的八大行業環境，擴大傳染脆弱的高齡男性人口與高流動性的女性從業人員，使疫情迅速傳播到全島，而且造成CECC個人資訊追蹤與疫情調查的困難。另一方面，台灣電子業出口暢旺、急需仰賴低薪東南亞外籍移工趕工、卻無法保障其公共衛生條件，在病毒進入產業鏈之後，幾乎癱瘓生產。這些案例都顯示社會健康資源分配不平等所造成的脆弱度問題。此外，台灣過去威權統治時期便有干預個人基本自由的歷史，此次強制使用出入境與健康個人資料串聯，建立電子圍籬與檢疫政策可能侵犯個人資訊與自由，對違反三級警報戴口罩等規定的市民與外籍移工強制處罰等，也遭到人權團體與法律學者質疑。

　　最後，由於在「國境管制期」台灣疫情輕微，先前取得疫苗佔人口比例少，加上台灣醫藥生技產業過去的發展尚不如電子與機械產業，國內疫苗開發進度較慢。在疫苗開發途中，先爆發社區群聚感染，引起台灣民眾對缺乏疫苗的輿論恐慌，隨後CECC利用傳統的境內管制對策，加上公民社會配合防疫，雖然有效減少感染但是仍然影響經濟，有待下一波振興政策的干預。

　　在疫苗危機爆發、在野黨指責民進黨政權防疫不力、與中共利用疫苗引誘台灣談判之際，日本迅速援助疫苗產生安定民心的強效，美國與歐洲也快速跟進，戲劇性地穩定台灣政局，也改變了後疫情時代的東亞地緣政治局勢與兩岸關係，反倒與這個時期的疫情控制沒有太大關聯。此一劇變顯示，前述韌性的社會資本理論，也可以延伸到國際關係領域，即國際互惠的網絡與防疫政策，可能有助於各國控制疫情，而中共趁疫情惡化的機會武嚇他國或企圖瓦解民主國家之間的聯盟，其政策所預估的效果可能適得其反。

雖然台灣通過了國境管制期與境內控制期的考驗，筆者認為接下來很快就會面臨第三個時期「逐步解封期」的挑戰。以國際疫情而言，歐美各國在疫苗普及之後已經先面臨解封的衝擊，丹麥在多數民眾已經施打兩劑疫苗之後，於2021年9月初廢除了所有的防疫管制，此後是否會導致疫情再次爆發或癱瘓醫療體系，仍有待觀察，台灣的國境管制與境內控制雖有成效，在2022年兩劑疫苗覆蓋率達到歐美大約八成以上的標準時，也將會面臨如何解封的難題。而解封之後的世界，顯然已經不是2019年底疫情前的世界。

後疫情世界的危機也是轉機，台灣在前兩期防疫的成就獲得國際肯定、經濟前景看好，後疫情時期主要風險來自中共政局變化、與美中競爭及兩岸關係。延續「創新福利國家」的觀點，在兩岸關係上，筆者建議台灣政府與公民社會利用疫情期間盡力降低對中國大陸的經濟依賴，包括減少中國大陸旅遊業引進的廉價遊客、提升國內旅遊、餐飲等低薪服務產業的品質與薪資水準。在國內投資與就業政策上，擴大台灣對生技產業、機械與電子製造業的投資與產業優勢、增設公共托育以及長照機構，逐步延後全國各行業退休年齡，同時改善少子女化與超高齡化的趨勢。在國際關係上，擴大「境內控制期」台灣的國際防疫合作、促進國際疫苗援助與跨國公民社會交流，並藉機逆轉人才外流，吸納返台的海外工作與留學人才，檢討東南亞移工的工作環境等社會脆弱性與逐步放寬移民政策，持續打造後疫情時代的「韌實力」。

林宗弘，中央研究院社會學研究所研究員、國立清華大學當代中國研究中心主任。研究兩岸三地貧富差距與災難社會學，近年來亦關注數位科技、氣候變遷與疫情等全球風險議題。曾以《崩世代》與洪敬舒、李健鴻、張烽益、王兆慶獲得2012年文化部圖書金鼎獎、2015年科技部吳大猷獎。

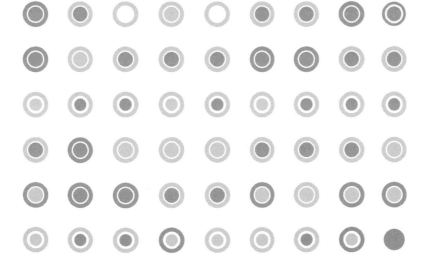

思想評論

新冠疫情下的中國「舉國體制」制度秩序[1]

陶逸駿

一、問題

2020年初，新冠疫情歷經掩蓋、失控，開始自武漢蔓延。當時不少論者認為這顯露了中國的體制弊端，亟需檢討。[2]甚至推測習近平和中共統治權威可能產生危機。但此後一年事態發展並非如此。

1　國立清華大學當代中國研究中心、社會學研究所2020年12月8日於新竹舉辦年終座談「變局中國2020」。本文為作者發言提綱重新整理、擴展而成。感謝林宗弘和陳宜中對文中思路的啟發。惟文責自負。

2　周雪光認為疫情顯露舉國體制的「剛性」，強調它在疫情上一些舉措是合理而成功的，但其弊端可能帶來災禍，需要檢討。見〈周雪光專訪：新冠疫情暴露「剛性」體制弊端〉，《BBC中文網》（2020年3月3日），https://www.bbc.com/zhongwen/trad/chinese-news-51703169。朱敬一認為此觀點簡化了中共的極權統治。見朱敬一，《維尼、跳虎與台灣民主》（新北市：印刻文學，2021）。本文則強調，新冠疫情使得舉國體制強化，也愈加沒有理由期望所謂「剛性」受到檢討，「舉國」只會更加趾高氣揚。但這些現象也不易單以「極權統治」批判和解釋，而需要分析其機制過程。

在武漢封城、應急醫院迅速完工啟用、各地社區檢疫隔離等非常手段之下，疫情逐漸緩和。而「戰時狀態」視確診案例隨時重啟，社會控制順勢強化深化，各種監控、追蹤和封鎖的技術手段，更加理所當然地滲入群眾生活日常。

與此相對的是，應變較為滯後、管制較為寬鬆的歐美民主國家，疫情相繼陷入困境。當然，中國與歐美的疫情治理可以有不同解讀方式。中國在疫情初期的疏失、隱瞞、打壓，以及運用世界衛生組織（WHO）的避重就輕，或許是歐美應變滯後的原因之一；威權和民主政體防疫績效孰優孰劣，也有數據豐富的討論。但不可否認：整體而言，無論確診率、確診人數或死亡人數，中國帳面數字都不算太過難堪。這一點適足以讓中共淡化龐大代價。在中國內外輿情和媒體推波助瀾下，不僅加持了習近平的權威，還借助一些樣版人物和標誌性事件，掀起一波波愛國主義、民族主義熱潮。這些熱潮挾著社會控制手段，看似使中共政權體制更加穩固，對外影響力有增無減，儼然展現治理形式與制度秩序的另一種可能性。東、西方都不乏知名學者依此宣稱「中國體制的優越性」，特別是川普抗疫和選舉的連串脫序演出後，許多人更有底氣確信：在世界秩序重組的大勢中，以美國為代表的西方民主秩序面臨式微，而中國所代表的制度秩序正在崛起。

中共體制何以將這場疫情危機轉化為政權和領導人的權威與聲望？如果防疫失誤原本甚於績效，這個轉化如何產生？[3]因循何種制

3　袁莉主要由輿情與宣傳的角度探討這個問題。本文則關注體制權威的內在邏輯。見袁莉，〈北京如何把新冠悲劇變為「中國優勢」〉，《紐約時報中文網》（2021年1月25日），https://cn.nytimes.com/china/20210125/china-covid-19-beijing/?fbclid=IwAR1uGX9DbkOi2b0k4sEklpbEMm_R3K7IWLvFFyDHG7pS_rBBhs8SKMfjKe0。

度路徑？另一方面，倘若中國抗疫績效在某些面向看似優於歐美民主國家，並能夠乘此提升影響力，是否就意味著治理方式和秩序型態有望凌駕、取代西方民主，成為世界制度秩序的另一種選擇，甚至是主導力量？

　　本文嘗試指出：習近平近年一再重新強調的「舉國體制」，的確可以詮釋中國應對新冠疫情的基本思路和制度邏輯。抗疫過程實踐從「恐懼、幻想、資源依賴」三方面結合既有體制性質，順勢強化近年中共針對產業技術和經濟資源有意構建的「新型舉國體制」，使得應對疫情的缺失陸續被擱置、遺忘。而建立在強制隔離與資源動員的抗疫績效，則在與歐美國家疫情的對比中被顯著放大。「舉國體制」的抗疫思路和制度邏輯，和歐美國家抗疫方式分別建立於不同的制度秩序背景。如今單就疫情數字看，誠然有一定功效，體制對社會的滲透和汲取也從中獲得更有利的條件。不過，所衍生的代價與困境，卻隨著非主流聲音的消散，而反覆被更為強大集中的頂層設計、高亢的主旋律和漸趨單調的公共輿論匆匆掩去，無從期待它自我減壓，卻讓頂層的不安全感和動員需求不減反增。這些現象在疫情發展期間就會不時表現，逐步將政權本身引入不可逆的路徑，使得這種制度秩序很難真正成為當今「世界秩序重組」下的另一種主導方案。

二、舉國體制

　　「舉國體制」在中國並不是個新鮮概念，自始就具有「戰時動員」的意涵。毛澤東早在〈論持久戰〉當中就指出：「中國全體人民團結起來，樹立舉國一致的抗日陣線」。中共建政初期以舉國規模進行社會主義改造和計劃經濟建設，尤其工業科技研發，著重於

集中、管制、整合、動員整個國家的人力、物力和知識等資源，去
追逐頂層領導設定的重要目標。當建政初期的相對穩定構築了民主
集中制的有利條件，以毛澤東為核心的黨中央就佔據這個「集中」
的主體。黨中央領導下的政治路線先行，成為各地、各層級、各單
位依循的普遍原則，「東西南北中、黨政軍民學，黨是領導一切的」。
這種思路下的具體決策特色是「大」。「人有多大膽，地有多大產」，
毛時期「一大二公」、「大躍進」、「大煉鋼鐵」、「文化大革命」
是代價慘重的例子。不過這期間「一邊倒」和以農補工的路線，使
得部分老工業基地享有優勢，而「兩彈一星」迄今仍是愛國主義的
豐厚資產。

　　毛澤東不是沒有意識到舉國體制困境，因而在〈論十大關係〉
中提出「中央和地方的兩個積極性」，但在舉國陷入動亂之前缺乏
逆轉的動能。鄧小平掌權期間雖然好談「集中力量辦大事」，不過
實際上經濟、社會和政治方面的決策權有一定程度下放，舉國資源
動員和管制的深度、廣度規模不若毛時期。固然，在農業、工業、
國防、科技等領域仍常保舉國動員特性，但改革開放以來，各界論
及「舉國體制」往往專指運動競技等國際賽事的國家代表隊培訓機
制。直至近年，《中國知網》涉及「舉國體制」關鍵詞的論文，多
數仍與體育培訓相關。

　　缺乏制衡機制的權力下放也產生許多問題。至胡錦濤任內晚
期，貪腐已成為一般群眾心中最嚴重的公共議題，[4]這是習近平反貪
鬥爭的著力點之一。而習近平時期在中央權力集中上收和國際經貿

4　數據來自北京大學國情調查研究團隊在2008年所做的調查。參見嚴
　　潔等，《公民文化與和諧社會調查數據報告》（北京：社會科學文
　　獻出版社，2010）。

局勢的背景下，因應「產業轉型、升級與自主」的需要，「舉國體制」被重新強調，並基於科學知識與產業技術的重心，表述為「新型舉國體制」。意在基於頂層設計管制、動員整個國家資源，去推進重要科學技術，以達成產業自主和國家發展目標，避免受到境外勢力牽制。其中最受矚目的自然是通訊和半導體相關產業，但這套邏輯也不時延伸至其他領域。不同於冷戰時期常見的「極權政體」概念，「舉國體制」可能更為接近鄒讜所謂「全能主義」（totalism）的權力關係升級狀態：[5]當國家政權尚未現身時，社會大眾也能夠獲得歲月靜好的生存發展經驗。但基於頂層設計所需，可以隨時觸碰、汲取任何個人最為私密的領域，以服膺舉國名義的目標。而技術手段使人們甚至往往不知為何被觸碰、是誰在觸碰、觸碰後果如何。

三、疫情

「舉國體制」和中共政權的權威來源、黨內的民主集中制、以及面向各方群體的政治協商制度等基本制度元素充分結合，彼此強化。而新冠疫情的防治動員、疫苗研發，使得側重產業技術的「新型舉國體制」經由這些既有制度元素鎖入（lock-in）這個進程。[6]權力集中、頂層設計、行政指令下沉趨勢更加明確，而且不斷抑制回

5　鄒讜認為「全能主義」是國家－社會關係的一種形態，而非國家政治體制，但在現實政治中可能有很高的伴隨關係（correlation）。見鄒讜，《二十世紀中國政治：從宏觀歷史與微觀行動角度看》（香港：牛津大學出版社，1994）。

6　參照North的制度理論。Douglass C. North, *Institutions, Institutional Change and Economic Performance* （Cambridge University Press, 1990）.

頭檢討的動能來源。

何以致此？首先可能需要承認一個事實：中共政權和舉國體制，背後的統治秩序自始不是建立在「自願、同意、支持」的原則之上。相應地，關於「失誤」的輿情衝擊較易監測、管控。但一旦獲得績效，則正面效應明顯。用更為口語的說法：中共的統治權威與制度秩序，主要由「恐懼、幻想、資源依賴」來維繫。這三方面大致對應著體制若干環環相扣的既有元素：第一，中共取得政權（宣稱「人民的選擇」、「歷史必然」）的實際方式，是武裝鬥爭發動的全面戰爭。政權自始具有極高的暴力潛能，便於以「恐懼」鞏固權威；第二，中共透過「統一戰線」，使具影響力的「非黨人士」、「次要敵人」、立場搖擺者乃至人民群眾等「先進性」較弱的身分，逐漸趨近並產生想像的認同。再輔以宣傳教育與學習動員，便於以一種大共同體式的「幻想」鞏固權威；[7]第三，中共透過「黨的建設」，將「支部建在連上」的理念落實、滲透到基層社會，完善列寧式政權的嚴密組織建設，這就便於以「資源依賴」來延續與鞏固權威。而透過基層組織落實的彼此監控，弱化抽象信任關係，同時有助於恐懼和幻想的瀰散。

整個疫情與抗疫過程，使這「三大法寶」產生齊頭並進、彼此鎖入的效果。首先，面對疫情外在未知的共同恐懼，國家政權的暴力潛能便於在監控、壓制、汲取和滲透的同時，以「恩庇者」的姿態現身，推引廣大群眾在「恐懼與需要」的含糊中仰望與順服其權威；其次，從抗疫過程中塑造的故事和英雄人物，包括獲頒共和國

7　這裡「大共同體」涵義參照秦暉，〈從大共同體本位走向公民社會——傳統中國社會及其現代演進的再認識〉，載於余英時等，《五四新論》（台北：聯經出版，1999）。

勳章的鍾南山，以及被定性「身為黨員、不反體制」的「殉職吹哨人」李文亮，到後來世界各國抗疫情況的對比，經由封閉隔離處境下的電視、廣播與網路傳媒，為廣大群眾提供了關於「黨國與我」之聯繫的豐富想像來源。宣傳手段的共同體敘事背後的聯想，往往是斧鑿痕跡可辨的幻想，但搭配疫情數據卻足以有效鞏固權威。吸引力之大，使一些海外改革派中國人都感受動搖；[8]第三，基於防疫需要，國家體制對人力物力和知識的動員和管控，概屬理所當然。包括高精尖的監控追蹤技術、核酸檢測體系的構建，乃至疫苗的研發測試。黨政組織行政力量在社會中的汲取與滲透強化，資源及能力也更加雄厚。而組織性的資源依賴有效支持權威，密集而尖端的監視技術掌控恐懼，都為舉國體制帶來優勢條件。

持續在績效中鞏固的舉國體制，能夠展開許多抗疫工作。而這些工作過程和歐美民主國家相較，也的確反映了制度秩序類型的對比。舉例而言，基於「恐懼、幻想、資源依賴」所拱衛的權威，舉國體制的秩序透過由上而下的強制動員，便於以行政命令迅速封城、封街、封小區、封戶，甚至封私人帳戶與眾人之口。嚴格隔離、舉報所有可疑人物，完整追蹤並披露其生活足跡，無需多加考慮其個人隱私。一個城市發現若干本土確診案例，可以在一天內就進入戰時狀態。而「肛拭子」這類據稱效果更好、但過程可能帶來更多不便的採檢方式，可以直接施加於「重點人群」。

相較之下，歐美民主國家的制度秩序大致需要更審慎地考慮「個人理性、自願、同意」的原則。這種秩序原則儘管有不同的制度實

8　一篇完整表現這種心態轉折的文章，來自張博樹，〈不要忘了我們的根〉，《中國戰略分析》（2020年11月25日），http://zhanlve.org/?p=8362。

踐形式，但整體來說，以頂層指令直接干涉私人領域的難度較高。
隔離和封鎖公共場所，通常需要經歷更為漫長的說服協調過程、面
對不容忽略的成本，而封城無疑是艱難爭議之舉。其中許多地區日
常秩序中，對於「出門戴口罩」的生活習慣有所排斥。或許可以說，
美國疫情嚴重，川普政府固然難辭其咎，但其面對的制度秩序型態
確實使疫情控制多有棘手之處。另一方面也可以發現，在美國東北
部、西岸和都會區，如果基於自願、同意選擇相信了科學、配戴口
罩、避免出門、取消聚會、施打疫苗，一般處境也並不像許多媒體
所傳達的那麼恐怖。只是，這種制度秩序在「化解反智效應」方面
有時未必特別高明，不免產生一些行為外部性（externality）。譬如，
在某些地區戴口罩可能受到人身威脅、社群持續玩樂聚會，那麼理
性自願的選擇也就面臨限制。

四、困境

　　「舉國體制」和其背後的制度秩序，在許多事項上看來績效足
以掩蓋代價。而抗疫工作短期內也確實展現了其優勢。不過在三個
方面存在困境：第一是知識創新與運用，第二是「委託－代理」問
題，第三則是最為艱難的權力轉移問題。舉國體制績效越好、愈鞏
固，就更傾向以「舉國的」方式來修正與克服困境。然而不斷強化
的動員、滲透與汲取，並不會使領導人更具安全感而為社會留下更
多探索和調適餘地，直到舉國體制無以為繼。儘管這個時程可能甚
為漫長。

　　首先，舉國體制依其性質，在目標訂定和動員範圍、深度的決
策權限等方面，必然集中在中央頂層極少數人身上。以中國目前局
面，顯然就是集中在習近平一人及其周邊心腹（以「之江新軍」為

代表）手上。這種高度集中而邊界模糊的權力，對領導者及幕僚群的知識更新與決策能力的要求更為嚴苛。然而舉國依從特定目標，甚或到萬馬齊喑的程度，分散知識的創新和運用誘因都會跟著弱化。這時候，誤判局勢、決策缺失的代價更重，可能性卻也越高。已經有很多學者提醒過思想、言論市場的重要性，而知識生產的方式也影響科學技術進步的效率。中國舉國體制經由「單位制」、「項目制」運作，雖然在一些重大工程技術扶持上展現優勢，但許多「範式性的創新」仍必須仰賴西方制度秩序環境下的長期研發成果。[9]老工業基地、兩彈一星、航空航天的發展歷程概莫能外，如今芯片、光刻機仍面臨這種處境。只是，如果分散了設定目標和挹注資源的決策權力，以提振創新誘因，則舉國體制的制度秩序將面臨鬆動。這就涉及第二項困境：舉國體制難以克服「委託－代理」問題。「上有政策，下有對策」一向是中國體制痼疾。中央高層領導者即使總是正確預判局勢、決策未有缺失，但要如何確知代理者的行為都符應路徑？龐大官僚體系必然存在難以控制的監管成本。

　　參照組織學上「注意力分配」概念。在舉國體制下，「可視的」、「唱和的」、「速效的」決策更可能成為上下級的偏好。[10]特別是在中央頂層頻繁提出更為抽象、空泛的舉國目標時，各方自然也想

9　這裡借用趙鼎新的說法：「當代中國的國家權力越強大，發明創造能力肯定會越受損。中國在範式性創新方面幾乎是零，這點就是明證。但是，國家權力強大，對辦有些事情會有好處。比如抗擊新冠肺炎、造高鐵造高速公路、搞GDP導向經濟等。」參見〈趙鼎新訪談二：國家權力越強大，發明創造能力越受損〉，《燕京書評》訪談，2021年2月16日，https://www.allnow.com/post/602b245184378438b8261535。

10　相關研究可參見吳敏、周黎安，〈晉升激勵與城市建設：公共品可視性的視角〉，《經濟研究》第53卷第12期（2018）。

迎合舉國正確路線藉以自保和牟利：政府發言人與傳媒帶動、邊境官兵參與演示「戰狼」姿態，許多「小粉紅」追捧的微信公眾號由特定營銷公司經營。趨之若鶩的「愛國信心販子」當中，不乏成名的學者教授。同時，社會面對更加頻繁、深入而手段不易預期的汲取與滲透。個人及家計境況的定義權，在「脫貧攻堅全面勝利」的宣言中被壟斷。民間經濟、社會活動身陷綿延不絕的監管約談，紛紛回頭親近「一大二公」。無恆產者無恆心，當愛國和房地產一樣成為一門投機生意，多數人也會相信明哲保身、以錢套錢是合理生存選擇。這些困境或許仍不會立即造成嚴重危機，但也正因如此，「三大法寶」交相運用成為頂層最靠譜的對策。所謂「社會主義鐵拳」更頻繁出動以肅清路線分歧。大量日常生活細節在舉國路線下「黨建化」，[11]從基層日趨密集瑣碎的政治學習，到近年藝文活動對主旋律的積極依附，都可以感知。而黨史、國史的修訂，則反映對過往吸收能量的重心產生轉變。

　　舉國體制及其秩序最為艱難的問題，是強大而集中的權威在轉移過程必然面臨的高度風險，也幾乎總難避免驚險詭譎的戲劇性情節。[12]情節輕則突擊捕人、小型政變，重則大規模動盪，甚至釀成全面內戰。這個問題，即使毛澤東、鄧小平這般強大的權威都無力克服。甚至可以說，舉國體制的頂層權威越強大、集中，領導人的

11　「黨建化」的解讀來自清華大學社會學博士生鄧愷。他比較央視春晚二十年來的風格變化，指出：春晚的服務對象已經變了，從服務群眾，變成為黨建服務。

12　相關觀點並不罕見。參見榮劍，〈中共的阿喀琉斯之踵：接班人怪圈〉，《紐約時報中文網》（2020年1月15日），https://cn.nytimes.com/opinion/20200115/new-and-old-hidden-rules-chinese-leadership-succession/?utm_source=top-2020-oped&fbclid=IwAR1R8v9i7KmeEaLwkGuzmt6gnWowZ862-rZbVawqDJoe5K-Sz7MvfB8VaPo。

不安全感愈加鬱結，使這個問題更為難解。[13]八九六四天安門事件之際，江澤民、胡錦濤在鄧小平集結黨內元老指定和隔代指定的共識認可下，得以緩解這些問題，並勉為推進局部的權力更替制度化。如今習近平定於一尊，局部的制度化在2018年修憲後已然失效，領導權力轉移的前景飽含疑慮。

　　川普四年執政、2020年美國總統選舉，以及美國近年政治社會風貌，使不少論者認為反襯了中國政治體制的優越性。然而，當前眾人或許很容易忽略：美國政治體制近年忙於處理的，可能是人類史上最困難、最危險、但反覆出現的兩大問題。多數大規模戰爭、屠殺、毀滅、倒退、停滯，都源自這兩大問題。第一個問題是「統治權如何競爭與轉移」；第二個問題是「狂人獨攬大權怎麼辦」。如果這兩個問題能夠平和解決，其餘容或逐步處理。如果無法持續妥善解決，難免某一次、只要一次，無論之前治理績效多卓著、歲月再靜好，都可以迅速毀掉、推回原點。長期以來，美式民主在憲政制衡的基礎上，以選舉和審議等程序體現同意與溝通的制度秩序，目的在於以系統性機制避免全面內戰。而長期以來，也大致達到了這個效果，彷彿政權有序更替是如此水到渠成，往往淡忘了龐大權力轉移本身的巨大危險性和困難性。

　　似乎沒有任何政體能徹底避免推出狂人，也沒有政體能完全消除獨攬大權及群眾狂熱的危險（今所謂「民粹」）。但有些政體能在局部打鬧中平抑死傷，有些則動輒帶來大規模殺戮、全面清洗，在人命如草芥的同時，導致整個菁英階層與文化花果飄零、禮失諸野，因而遠遠在此之前就失卻恆心、一意避秦。中國歷史上幾乎所

13　吳稼祥以「茶蘼現象」對此進行了生動的描述。見吳稼祥，《頭對
　　著牆：大國的民主化》（台北：聯經出版，2001）。

有改朝換代的全過程、大多數朝代內戰爭,乃至近當代以來重大政策失敗與政治運動,死亡人數和死亡率都超乎美國南北戰爭。倘若美國再度發生內戰,死傷人數恐怕難以估計,但目前畢竟離內戰還有段距離。誤判、衝撞、倒退可謂人類歷史常態,而在幸運和偶然間跳脫循環性的全面震盪,開啟了「進步」和「現代」之路。美國處理這個人類最困難、危險的問題,過往紀錄讓和平有序成為理所當然。近年雖然面臨嚴峻挑戰,但不容否認,這套制度秩序處理兩大難題的慣例和績效,還不是所謂中國政治制度秩序所足以比擬。論者以中國各種治理績效為傲,但對於「習近平大權獨攬,如果決策犯了重大失誤,怎麼辦?」也只能假設他英明聖賢、幕僚睿智,永不失誤(假設至今尚未失誤)。即使如此,進一步面對「如果習忽然死去怎麼辦」,就更難以提出使人信服的觀點。無法從容、自信、務實地處理這個問題,對「治世」的想像停留在「文景」、「貞觀」、「康雍乾」,制度秩序當然欠缺達到「現代化」的條件。

五、小結

新冠疫情之下,中共政權更有底氣宣稱舉國體制的績效和優勢,從而強化自身。同時,體制的「韌性」、「適應性」、「學習力」的維持,更加依賴頂層設計與行政指令。但這套體制仍需面對內生的代價,包括知識運用的偏狹、更高的決策失誤風險、委託-代理問題,以及頂層權力轉移。但體制控制這些問題的路徑中,反覆強化對於社會的汲取和滲透,境內質疑聲音也漸趨微弱。如此的結果就是,民間社會預期「無恆產」而熱衷進體制、吃皇糧,眾人寧左勿右、短線決策氛圍更加瀰漫。如果說「韌性威權」有點像是海綿,能夠揉捏與吸納,甚至帶來一種無傷無害的錯覺。那麼如今

舉國體制或許更像一塊逐漸硬化（所謂「剛性提升」）的磚頭。它的確具備威力，如果敲擊它、違逆它「會受傷」，但它也愈加需要提高硬度來維持自身。

舉國體制持續強化直到破碎，可能是一段極為漫長的時程。不難想像，中國頂層領導即使決策嚴重失誤，也未必導致政權的立即潰散。甚至可以直覺提出一些待驗證的有趣猜想：中共歷屆最高領導人任內因人禍造成的非正常死亡人數，和其現世民間聲望可能大致呈現正相關。而諸種治理失效和社會不穩，未必斷斷其國際影響力的增長。這兩點，從毛澤東統治期間以及八九事件以來的發展或可窺知。儘管如此，至少仍可以想像：舉國體制一旦進入了某種路徑，調適的方式難免傾向使自身變得更強、更硬、韌性更低。新冠疫情使中國鎖入這個路徑的態勢更加明朗。就目前看來，要找回體制改革共識、節制宏大國族自信、檢討失誤代價、重新開啟有益的「探索」，現行體制邏輯似乎已不足以提供這種動能。[14]

陶逸駿，國立清華大學社會學研究所助理教授。研究興趣為當代中國社會與政治。

---

14 這裡點到即止。如果對中國改革前景尚且抱持期待或疑惑，也許不妨回味龍應台在《未完成的革命：戊戌百年紀》（台北：臺灣商務印書館，1998）序言當中的嘆問：「為什麼每一代人都得自己吃一次蜘蛛，吃得滿嘴黑毛綠血，才明白蜘蛛不好吃？」

抽象的歷史反思與失焦的現實批判：

「體制新左批評」思潮審視

姚新勇

一、所指、更名與基本問題

近幾年來，一種質疑、顛覆80年代以來啟蒙文學史解讀範式的現象，已然形成規模。其活動與影響雖然基本局限於大陸現當代文學研究界，不過已然形成了某種批評思潮，它既占有了學術期刊的不少版面，而且也為一批最具活力的中青年研究者們所熱衷。這一批評思潮，著力於重新解讀被新啟蒙話語所否定了的延安、十七年文學，乃至文革文學，重新張揚毛澤東延安《講話》精神、「人民文學」和中國革命[1]與社會主義的價值，由此而一方面挑戰、質疑啟蒙文學史解讀範式，從文學史的角度重新將「被割斷」了的共和國及革命歷史敘事連接起來；另一方面又將這種再解讀，指向對所謂「啟蒙—資本」意識形態及人民大眾被汙名化之社會現狀的批判。

這一思潮被歸為新世紀以來的「新左」範疇，一般被稱之為「新

1　按照所討論物件的行文習慣，本文中的「革命」，一般特指中國共產主義或社會主義革命。

左批評」或「左派批評」。不過這樣的稱謂恐怕過於籠統。因為在中國大陸，可用「左派」來歸類的派別或群體，其實相當複雜，即以筆者所知，至少就有以下四類：第一類可概括為「學院新左」，代表者如汪暉、甘陽、劉小楓等，他們是最被廣為人知的所謂「新左」，占據了大陸學術界的主流場域。第二類是更為極端的「毛左」，「烏有之鄉」網站可謂其典型代表。第三類可名之為「實踐左派」，其中多數可能是北上廣的青年大學生。他們一般會將對傳統馬列主義毛澤東思想的堅定信仰與對工人維權抗爭活動的熱心關注和參與緊密地結合起來，捲入2018年「佳士事件」[2]中的一些青年學生，主要就是這類實踐左派。第四類是「自由左翼」。這類「左派」極少被人關注，人數可能也很少，甚至處於存在或不存在之間。有人將這類「自由左派」與「自由右派」相對應，[3]其基本特徵或可概括為：既主張社會的平等、公正與正義，反對掠奪性的資本主義市場經濟改革，又主張積極推進憲政民主制度的建設。

　　上述四類中的第一類「學院左派」，是最常見的「新左」所指，其成員大多寄身於學院體制，並與體制意識形態關係密切，具有相當強的「體制性」，而且其大部分成員，又都非常喜歡引用所謂西方左派的觀點或方法，因此或許稱之為「體制新左」更為恰當。而本文所準備討論的主要批評思潮現象，其外延基本內涵於「體制新左」內，相關成員多為其中的那些從事中國現當代文學（尤其是當

2　「佳士事件」大陸新華社有報導：〈深圳佳士公司工人「維權」事件的背後〉，http://www.xinhuanet.com/2018-08/24/c_1123326003.htm。另據說，國外「維基百科」也有專門的詞條。

3　參見知乎上的一篇匿名之作，〈自由左派代表什麼？〉（https://zhidao.baidu.com/question/21488549.html），此文並非嚴謹的學術論文，而且沒有寫完，但還是有一定的參考性。

代文學）的研究者，[4]且絕大部份成員屬於學院體制新左領袖們的學生輩。「體制新左批評」，當然由具體的人和著述所構成，但主要還是一種思潮性現象，並非鮮明的集團性存在。因此，下文所論側重於相關問題或思想傾向的分析，並不意味著所涉具體人員都一定是或屬於「體制新左批評」。

　　體制新左批評言說的一個基本判斷認為，80年代新啟蒙話語割斷了整體的共和國歷史和當代文學史，也割裂了現代中國與中國革命之間的重要關聯，因此，重構中國當代文學歷史的連續性，即為其思考、言說的基本前提。華東師範大學教授，著名體制新左批評的領袖羅崗，曾經以「人的文學」與「人民文藝」的興衰交替，為中國當代文學勾勒了兩波「人民文藝」興衰變奏史。

　　羅崗的第一波「人民文藝」的梳理，開始於袁可嘉「人的文學」與「人民的文學」之二難辯析。在1947年新中國的曙光已然放亮之際，著名自由主義學者、「九葉詩派」的重要代表袁可嘉，發表了一篇題為〈「人的文學」與「人民的文學」——從分析比較尋修正，求和諧〉的文章，表達出對強調人性、獨立性、藝術性的「人的文學」前途的擔憂，希望已然成為主流的「人民的文學」，能夠包容「人的文學」，求得兩者的和諧共存。雖然羅崗強調了袁可嘉的「左翼」色彩，肯定了他對「人民的文學」的包容，甚至是把人民文藝視作「人的文學」發展的未來，但是羅崗又馬上指出：袁可嘉的「『理論包容度』只是試圖用『人的文學』來包容『人民的文學』，並且堅持『人的文學』具有永恆的『普遍性』和『文學性』，而將『人

4　其實汪暉、劉小楓等「學院新左」的領袖們，基本也都是中國現當代文學研究出身的。

民的文學』當作暫時的『階級性』與『政治性的體現』」。[5]羅崗指
出，關於此毛澤東的《講話》早已做出明確的結論，奠定了以文藝
為工農兵服務的「人民文藝」理論的奠基。而隨著中華人民共和國
的建立，《講話》成了全中國文化和文藝發展的指導性綱領，「人
民文藝」迎來全面發展的機遇，但也面臨著新的挑戰。即「『新的
人民的文藝』必須進一步面對以『城鄉關係』為核心的『三大差別』
[6]的挑戰，必須更積極應對以『日常生活』為重點的『革命第二天』
的難題」。「如何處理新難題，是轉向『30年代（左翼）文藝傳統』
吸取資源，還是試圖用更激進的試驗來克服困難?」，[7]中國革命、
「人民文藝」都遭遇到了更為極端形式的內在困境與危機。而這一
危機的不斷展現與克服，既帶來了由文革走向改革開放，也促成了
「新時期文學」的形成與變化，人民文藝遂告式微，「人的文學」
再度興起。

　　1990年代「再解讀」思路興起，它雖然分享了80年代後期「重
寫文學史」的路向，但是對過往「社會主義現實主義」作品的重讀，
則逐漸瓦解了新啟蒙話語的「人的文學」與「人民文藝」之現代與
傳統的二元對立文學史觀，不僅重新提供了銜接現代文學和當代文
學的契機，也為延安─社會主義文學的再解讀，提供了理論突破口。
這一思潮後經洪子誠和蔡翔等的努力，推動著中國當代文學批評向

5　羅崗，〈論人民文藝的歷史構成與現實境遇〉，載《文學評論》，
　　2018年第4期，頁14。這裡前後幾段有關所謂「人民文藝」兩波興
　　衰史的評述，均針對此文。

6　在大陸，一般指「工農差別、城鄉差別、腦力勞動和體力勞動的差
　　別」。

7　羅崗，〈論人民文藝的歷史構成與現實境遇〉，載《文學評論》，
　　2018年第4期，頁17。

著更高層次前進，努力去「描繪出一幅完整全面的 20 世紀中國文學圖景」：

> 既突破「人的文學」的「純文學」想像，也打開「人民文藝」的藝術空間；既拓展「人民文藝」的「人民」內涵，也避免「人的文學」的「人」的抽象化……從而召喚出「人民文藝」的「人民」內涵，也避免「人的文學」的「人」的抽象化……從而召喚出「人民文藝」與「人的文學」在更高層次上的辯證統一，「五四文學」與「延安文藝」在歷史敘述上的前後貫通，共和國文學「前三十年」與「後三十年」在轉折意義上的重新統合。8

　　羅崗的這種歷史敘事雖不無依據，但卻跳躍、史實顛倒交錯，目的論的特點突出。我們首先需要要追問的是，他之歷史敘述，他所肯定的兩種當代文學史言說的「新傾向」——重新打通新中國前三十年文學與「新時期」以來文學、重估「人民文藝」的兩種傾向，究竟是「人民文藝」與「人的文學」相互博弈的結果，還是在具體歷史語境的作用下，80年代新啟蒙知識群體分化、分裂的結果？這需要返回80年代去梳理9。

8　羅崗，〈論人民文藝的歷史構成與現實境遇〉，載《文學評論》，
　　2018年第4期，頁13。
9　限於篇幅和主題，下面的歷史梳理，僅限於現當代文學研究界，沒
　　有擴展到更為寬廣的思想史範疇。

二、新啓蒙群體的分化與體制新左批評的衍生

　　熟悉大陸中國當代文學史的人都知道，「新時期文學」是從批判文革文學、平反十七年文學開始的，不過很快它就走向對十七年文學的反思與否定，這種趨勢到了1982年時，就引起了一些學者的關注。是年，劉思謙撰寫了〈對建國以來農村題材小說的再認識〉，試圖再次肯定性地評價以《創業史》為代表的十七年農村題材小說。不過劉文並沒有質疑批判文革和反思十七年文學這兩個歷史前提，而是認為不應該以「歷史功過、政治是非」為依據來評斷作品，認為這是以政治標準取代藝術標準，而應該以「歷史真實」（「歷史上曾經有過的人和事」）為依據客觀地評價過去的作品。她希望通過對十七年文學作品「客觀公正的評價」，「從中找出一些規律性的東西，使當代文學創作在正確總結歷史經驗的基礎上獲得一個新的起點」。這個新起點當然不是羅崗所強調的「人民」，而是「寫人，寫人的命運、人的性格和人的心靈」這樣的文學本質，這恰是「十七年間經得起時間檢驗的優秀作品提供給我們的寶貴經驗」。[10]應該說劉文比起新啟蒙話語完全否定十七年文學，顯得更為辯證，更富歷史的前瞻性。不過它的價值無論是當年與其商榷的文章，[11]還是新千年後接著它再說的論述，[12]都沒有真正意識到。

10　劉思謙，〈對建國以來農村題材小說的再認識〉，載《中國現代、當代文學研究》，1983第3期，頁30-31、40。

11　邱嵐，〈對一個「棘手題目」的思考──評《對建國以來農村題材小說的再認識》〉，載《文學評論》，1984年第5期。

12　賀仲明，〈真實的尺度──重評50年代農業合作化題材小說〉，載

　　如果說劉思謙是試圖將「新時期」「人的文學」訴求與被否定的十七年社會主義文學相嫁接，以啟蒙話語為理由來肯定十七年文學中的某些「優秀作品」，但同期韓愈望的〈建國初期文學成就之一瞥〉，[13]則是以傳統體制意識形態為依據，明確地將共和國或延安—社會主義文學看作是一個連續發展的整體，不僅為十七年文學辯護，甚至還隱含著對否定文革文學的不滿。雖然韓文言說的方式較為傳統僵硬，咄咄逼人，但其對《講話》、社會主義革命、政治、人民群眾的強調，則與羅崗的「人民文藝」論一致。所以相較而言，韓文可說是今天「人民文藝」論在80年代更直接的先聲。

　　儘管具有這樣的聲音，但在大陸現當代文學研究界，整個80年代，總體發展趨勢是由對文革文學的批判不斷推向對整個延安—社會主義文學的質疑，直到1989年六四事件的爆發，這一勢頭才被突然中斷。而1992年鄧小平「南巡」，又在中國掀起了市場經濟建設的浪潮，新啟蒙話語遭受到了政治與經濟的雙重壓力。爆發於1993年的「人文精神大討論」，正是這種雙重壓力的反應；與此同時，部分啟蒙學人通過引鑒後現代、「市民社會」、「現代性」話語等西方理論，對延安—社會主義文學進行解構性的再解讀，試圖從更深層的文化批評視角來延伸80年代的啟蒙思考。正如唐小兵所言，對《暴風驟雨》等過往「社會主義現實主義」作品的「再解讀」，是對「正統意識形態的挑戰和批判，是一種『送瘟神』式的拆解和擯棄」。[14]不過，濫觴於《再解讀：大眾文藝與意識形態》（1993

（續）───────────────────

　　　《文學評論》，2003年第4期。

　13　韓愈望，〈建國初期文學成就之一瞥〉，載《人文雜誌》，1983第
　　　1期。

　14　唐小兵，〈再解讀──大眾文藝與意識形態《再版後記》〉，載《再
　　　解讀：大眾文藝與意識形態》（北京：北京大學出版社，2007），

年）的「再解讀」思潮，的確突破了80年代以來不斷被強化的「現代」與「傳統」的二元對立，綻裂了「現代」性追求所蘊含的多重內在矛盾與邏輯悖論，讓人們意識到了「各種各樣的矛盾衝突不只發生在『現代』與『傳統』之間」，而且由於「現代」的介入，「傳統」實際可能也成為『現代』的某種組成部分」，歷史的想像圖景也就顯得更為複雜而多面。[15]文學研究的「再解讀」空間，也就被大大拓展，不再局限於延安—社會主義文學，而是拓展到了整個百年中國現代文學。隨之產生了一系列性質相近的研究著述。黃子平的〈病的隱喻與文學生產：丁玲的《在醫院中》及其他〉、陳思和的〈民間的浮沉：從抗戰到文革文學史的一個解釋〉、唐小兵的〈暴力的辯證法：重讀《暴風驟雨》〉、王曉明的〈一份雜誌和一個「社團」：重評五四文學傳統〉等，都屬於這一文學史再解讀的成果。更多的重要著述被先後收集於《再解讀：大眾文藝與意識形態》、《批評空間的開創：二十世紀中國文學研究》（1998）等論文集中；而《二十世紀中國文學叢書》（1993）、《百年中國文學總系》（1998）等，也是同期影響較大的叢書。無論是從所涉主題還是研究方法上看，這些著述其實都已經打開甚至劃定了以後體制新左批評研究的空間。但是它們的總體取向還是對「革命文學」或「革命話語」的解構，屬於80年代以來的新啟蒙主義的延展；而體制新左批評，則是以後學話語來解構啟蒙主義的「再解讀」。

　　當然，隨八九風波和西方後現代話語而來的，不只是批判性的啟蒙再解讀，也有人借助「東方主義」理論，轉向民族主義，否定

性地重估五四以來的中國新文學，並試圖以「通俗大眾文藝」的名義，重新確定歷史的新篇章。其代表人物是張頤武。張頤武在上世紀90年代初率先引入西方後殖民「東方主義」理論，來解構中國啟蒙文學話語。90年代中後期，中國大陸出現了一批所謂「現實主義衝擊波」的作品，其主題集中於關注隨中國社會主義市場經濟推進而來的社會變化，尤其集中於國營或集體工廠改制的陣痛和鄉鎮在市場經濟轉型中的困境。然而由於作家們的意識形態自律，這些作品本身大都有所迴避，而張頤武更是把相關現象放置在所謂全球化中的中國框架下來加以評述，認為「這些作品代表了一股新的文學潮頭，可以稱之為『分享艱難的文學』或者『社群文學』」。[16]可以說，張頤武在這兩個方面的言說，構成了以後體制新左批評最直接的先聲，即一方面從反帝國主義的全球視野來呈現中國性的價值，另一方面是對「大眾文藝」的肯定。不過張頤武所指涉的「大眾」，還不是「人民大眾」，而是市場經濟下的「通俗大眾」。所以他並沒有去努力地重新連接整個現當代文學，而是認為五四新文化、新文學運動伊始，那些中國的啟蒙主義者們就「臣服於」西方的影響，成了西方思想在中國的牧師，因此整個中國現代文學，也就可以說是一個喪失自我的西化的歷史，只是當電視連續劇《渴望》（1990）出現以後，中國文學才引來了新的轉機，開始了新的征程。

除了張頤武，新千年之前，另外一個對日後體制新左批評給予了實質性影響者是張承志。他那一以貫之的人民立場，對於毛澤東、革命乃至紅衛兵的熱愛，都不難在體制新左批評的言說中聽到回聲。不過，體制新左批評真正的開始，要到新千年之後了。

2003年，李楊的《50-70年代中國文學經典再解讀》出版。此著

16　參閱《上海文學》，1996年第8期。

延續了他90年代初著述[17]的特點，即用後學方法來解讀十七年文學，以揭示其中所蘊含的多重意識形態的意蘊。不過此時李著的表意及立場的指向，都發生了微妙的變化，呈現出較為曖昧的體制向度。這部著作「以敘事、抒情、象徵三個連續性概念」為核心，結構起了由延安到文革的完整的延安—社會主義文學之歷史。[18]同時它又以所謂話語分析的方式，懸置了「是與非」的價值判斷，將五四啟蒙新文學、新時期啟蒙批判話語與延安文學、十七年文學、文革文學並置，視作無本質歷史差異的不同形態的文學表達。這樣，李楊不僅沒有如其所說，在「解構工作與對歷史的建構之間劃出真正的界限」，未能落實自己「解構」的承諾，[19]而且實際成了重新為十七年乃至文革文學平反、重新建構「革命文學史」話語的先行者。

　　稍晚於李楊，蔡翔發表於2004的一篇文章通過對80年代代表性作品的重讀指出：新啟蒙話語通過對過往的勞動人民大眾／知識分子二元結構的顛覆，建構起了「另一種『隱性的二元結構』」，在此結構中，「知識分子不再繼續扮演」被批判、被改造的角色，而成了「真理的化身」、知識和世界的主體；相反，勞動人民，則成「現代文明的」愚昧的「他者」。隨之而來的則是從屬於資產階級文明話語的「能人」政治與「專業主義」傾向的浮現，一種「伴隨

17　如他同時出版於1993年的《抗爭宿命之路：社會主義現實主義（1942-1976）研究》，《文化與文學：世紀之交的凝望：兩位元博士候選人的對話》。

18　張均，〈我所接觸的 1950-1970年代文學研究〉，載《當代作家評論》，2018年第5期，頁70。

19　李楊，《50-70年代中國文學經典再解讀》（濟南：山東教育出版社，2003），頁369。

著社會財富的重新分配以及對新的社會資源的占有」的欲望。如果說在80年代，這些還掩蓋於啟蒙浪漫主義的解放話語下，但慢慢就變成了新時代主導性的資本意識形態，而且似乎就成了今天資本暴富、分配不公的主要責任者。[20]

六年之後，蔡翔的《革命／敘述：中國社會主義文學—文化想像》出版，它更為明確地以「革命」為關鍵字、以百年中國（文學）史所內涵的「『現代中國』與『革命中國』的雙重變奏」為綱，來全面重新解釋當代文學與文化，為「在更高層次上重返『革命敘事』和『人民文藝』」，亮出了鮮明的旗幟。更為明確地從統轄歷史的高度，將「革命」、「文學」「制度」（或體制）三者銜接了起來。至此，前述80年代對十七年文學的兩種差異性的肯定闡釋，也就被體制化的革命一體性所統一。

由前所論不難看出，作為體制新左標竿蔡翔的誕生，並非是「革命文學」、「人民文學」史觀的橫空出世，也非「人的文學」與「人民文藝」二重奏的簡單的反轉，而是現代文學研究界啟蒙知識陣營，在時代的作用下的分化與裂變。寬泛而言，這種分化與裂變，一直或隱或顯地存在，但是到了90年代後期，才更為明顯、更為整體性地表現了出來。例如，上世紀90年代末，《批評空間的開創》的主編王曉明和質疑它的曠新年、韓毓海，都表現出了對於現代文學研究的危機感，表現出了對魯迅的反抗現代性的困獸猶鬥式啟蒙現代性的深切體味。不過相對而言，王曉明顯得比較克制、理性，仍然想通過多種形式的批評方法的引入，更加明亮地敞開優秀的現代文

20　蔡翔，〈專業主義和新意識形態——對當代文學史的另一種思考角度〉，載《當代作家評論》，2004年第2期，頁30、33。

學文本,並欲通過課堂教學加以突破。[21]而韓毓海和曠新年兩位更為年輕者,則表現得更為激烈。

他們不僅對啟蒙現代性、現代文學之現代性的反思,來得更為張揚,而且對西方批判理論資源的引鑒、現代傳統資源的辨析,也顯得多而雜揉,文風也更為晦澀而纏繞。例如在韓毓海的〈從文學史到思想史〉那裡,有作為「中間物」的魯迅的現代性的批判與堅守,薩特的存在主義,馬克思的批判哲學,德勒茲的精神分析性,福柯永遠批判性的啟蒙姿態,還有從布林加科夫到別林斯基的俄國啟蒙知識分子的傳統,乃至於汪暉、洪子誠等國內當代資源的借鑒等等等等。這樣的雜揉雖然不無理論高蹈的嫌疑,作者對它們可能也並非都真正理解,但它們卻都被統一於反現代性的現代啟蒙精神的堅守。很明顯,這一立場的張揚,既包括對現代啟蒙知識分子專業化、精英化的反思,也包括對資本的擴張、社會世俗化庸俗化的不滿。因此,韓毓海對馬克思資本批判理論的高倡、對中國革命旗幟的高舉、突破西方現代性之中國獨特現代性價值的訴求等,雖然相當明顯,但其批判性並非只是指向犬儒化的知識分子或抽象的資本、西方,也直指權力、體制。[22]

然而,進入新千年之後不久,知識界批判的態度就變得更為曖昧了,再推進到2010年以後,尤其是近四五年來,所謂「革命」的

---

21 參見王曉明,《批評空間的開創:二十世紀中國文學研究·前言》,(上海:東方出版中心,1998)。他的相對克制,或許與其已經先期經歷過了「曠野上」的「人文精神」呼喚有關吧。

22 韓毓海這樣說道:「社會分層當然是合理化進程中的一個必然過程,但當國家官員在社會分層過程中由『社會仲裁者』變為率先盜走了家產的『家長』時,『分家』還能進行下去嗎?」韓毓海,〈從文學史到思想史〉,載《當代作家評論》,1997年第2期,頁18。這明顯不同於其後來為國家、體制的無條件地辯護與肯定。

鋒芒就更為直接地指向新啟蒙主義，現實的一切問題似乎也都是因為啟蒙話語所致：是它促成了啟蒙—資本意識形態的誕生，並作為新型話語霸權，排斥人民，汙名化革命，帶來社會的不公，造成唯利是圖風氣的氾濫。因之，所謂「左」（無產階級、革命、人民）與「右」（精英知識分子、資本）的兩極矛盾敘述，就替代了90年代中後期諸多矛盾相互糾纏的焦灼；中國革命、延安文藝，也就更為純粹地顯現為獨特的中國現代性對西方帝國主義的抗衡；以柳青為代表的十七年文學及其80年代傳人路遙的作品，再次成為革命文學或當代文學的典範，被不斷地反覆論述、深度挖掘；丁玲、王實味等延安啟蒙知識分子與革命和體制的緊張，越來越不再被視為權力對知識個體的壓制與改造，而被解讀為浪漫、激進的個體與革命集體和組織之間內部互動性的矛盾表徵，而知識分子被革命、集體或權力改造的過程，也被解釋為革命的實踐性主體自我構造的過程；文革、文革文學雖還未被大張旗鼓地肯定，但也逐漸得到更多的翻案性解讀。於是，延安—社會主義革命文學，作為整個百年中國文學的方向與旗幟，就重新被高高祭起，被賦予了衝破資本、西方話語控制的特點，顛覆日益不平等現實的力量，追求公平、正義社會的表徵。與此一致，啟蒙話語、「人的文學」的權威被顛覆；傳統體制意識形態的鬥爭哲學再度成為解讀當代中國、當代中國文學的基礎；《講話》重新成為文學創作、文學解讀、反映生活的指南；延安—社會主義文學再被樹為文學的標竿；中國當代文學、百年中國現代文學，再次得到了「革命化」的整體性重構。

三、悖論的論證與抽象的歷史

　　羅崗說：「在新形勢下重提『人民文藝』」，「並非要重構『人

的文學』與『人民文藝』的二元對立」，而是要「召喚出『人民文藝』與『人的文學在更高層次上的辯證統一」。蔡翔、賀桂梅等體制新左批評領袖，也都強調要突破「二元對立」的思維與理論的抽象，重回具體歷史語境，整體性地把握文學、把握歷史。然而，具體閱讀則會發現，他們的文章大多不僅未達此境，反而往往深陷於闡釋的悖論與歷史的抽象之中。諸如：

重返歷史、辯證的整合歷史與抽象歷史、肢解歷史的悖論；重返歷史、尋求革命之目的與封閉瑣碎細讀的矛盾；人民文藝的訴求與洋八股風格的矛盾；中國化、民族化的主張與西方理論大量援引的悖論；共產主義世界性的視角與民族主義闡釋的悖論；解構理論之表與體制維護之實的悖論；突破二元對立思維慣性與重蹈階級鬥爭話語的悖論；解放的訴求與壓抑的實質等等等等，不一而足。由於這些矛盾或悖論往往糾纏在一起，加之篇幅的限制，無法在此詳盡展開，姑且舉幾例來加以大致分析。

「革命文學」、「人民文藝」是體制新左批評最基本的合法性前提，然而從文風上看，在他們那裡很難發現趙樹理的樸素幽默，柳青的深沉質樸，也難覓《講話》的雄辯明快；相反，他們的文章中常常充斥著大量西方理論的辭藻，語言佶屈聱牙，表述纏繞不清。借用王彬彬對蔡翔的評價來說，就是喜歡「繞」，「通過『繞』的方式，把偽問題『繞』成真問題，把小問題『繞』成大問題，把舊問題『繞』成新問題」。[23]

比如蔡翔《革命／敘述》的第七章，以《千萬不要忘記》為基本案例，討論了1960年代初中期所出現的一批作品。如果是以過往

---

23 王彬彬，〈蔡翔 《革命／敘述：中國社會主義文學──文化想像（1949-1966）》雜論〉載，《當代文壇》，2012年第3期，頁12。

的新啟蒙式解讀，研究者們會重點關注這些作品「僵硬」的階級鬥爭的表現，揭示鬥爭話語對個人性正當需求的剝奪與壓抑，或者通過具體作品的修改史的考察，暴露政治對文學的「粗暴」干涉，並指出它們與之後文革文學的關聯。而後來唐小兵的〈《千萬不要忘記》的歷史意義：關於日常生活的焦慮及其現代性〉的解讀，發現了隱藏於作品中的更為複雜的政治規訓與日常生活欲求之間的結構性矛盾，及其「現代性」衝突的意涵。但唐小兵的再解讀，仍然是解構、批判性的，其分析的重點落實於揭示（父權式）政治體制是如何一步步地「瓦解融化」「私人空間」的，合理而平凡的日常生活價值是如何被否定的。唐小兵甚至從那被壓抑的日常生活的焦慮中，不僅感受到了一種現代性的「爆發力」，而且將它聯想為一種可能串聯起60年代以來當代歷史、當代文學的現代性的反叛「基因」。但是接著唐小兵再談的蔡翔，則以所謂「分配」與「消費」的結構性矛盾，將這些作品及其相關歷史的複雜性，整體性地定位為革命話語實踐的危機，將所謂「分配」與「消費」這樣一對不無抽象的矛盾，視為「革命」「集體」「國家」與「個人」之間的內在性關係。並通過引入多種西方理論（諸如鮑德里亞「對於『物』和『日常生活』的『環境』的衝突的思考」，德勒茲有關文學和言語的「脫離領土」和「重建領土」的辯證，格羅瑙《趣味社會學》關於「過量消費」或「奢侈品消費」的討論等），洋洋灑灑地來討論「物質豐裕和物的焦慮」。這樣，剛剛才從三年大饑荒中喘過氣來的60年代初的中國，就由物品還相當貧乏的時代，變為了「物質豐裕」的時代。因之，《千萬不要忘記》這類作品，也就被解讀成了革命系統內部危機與克服的「內在裝置」之自然表徵，從而與「千

萬不要忘記階級鬥爭」之政策綱領自然對接。[24]也因此，階級鬥爭
的不斷擴大化及文革，主要就不再是災難或浩劫，而是社會主義時
期「內部充滿自我否定歷史運動」的展開，一種「維持社會現狀和
面向未來之間的矛盾和衝突」的歷史必然結果；「階級鬥爭要年年
講，月月講，天天講」、「文化大革命七八年就要搞一次」等國人
曾經耳熟能詳的提法，就被改裝重現、華麗反轉。[25]

　　如果說此例蔡翔對歷史的抽象闡釋，主要集中於60年代或十七
年時期，那麼賀桂梅對丁玲的所謂主體辯證法生成歷史的敘述，則
就縱貫五四到1980年代，濃縮了早期五四文學青年到晚年革命老人
之丁玲的整個一生。賀桂梅指出：現有關於丁玲的闡釋，始終聚焦
於諸多的「二元性矛盾」上，諸如「文學與革命、作家與黨員、文
學與黨性、個人主義與集體、知識分子與革命者」等等，深陷於二
元對抗性解釋，卻無法真正回答這些二元性矛盾是怎樣產生的，矛
盾「背後包含了20世紀中國革命怎樣的理論與實踐問題」。[26]然而，
賀桂梅自己的再闡釋又如何呢？

　　賀文一開始就把圍繞著丁玲闡釋的諸多二元悖論問題，簡化成

24　《千萬不要忘記》原是一部地方性輕喜劇話劇（1962），後來被逐
　　級拔高改造為全國性標竿電影（1964）。被改造後的電影，大大強
　　化了年輕人追求物質生活與老工人艱苦樸素不忘本衝突的階級鬥
　　爭的性質，從而切合了「千萬不要忘記階級鬥爭」（1962年9月中
　　共八屆十中全會上提出的政策綱領）的時代主題。關於此影片的改
　　編情況請參見：申志遠，《中國電影的激情年代》第二章，《千萬
　　不要忘記》，https://site.douban.com/207304/widget/works/12940872/
　　chapter/25166304/

25　蔡翔，《革命／敘述：中國社會主義文學──文化想像（1949- 1966）》
　　（北京：北京大學出版社，2010），頁13、334、376。

26　賀桂梅，〈丁玲主體辯證法的生成：以瞿秋白、王劍虹書寫為線索〉，
　　載《中國現代文學研究叢刊》，2018年第5期，頁1-2。

了主觀的一元性問題，即「一個不斷改造舊我、構建新我的開放性展開過程」，[27]於是丁玲的成長史，也就變成了一個革命的主體坏基自我實現的觀念史。歷史的解釋方法當然是多樣的，但作者既然自詡為共產主義革命、馬克思主義的追尋者，那麼當她如此唯心、目的論地闡釋歷史時，不知是否有過猶豫？即便我們不去追問賀氏認識論的自洽性，其具體歷史敘述本身也是難以自洽的。

眾所周知：丁玲剛開始走向文壇時，並不是「革命作家」或「革命知識分子」，而是小資產階級氣味十足的知識分子，她轉變為革命作家以後，身上還帶有相當突出的「個人主義」遺氣，正是經由延安整風、毛澤東革命文藝思想運動，丁玲的個人主義才被改造、克服。而此一過程的展開，外力發揮了相當的作用，遠非單純的「自我」主體朝向革命目標的開放與建構；而且這種由外部所推動的改造，還延續到了十七年和文革時期。而啟蒙話語所追問的正是這種改造的強迫與壓制。如果說啟蒙話語過分強調了組織、革命對個體的壓制，從而將個人抽象為神聖的目標，而將集體和革命簡單化為本質的惡，但至少它的起點——對權力的暴力、文革災難的反思和追問，則是合理的。但是所謂「革命主體」敞開、建構論，不僅取消了這一合理性，而且還使自己深陷於抽象歷史、抽象革命的困境中。

為了將丁玲整個的人生，敘述成一個革命者不斷自我實現、不斷完善的過程，賀氏引入了瞿秋白、王劍虹夫婦。不過她首先遇到了一個問題：不僅早期的青年丁玲（蔣冰之）更接近無政府主義，而且她的摯友王劍虹也「是中國早期無政府主義思潮中的活躍分子」，如果說「在與瞿秋白、王劍虹交往的過程中，丁玲生命中一

27　同上，頁2。

些基本元素和問題框架就已經形成」，[28]奠定了丁玲日後文學創作
和革命實踐的坯基，那麼又該怎樣解釋「無政府主義」這一看似並
非「革命」因素的前提呢？為了解決這一問題，賀氏不惜「強制闡
釋」，將無政府主義進行「革命化」解讀：一方面誇大無政府主義
與中國共產主義革命的聯繫，另一方面又在無政府主義思潮與所謂
五四啟蒙人道主義之間清晰劃界，從而在文學創作的起點上，就把
丁玲與五四啟蒙主義相區別，與共產主義革命相關聯。然而這種強
制闡釋，卻違背了基本的歷史常識：無政府主義思潮本身就是五四
新文化運動的一部分，它與同期的「人道主義」是雜揉、纏繞的關
係，而非彼此對立兩分；二者也與後來的中國革命存在歷史的淵源。
可是賀氏卻為了證明丁玲與中國革命的起點關聯，保留了無政府主
義與中國革命的聯繫，而將人道主義切割出去。這是客觀地返還歷
史嗎？另外，眾所周知，80年代「思想解放」運動的興起，除了對
文革的批判、反思，也包含將中國革命與五四新文化運動、人道主
義的重新銜接。可是深諳現代思想史、以治當代文學為業的賀桂梅
女士，卻置這些常識於不顧，實在耐人尋味。

我們接著再來看盧燕娟有關毛澤東《講話》的討論。她說，現
在學界對《講話》的認識，存在極大的偏差，學者們往往從「文化
與政治」的簡單二元對立出發，將「文化問題孤立於現代中國歷史
的危機和道路之外」，去抽象地理解《講話》，因此既「看不到人
民作為新的文化主體的生成」，「也無法理解《講話》為中國現代
文化擺脫危機、革故鼎新，找到了一條」有效的道路。為此，作者
特地返還到《講話》所誕生的時代指出：日本帝國主義為了吞併中
國，將中國納入大東亞文化圈以取消中國獨立的合法性，面對此一

28　同上，頁3。

情境，蔣介石政府，「以『道統』為主要資源，試圖藉助民族精英主義，重建文化帝國傳統與『大東亞共榮圈』抗衡」。但是這一精英主義的策略，既無力動員廣大人民群眾、將他們整合到建立獨立的民族國家的進程中，而且其所具有的狹隘的漢文化中心論，也恰恰落入到了日本帝國主義只承認中原中國而分離邊疆中國的陷阱中；至於魯迅所代表的五四啟蒙文化，則是「純以西方資本主義世界體系為參照的『反抗絕望』之路」；只有毛澤東所代表的中國共產黨，則「轉向依靠和改造自己的文明」，走出了「一條嶄新的歷史道路」。即通過賦予廣大農民以主體的意識，將他們有力地整合進中國人民的解放事業中，從而既完成了建立「一個獨立的現代主權國家」的任務，同時又「對抗了現代世界的壓迫結構」，擺脫了淪為另一個壓迫者的陷阱，從而使中國成功地「進入現代世界」當中。[29]而《講話》的偉大意義則正在於充分闡釋並體現了這一偉大的文化自覺和道路，並為文藝工作者指出了明確的方向和路徑，以克服自身的弱點，成為先鋒分子，投身於動員廣大人民群眾加入到民族解放和文化改造的偉大事業中去。

　　這樣的闡釋看似頗有道理，但卻存在幾個方面的問題。首先，它仍然是建立在中西二元對立思維上的。眾所周知，有關《講話》、十七年文學爭論的焦點，是國內性而非國際性的，即《講話》是否是「極左」文學和文化路線的源頭？十七年文學是否是文革文學的前導等問題？而盧氏則通過中日對抗歷史視角的引入，將原本真實的當代國內問題，轉變為過去的國際問題，變成為國家民族主義的言說。如果說啟蒙話語的確存在忽略中西差異的問題，某種度上也

29　盧燕娟，《人民文藝再研究》（北京：文化藝術出版社，2015），
　　頁20、50。

可說是「冷戰問題的內化」，那麼體制新左將當下大陸內部的「民主與集權」衝突的問題，轉變為中西、中日對抗性的冷戰，則是更根本性的迷失。[30]其次，建立「現代主權國家」並非是一個現代國家的所有任務，獨立主權固然重要，但國家自身完備的現代性品格建設同樣重要。啟蒙話語之所以質疑《講話》，則正在於希望中國成為一個真正賦權於人民、賦權於公民的現代國家。[31]其三，就對外關係來說，新中國是沒有成為另外一個壓迫者，但對內，恐怕並不好說它就完全就避免了「壓迫的結構」。且不說近三十年來逐漸增長的東西部發展的不平衡，各種種族民族主義的激化，[32]就是在新中國成立之後，《講話》所產生的作用，恐怕都不好用所謂人民主體性籠統概括，否則就很難解釋，為什麼在中國當代歷史上，圍繞《講話》發生了那麼多的爭論。而且有意思的是，在邊疆少數民族地區，對《講話》的闡釋有時也恰與《講話》本身的邏輯相悖謬，其所呈現的既非人民大眾與知識分子的問題，更非中國與西方的矛盾，而是新生國家一體性整合與邊疆民族身分主體性訴求之間的矛盾。[33]

---

30 不同的人對所謂「民主與集權」的矛盾自然可以有不同的評價，但將現實矛盾轉化為歷史它物，自然是違背學理邏輯的。

31 當然，啟蒙話語之現代「民主」國家想像，的確存在著對西方資本主義制度過於理想化的問題，忽略了國家間競爭的殘酷性，過於重視（知識精英的）個體主體性，而忽略了《講話》所具有的培育人民主權的文化道路的合理性價值，這些都是可以也有必要加以討論的。但脫離當下語境，試圖去空洞地言說什麼人民的主體性，一味拔高《講話》，只是回避問題，用一種「政治正確」，替代另一種「政治正確」而已。

32 參見姚新勇，〈當代中國「種族民族主義思潮」觀察〉，載《原道》，（北京：首都師範大學出版社，2010）。

33 參見姚新勇、孫靜，〈「民族形式」誰主沉浮？──五十年代初內

　　在體制新左批評話語體系中，洪子誠的當代文學史研究被賦予了重要的位置，這並非偶然。洪子誠對中國當代文學生產機制細緻而嚴謹的梳理，極大地拓展了當代文學研究的空間，既使其擺脫了批評的附庸性，又使得它突破了斷裂性的啟蒙文學史範式，不僅將80年代之前和之後的當代文學整合在了一起，而且還深刻地探討了五四新文學、30年代左翼文學、延安社會主義文學與80年代啟蒙文學內在的關聯，給予了當代文學研究真正的學科性。然而，洪子誠始終保持著啟蒙的情懷，在其溫文、平實甚至有些囁嚅的學術風格下，包含著對「國家性」和「啟蒙性」之「兩種敘事策略和評價系統」的共時性審視。其所考察的歷史，雖也不乏矛盾與纏繞，相關言說甚至也不無曖昧，但他卻對於那種將當代中國描述為一個本質化、無差異的大歷史敘事，始終抱有高度警惕。[34]這當然不同於體制新左批評之高度抽象、單向性的文學史敘事。

　　體制新左批評對洪子誠研究方法的退行性襲用，還表現在對史料的重視上。對於洪子誠來說，他之所以深入當代文學史制度、生產機制的研究，之所以深入史料海洋中去鉤沉，是想返還歷史或問題發生的現場，從而更為貼切而準確地把握歷史，而非放棄研究、批評的思想力和批判力，「簡單地製造虛假的對立」，[35]或陷入史

　　　蒙古文藝「民族形式」討論考察〉，載《民族文學研究》，2014年第2期。

34　洪子誠在多篇訪談中一直重申著類似的觀點。比如〈當代文學史寫作及相關問題的通信〉，載《文學評論》，2002年第3期；〈穿越當代的文學史寫作：洪子誠教授訪談錄〉，載《文藝研究》，2010年第6期；〈對話洪子誠：有點消極，不怎麼浪漫〉，載《南方人物週刊》，2018年8月。

35　王賀、洪子誠，〈當代文學史料的整理、研究及其問題：北京大學洪子誠教授訪談〉，載《新文學史料》，2019年第期，頁118。

料的迷陣見木不見林。然而一些學習他的後學又是如何做的呢？冷霜的〈建國前後廢名思想的轉變〉一文，是一個較有說明力的例子。

冷文將廢名發表於1949的〈一個中國人讀了新民主主義論後歡喜的話〉[36]與廢名抗戰期間的文化思考對照閱讀，將一個看似特定時代的個別性的文本，與更為宏大的中國道路問題、知識分子改造的思考聯繫在了一起。這樣的視角應該說是比較新穎的，突破了人們對廢名為「美文」作家的印象，為此作者也去重新挖掘了不少歷史資料。但問題是冷文基本是把問題封閉於所謂廢名「個人」思想轉變的軌跡中加以論述的，與同時代的現實幾乎無涉，而這一點在冷文的最後一部分（第三節）表現得最明顯。這部分主要是討論廢名進入新中國之後思想的革命化改造，但相關具體論述相當薄弱，作者自己也承認缺乏足夠的材料，可這並沒有妨礙作者從片斷性的材料中解讀出廢名自覺追求進步的思想轉變。比如作者引用廢名〈歌頌篇三百首〉的詩句，來說明廢名思想的再進步。[37]然而，這部詩集一看就是郭沫若《百花齊放》（1958年）同類的作品，且其所引具體詩句也完全是雷同的「工農體」。關於此，歷史早已有定論，它們就是政治對文學過度干預的結果，是「大躍進」時期狂熱、左傾激進的產物，哪裡是什麼知識分子主動的思想進步與覺悟的提高？

同類型的文章還有不少，作者多為當代文學研究界最富生產力的中青年學者，可謂一時之風氣。比如魯太光的〈被分成兩半的農民：對《創業史》的重新解讀〉（2005），董麗敏的〈青年、革命

---

36 冷霜，〈建國前後廢名思想的轉變——以《一個中國人民讀了新民主主義論後歡喜的話》為中心的考察〉，載《文學評論》，2016年第1期。

37 同上。

與社會主義治理的探索：以《組織部新來的青年人》為中心〉（2014），
李屹的〈從北平到北京：《我們夫婦之間》中的城市接管史與反思〉
（2017），賀桂梅的〈「總體性世界」的文學書寫：重讀《創業史》〉
（2018），羅崗的〈革命的第二天、左翼男性主體與「情感政治」
的焦慮：重讀《組織部新來的青年人》〉（2019），王宇的〈陸萍
為何是醫生：重讀丁玲《在醫院中》〉（2019）等等。

　　這些文章作者的細讀能力大都比較強，但問題是源自新批評的
細讀法，主張把文本封閉起來細讀，從而發現文本內在的普遍詩學
結構。而體制新左批評則對文學日益脫離人民、脫離現實不滿，欲
以通過重新閱讀延安—社會主義文學，為重返「人民文藝」尋找出
路。因此，他們的細讀不應該是新批評式的封閉性「美學」閱讀，[38]
但實際上，他們的解讀卻常常十分細緻乃至瑣碎。在這種瑣碎的閱
讀中，人們往往不難發現刻意顛覆已有文學史結論的目的，為達此
目的，作者們又常常不惜將所閱讀之文本，纏繞、包圍於大量的歷
史細節中而與歷史相隔絕。這就導致了不少體制新左批評的文風悖
論：重返歷史、尋求革命之目的與封閉瑣碎細讀的悖論。

四、結語

　　行文至此，文章已足夠長了，是該結束了。當然本文還有許多
遺漏或缺憾。此文完稿於2020年3月底，此次主要只是做了些文字修
改，並未增添新內容。本來一年前的撰寫就有不少遺漏，何況一年
過後體制新左批評家們，又發表了不少新的文字。不過儘管如此，
筆者以為，本文的分析對絕大多數未能論及的相關文章，可能應該

38　葉嘉瑩對《艷陽天》的解讀倒像是如此。

都是有效的。比如筆者所沒有提及的賀桂梅有關毛澤東詩詞的研究。此研究視野相當開闊，對毛澤東詩詞做了洋洋灑灑、大開大闔的高度評價。認為毛澤東的詩詞，為中國詩歌尋找到了一條真正具有中國性的現代性發展之路，實現了所謂天地人君世界中國之詩性主體。而且賀氏的分析，似乎還緊貼五六十年代中國的歷史，實現了文本細讀與歷史現實的緊密結合。孤立來看，的確才氣十足，氣勢雄渾。但問題是，既然把毛澤東詩詞放在時代、革命、傳統、現代、民族、國家、道路、未來的高度加以闡釋，那該怎樣解釋它們實際所產生的歷史效果呢？在毛澤東詩詞最為流行之時，大陸文學與文化走向普遍凋零，傳統文化遭到全面批判，無數肉身主體莫名消失。而賀氏對這些幾乎完全不置一詞。[39]偉大的道路，傑出的典範，卻導出如此的現實，這至少在邏輯上是說不通的吧？而從賀氏的大論中，卻絲毫感受不到類似的困惑之感。當然賀氏的自信並非孤例，坊間不是有越來越多的人，推崇「樣板戲」，卻無視文革政治動亂、文化荒蕪的高論者嗎？

　　另外，筆者對體制新左批評思潮的分析，基本局限於現當代文學界，並沒有涉及諸如《五百年來誰著史》（韓毓海，2008）、《我們的時代：當代中國從哪裡來，到哪裡去》（黃平、姚洋、韓毓海合著，2006）這類著述，也沒有擴展到更大的學院體制新左的範圍。不過它們雖與本文的主題相關，但畢竟屬於另外的討論主題。而且寬泛而言，本文所指出的體制新左批評的問題，在整個學院體制新左那裡也都普遍存在。最後，本文最重要的遺漏，恐怕是缺乏對體

39　參見賀桂梅，〈長時段視野裡的中國與革命——重讀毛澤東詩詞〉，
　　載《文藝爭鳴》2019年第4期；賀桂梅，〈毛澤東詩詞與當代詩歌
　　道路〉，載《詩刊》2019年5月上半月刊。

制新左批評演變生成之歷史背景的分析。不過，相信細心的讀者從筆者的勾勒中，不難發現有關的提示。而且對於《思想》的讀者來說，恐怕也都熟悉1989中國啟蒙思潮的突然斷裂，1992南巡之社會主義市場經濟的全面啟動，1990年代中後期以降的儒學復興、民族主義熱潮興起、大國崛起等中國意識形態的歷史波瀾，而體制新左、體制新左批評的衍生與走紅，與這些時間節點都有較重要的關係。

最後還想補充的是，筆者無意抹殺體制新左批評的意義，也不認為他們的所思所言並無現實的基礎。體制新左對「市場經濟」片面發展的指否，對貧富不均現實的不滿，對啟蒙主義與原子化個體和資本意識形態關係的揭示，對革命遺產繼承的衝動，對世界位置中的中國命運的思考等，都是有價值的。但問題是，將一切問題都籠統地歸罪於啟蒙─資本意識形態的裝置，用抽象的概念與思維，既取消新啟蒙主義出場的歷史前提，又迴避對革命、體制、市場體制內在關聯性的審視，甚至不惜為文革翻案，這是真正直面現實的馬克思主義性的批判嗎？

批判的武器，不能代替武器的批判；理論的高蹈，歷史的抽象，左瞧右顧的批判，恐怕連批判的武器都算不上吧？

2020年3月完稿
2021年6月修訂

姚新勇，廣州華商學院教授。主要研究中國現當代文學，中國多民族文學與文化關係，中國當代民族問題。主要著作有《主體的塑造與變遷：中國知青文學新論》，《文化民族主義視野下的中國少數民族文學》等，並有論文作品發表於各類期刊。

「去政治化」的政治理論：
汪暉的左翼立場與「國家主義」

陳 純

　　如果要問在當代中國思想界，哪一個大陸學者在國際上的影響力最大，答案很有可能是汪暉。大衛・哈威（David Harvey）在《新自由主義簡史》裡的〈中國特色的新自由主義〉一章，曾大量引用汪暉的英文著作《中國的新秩序》（*China's New Order*）；[1]當2010年汪暉身陷「抄襲」事件，以斯拉沃熱・齊澤克（Slavoj Zizek）為首的西方左翼學者發表了一個支持汪暉的聲明，將事件視作中國自由派的一個陰謀。然而，與國際上普遍對汪暉的左翼立場堅信不疑相比，國內學界普遍將汪暉和國家主義者相提並論。自由主義學者就不必說了，即便在對汪暉表示讚賞和同情的學者那裡，他們也更多地是在討論他的《現代中國思想的興起》，而不是他的《去政治化的政治》。《去政治化的政治》一書出版已經十多年，其嚴肅評論之少，與汪暉的影響力之大，形成一個尷尬又匪夷所思的對比。

　　從表面上來看，將汪暉視為一個國家主義者似乎是說得過去的，尤其是在2010年後：他持有一種學術上的民族主義意識，不僅他所有論述都以中國問題作為基礎，而且他相當自覺地站在中國和

1　David Harvey, *A Brief History of Neoliberalism*（New York: Oxford University Press, 2005）, p. 123, 142-143, 146.

中國共產黨的立場去談論問題，如果說中國有什麼會讓他批判，那大概只有中國的資本家和中國的知識分子。在著作、文章和訪談裡，他對中國共產黨領導中國的合理性和合法性從沒有過任何質疑，甚至可以說，他的絕大部分論述都可以用來為中國共產黨的領導權做辯護。他不僅不質疑中國共產黨的領導權本身，而且還將一些與左翼立場難以協調的政策轉向視為「黨的糾錯機制」的體現。他反對西方和資本主義的霸權，但卻從來不談中國共產黨的霸權（「領導權」和「霸權」恰好也是對hegemony的兩個常見的翻譯，但汪暉在談到中國共產黨的時候，只講「領導權」，不講「霸權」），這種霸權針對的是國內的各種群體，而他對於中共壓迫性的這一面總是避而不談。如果汪暉是個非國家主義的知識分子，他上述的這些表現似乎難以得到解釋。

　　自由主義學者對於汪暉的國家主義傾向也常有提及，如徐友漁在〈新左派與自由主義的分與合〉中就講到自由主義與新左派在「個人與國家」問題上的差異：「新左派則認為，個人是依賴國家而存在的，沒有一個強有力的政府，公民就不可能享有任何權利。」[2] 許紀霖在〈進入21世紀以來的國家主義思潮〉認為汪暉在2010年以來，「從總結新中國成立60年來中國崛起的獨特經驗，進到肯定『政黨的國家化』、黨國代表人民的普遍利益，」說明汪暉已經從「覺民行道」的下行路線拐向了「替君行道」的上行路線。[3] 榮劍在批評汪暉的〈革命者人格與勝利的哲學〉中的國家主義時，乾脆將他和投奔納粹的德國哲學家海德格爾相提並論，將其在列寧誕辰寫就這

2　徐友漁，〈新左派與自由主義的分與合〉，http://m.aisixiang.com/data/11684.html

3　許紀霖，《當代中國的啟蒙與反啟蒙》（北京：社會科學文獻出版社，2011），頁241。

樣一篇文章的時刻稱為「海德格爾時刻」：「汪暉的學術能力當然和海德格爾沒法比，但學術能力的差異並不妨礙他們在各自國家以及不同的歷史時期成為一名堅定的國家主義者，或者說，在面向他們各自國家的最高統治者時表現出一種相同態度和立場，並作出相應的理論反應。」[4]

　　有些論者認為，汪暉的立場是複雜的，難以用「國家主義」來概括，這正是國內評論他的文章如此之少的原因，和其他同等分量的學者——比如劉小楓和甘陽——相比，汪暉的許多論述讓人無從下手，這不僅是因為他的學術語言較他人更為晦澀，而且他的論述方式也極為微妙。在《去政治化的政治：短20世紀的終結與90年代》一書中，這種複雜性和微妙性體現得尤為明顯。在裡面，汪暉對於毛澤東時代，對於改革開放，對於80年代的新啟蒙主義，對於90年代的「思想退出，學術登場」都有著一分為二的評價。一分為二的同時，汪暉又有著側重的方面，比如儘管他承認改革開放的「驚人成就」，[5]但他更側重於對改開裡面蘊含的新自由主義邏輯進行激烈的批判。對於90年代初出現的「反思激進主義」的思潮，他既承認其出現有客觀的歷史原因（1989），但他認為這些反思是膚淺的、保守的，這裡也包括甘陽的〈揚棄「民主與科學」，奠定「自由」與「秩序」〉。[6]這種一分為二，把握矛盾的主要方面，正是辯證法的傳統。在這種辯證法之中，「左翼」的立場是鮮明的，但「國家主義」則較為模糊，或者在他的擁護者們看來，只是一種偶然：

4　榮劍，〈汪暉的海德格爾時刻〉，https://mp.weixin.qq.com/s/73JKW
　　bqP5N0JHKjq1L_01g
5　汪暉，《去政治化的政治》（北京：生活・讀書・新知三聯書店，
　　2008），頁67。
6　同上，頁125。

當左翼立場與國家主義重合時，汪暉看起來就像一個國家主義者，當左翼立場與國家主義衝突時，汪暉就是一個反國家主義者。大概是由於這個原因，他的擁護者將《去政治化的政治》作為他最本真的政治哲學著作，並對一切過於立場化的批評深惡痛絕。

我也認為，以往自由派對汪暉之國家主義立場的批評是欠缺說服力的。它們要麼從新左派的整體立場出發，從新左派整體的國家主義推到汪暉的國家主義；要麼選擇他那些不具代表性的文章，鎖定其中的某些詞句，從這些詞句的國家主義傾向推出汪暉本人的國家主義傾向；要麼從蘇聯的大清洗來斥責他對革命者人格的推崇，從文革的互相揭發和武鬥來斥責他對文革的推崇，從他對某些歷史事實的忽略來推論他的政治立場。這大概足以讓有相同立場的人看出汪暉的國家主義傾向，但對於中立者來說，總是難免感到困惑。

本文主要想證明：汪暉不是一個一般意義上的國家主義學者，或者說，我們只能在一個特殊的意義上談論汪暉的「國家主義」；同樣地，他也不是西方意義上的左翼，西方的左翼將他視為自己在中國的同類也是一種自作多情，[7]他的批判性並不針對他所在的政治語境的最大壓迫者，甚至可以反過來被後者利用；他具有個人特色的左翼立場和「國家主義」的矛盾貫穿他所有時期，且他無法對之進行有效的調和，這使得他的左翼立場在大多數時候成為被犧牲掉的一方；最重要的是，中國的進步主義者不能將汪暉視為可以團結的對象，但可以從汪暉的理論建構中吸取教訓，以籌畫和重塑自身的議程。

7　關於這種現象，Brian Hioe在他這篇文章中有精彩的批評。Brian Hioe, "Wang Hui and Leftist Orientalism," https://u.osu.edu/mclc/2017/08/28/wang-hui-and-leftist-orientalism/

去政治化的政治

　　為了釐清汪暉的複雜立場，我們要從他的「政治」概念入手。這個概念不僅在他的《去政治化的政治》中有重要的位置，也頻繁出現在《世紀的誕生》，以及他未編輯成書的文章和訪談中。我們想看看汪暉對「政治」是否有一種前後一貫的用法，這並非說「政治」只能有一個涵義，而是說，即便「政治」在汪暉的筆下有多種涵義，這些涵義之間是否能構成一個融貫的立場。因為《去政治化的政治》和《世紀的誕生》都是文集，文集內的文章寫作時間不一，所以我們的引用和討論主要以文章為中心，並交代文章寫作的時間，方便大家辨析汪暉的思考軌跡。

　　章永樂對汪暉的「政治」概念有過一個辨析：「『去政治化的政治』中的後一個『政治』指向的是將政治作為權力與利益鬥爭的日常理解，但第一個『政治』卻暗含著一個規範性的『政治性』（the political）概念，指向公共領域中的能動的主體性和行動。去政治化，意味著剝奪政治主體在公共空間進行政治干預的可能性。」[8] 如果章永樂的辨析可以概括汪暉對「政治」的用法，那一個「重視公共領域的能動的主體性和行動」的汪暉當然不能被輕易歸為國家主義者，最多只能說他後來的立場發生了轉變，以至於其國家主義傾向越來越強，事實上，許紀霖的〈國家主義〉一文就隱含著這個意思。

　　學術界普遍贊同汪暉將改開以來的政治稱為「去政治化的政治」的說法，但大部分人對「去政治化」的理解與汪暉本人的使用並不

8　章永樂，〈過去的未來：評汪暉《現代中國思想的興起》〉，https://mp.weixin.qq.com/s/tHnyVvsHsLQa5exVvULX7g

完全一致，他們更多地將其理解為「去階級鬥爭化」和「去意識形態化」，而對於去階級鬥爭化和去意識形態化，大部分知識分子是歡迎的，但汪暉本人的態度顯然對「去政治化」是感到惋惜的。對於這一種錯位，汪暉本人有一定的責任，比如他在〈去政治化的政治、霸權的多重構成與60年代的消逝〉一文中，認為「去政治化過程」有如下兩個特點：一是意識形態領域的「去理論化」，表現在鄧小平提出的「不爭論」；二是政黨內部的路線鬥爭的終結，表現在以經濟建設為中心以及「摸著石頭過河」。[9] 如此，其他人將這兩個特點概括為「去意識形態化」與「去階級鬥爭化」，似乎沒什麼不妥。

在《去政治化的政治》中，汪暉自己對「政治」作了更詳細的界定（儘管他強調這只是「臨時性」的），並在這個基礎上嘗試更準確地定義「去政治化」：

第一，政治是一個主觀的、能動的領域，而不是客觀的構造，或者說是一個在主觀能動作用下產生的主客觀統一的領域。

第二，政治活動是能動的主體的領導行為，從而政治與領導權問題具有密切的關係。

第三，任何政治主體都必須在一種政治主體間的關係（無論是敵—友關係，還是對話關係）之中才能維持，無論以何種方式取消這種關係，勢必構成對政治主體性的否定。

因此，所謂的「去政治化」就是指如下現象：對構成政治活動的前提和基礎的主體之自由和能動性的否定，對特定歷史條件下的政治主體的價值、組織構造和領導權的結構，對構成特定政治的博弈關係的全面取消或將這種博弈關係置於一種非政治的虛假關係之

9　《去政治化的政治》，頁19。

中。[10]

　　汪暉這樣去界定「政治」和「去政治化」，並沒有讓概念本身變得更清晰明瞭，我們得從他的具體論述來分析，看看能不能讓「政治」和「去政治化」有一個更直觀的呈現。

　　汪暉借助亞歷山德羅·盧梭（Alessandro Russo）對中國文化大革命的研究，提到了「60年代自身的去政治化」：「派性鬥爭和暴力衝突使得文革初期的公開的政治辯論、多樣性的政治組織以及以此產生的政治文化瀕於危機，從而提供了黨—國體制重新介入並獲得鞏固的契機。」[11] 這說明對於汪暉來說，公開的政治辯論、多樣性的政治組織和與此相應的政治文化是「政治」，而派性鬥爭和暴力衝突則是「去政治化」。這是汪暉和大部分當代中國知識分子對文革的理解產生差異的根源。對於後者來說，文革裡並不存在真正的公開政治辯論和多樣性的政治組織，只有派性鬥爭和暴力衝突，所以他們理解的「去政治化」，就是不再基於意識形態立場和階級出身搞批鬥和派性鬥爭，這並不是壞事。但汪暉認為「去政治化」是以發展和社會穩定為由，把公開的政治辯論和多樣性的政治組織也壓制了，這等於把孩子和洗澡水都扔了。需要說明的是，並非只有自由派知識分子才對文革持有這樣與汪暉迥異的理解，在《以美為鑒》裡，作為文化保守主義者的劉小楓也用文革的暴力衝突來諷刺劍橋學派對「激進民主」不計後果的推崇。[12]

　　在《去政治化的政治》中多處地方，汪暉對「政治」都是這樣理解的。在這個基礎之上，他對一些已經被主流拋棄的概念進行重

10　同上，頁37-40。

11　同上，頁6。

12　劉小楓，《以美為鑒》（北京：華夏出版社，2017），頁325。

新詮釋，為其賦予全新的內涵，這些概念對於理解汪暉的「政治」概念也是相當關鍵。首先就是「路線鬥爭」。關於這個概念為什麼會被唾棄，汪暉的解釋和我們上面對「去政治化」為什麼會受到知識分子的歡迎的解釋異曲同工：「由於缺乏保障這些理論和政策辯論持續和健康發展的制度條件，辯論和分歧往往以權力鬥爭的強制方式獲得『解決』。文革之後，許多政治鬥爭的受害者出於對『路線鬥爭』的深惡痛絕而徹底否定了『路線鬥爭』這一概念。」[13] 但汪暉認為，早期的路線鬥爭並不以武鬥的形式出現，而都是理論辯論和政策辯論為主。不僅如此，理論辯論和政策辯論也為後來的改革開放奠定了基礎，因為改開涉及的許多問題都在70年代中期的理論辯論中出現，比如「有關商品生產能否產生資本主義、按勞分配會不會產生資產階級法權」等。[14]

在2010年的〈中國崛起的經驗及其面臨的挑戰〉一文，汪暉也再次重複了路線鬥爭和理論辯論的重要性：「作為一種政黨的路線糾錯機制，理論辯論，尤其是公開的理論辯論，在政黨和國家的自我調整、自我改革中發揮了重要作用。由於共產黨內缺乏一種民主機制，路線鬥爭常常也會轉化為無情打擊的權力鬥爭，但這些因素不應掩蓋路線辯論和理論辯論在其歷史中的重要作用。」[15] 路線鬥爭和理論辯論在汪暉看來，不僅是「政治」在毛時代的重要體現，而且也是「政黨的路線糾錯機制」，汪暉甚至用這個來解釋為什麼中國沒有像蘇聯和東歐國家一樣發生劇變。但為什麼路線鬥爭總是一次又一次地轉化成無情打擊的權力鬥爭呢？只是因為黨內缺乏民

13　《去政治化的政治》，頁17。

14　同上，頁19。

15　汪暉，〈中國崛起的經驗及其面臨的挑戰〉，刊於《文化縱橫》2010年第2期，https://www.douban.com/group/topic/11494817/

主機制嗎？這裡恐怕需要更多的解釋。

階級概念的去政治化

　　另一個重要概念是「階級」。「去政治化」確實伴隨著階級概念的模糊化或消退。這對許多知識分子來說是一件歡欣鼓舞的事，因為他們不再會被打成「臭老九」，但汪暉不這麼看，原因不僅在於他持左翼的立場，而在於他持有一種與一般學者不同的對「階級」的定義，而這種定義在他看來是符合馬克思的精神的。

　　他歸納出馬克思的階級概念的幾個要求，這幾個要點，與「政治」的幾個要點一樣，都沒能使概念本身變得清晰明瞭。

　　　首先，無論階級關係的圖景多麼複雜，階級意識和階級鬥爭總是受到基礎性的階級結構的約束，也一定會表現為對特定生產關係或階級結構的自覺的改造；其次，階級是一個關係概念，即某一階級只有在與其他階級的關係之中才能被定義，從而階級關係包含了內在的、根本的、以剝削與被剝削這一特定的關係為客觀基礎的對抗性的；第三，階級間的對抗性是階級形成的必要條件，即沒有階級對抗的形勢，階級自身就不能形成；也只有創造出階級對抗的形勢，才能產生出階級的主體。[16]

　　之所以說這個概念和「政治」的概念息息相關，因為「階級」的出現是需要主觀能動性的，正如汪暉所說：「階級是一種『客觀的』存在，但這一『客觀的』存在並不意味著階級政治的存在。只

16　《去政治化的政治》，頁25。

有當階級獲得自身的政治主體性時，作為一種政治階級的階級才存在，階級政治才會被激發。」用大白話來說，一個人原本的出身並不能完全決定他的「階級」（所以汪暉也贊同遇羅克對「血統論」的批判），還需要考慮到他的階級意識以及他與其他階級主體的關係，而且階級主體性是可以轉化的，前提是需要接受「社會改造」，或進行「自我改造」。因此汪暉這種「階級」的概念是一種「政治性的階級」。

　　同樣基於「政治」的概念，汪暉的「階級鬥爭」也並不預設「肉體消滅或強力控制的暴力形式」，這和前面將暴力衝突排除出政治是一致的。汪暉認為，中國共產黨在進行階級鬥爭的過程也具有這種意識，比如他們一直強調在土地改革中要避免過激，「反對侵犯中農土地、一般不變動富農土地，對富農與地主有所區別等等」。[17]中國革命中的過度暴力產生於階級概念自身的「去政治化」，「即將政治性的階級概念置於客觀性的框架下，通過自上而下的強制方式展開『階級鬥爭』。」[18] 也就是說，有些人因為沒有意識到階級是政治性的，可以轉化的，所以只能用一種去政治化的方式來進行階級鬥爭，只能將對立的階級進行肉體消滅或暴力壓制。這就使得文革走向了去政治化。

　　在一些其他的文章和訪談裡，汪暉同樣表達過類似的意思。比如在2012-13年的〈代表性斷裂與「後政黨政治」〉，他同樣批判了一種既是「實證主義」又是「本質主義」的階級概念：「不但右翼，也包括一些左翼，都相信在20世紀，相對於農民和其他社會階層，工人階級成員在中國政治生活中所占據的位置非常有限，資產階級

17　同上，頁29。
18　同上，頁34。

尚不成熟，因此，現代革命不可能具有社會主義性質，工人階級不可能稱為真正的領導階級。」[19] 什麼樣是實證主義和本質主義的階級概念呢？在2020年12月23日在清華大學舉辦的關於《世紀的誕生》的讀書會上，他講到盧森堡對俄國革命的批評時說到：「盧森堡沒有意識到，階級這個範疇不能只是在經濟層面、用靜態的方式來理解，而應該從政治變動中理解階級、階級關係和階級政治；要理解政治性階級的形成，比靜態的財產權關係複雜很多。這在中國以後的經驗中可以說是至關重要的。」[20]

這就說明，實證主義和本質主義的階級概念是基於經濟層面的、靜態的財產權關係，而汪暉理想中的階級概念，是能動的、「基於政治經濟分析」而產生的，也就是說，要考慮主體身處的政治經濟關係，也要考慮他們的階級意識以及通過鬥爭和改造而發生轉化的可能性。「文革時期的『血統論』和唯身分論（或成分論）就是奠基在去政治化的階級概念之上的。」[21] 在這種框架之下，中國革命者可以「將農民置於無產階級革命的主體地位之上」[22]，所以即便實證意義上的工人階級數量很少，由中國共產黨所領導、由廣大中國農民所參與的中國革命，依然具備社會主義性質。

在寫於2017年的《世紀的誕生》第六章，〈預言與危機（二）：十月革命與中國革命〉，他講到中華蘇維埃根本法大綱時評論道：

19　汪暉，《代表性斷裂與「後政黨政治》，刊於《文化縱橫》2013年第1期，https://www.douban.com/note/341640296/?dt_dapp=1

20　汪暉，章永樂，「世紀的誕生——20世紀中國的歷史位置」對談，2020年12月23日，由蘇心記錄，https://book.douban.com/review/13355905/

21　〈代表性斷裂與「後政黨政治」〉，https://www.douban.com/note/341640296/?dt_dapp=1

22　《去政治化的政治》，頁28。

「中國革命及其社會主義追求首先表現在其政治結構、政治主體和
政治理念方面，而後才表現在經濟水準和生產形態的變革之上。沒
有蘇維埃政權，這場與工人階級沒有多少直接聯繫的土地革命就談
不上『無產階級領導下』的革命了。」[23] 這與他在〈代表性斷裂〉
一文的內容呼應，同樣是認為不能從實證意義上參與的工人數量多
少來談論革命的性質。在後面，他乾脆將農民稱為無產階級：「農
民作為無產階級並不只是主觀的政治進程的結果，這一命題本身也
是帝國主義時代全球化勞動分工的產物……中國革命必須將農民階
級轉變為革命人民的主體，這一歷史命運意味著這場革命不能自然
地和自發地從工人階級和農民階級的階級性格和訴求中產生出來，
而必須通過軍事鬥爭、政治鬥爭、生產鬥爭和生活鬥爭轉化其成員
的階級性格和訴求。這是一個高度政治化的歷史過程。」[24] 同樣，
他也談到如果階級概念失去政治性，悲劇就會發生：「無論在延安
時期，還是在新中國成立以後，由黨內鬥爭而衍生的以及在濫用階
級概念的狀態下形成的冤假錯案頻繁發生，若考慮到從中央到地區
的各個層面，同類性質的事件實在不勝枚舉。」[25] 汪暉這裡階級概
念的濫用不等於階級概念的隨意性，而指的是「階級邊界的僵化」。

　　以上說明汪暉一直到近年來都沒有放棄他對「政治」和「階級」
的特殊理解，所以我認為汪暉不存在一個階段性的轉型。但既然在
他的論述裡有這麼多處地方談論到「階級概念鬥爭擴大化」導致冤
假錯案、強力控制和暴力衝突，並表達了否定的態度，那汪暉是否
有追問，這些慘劇背後的根源是什麼？事實上，在〈去政治化的政

23　《世紀的誕生》（北京：生活・讀書・新知三聯書店，2020），頁
　　402。
24　同上，頁407。
25　同上，頁409。

治〉一文和《世紀的誕生》一書中，他都有嘗試給出原因分析。在前者中，他從階級概念的財產權含義消失、共產黨的階級代表性問題日益模糊以及中國革命產生出官僚制國家講起，搞文化大革命就是為了訴諸階級和階級鬥爭的理念對政黨進行持續的革新和改造，通過激發黨內和全社會的政治辯論和政治鬥爭，避免革命政黨在執政後發生蛻化。但是，「這一政治性的階級概念一旦被僵化為結構性的、穩定不變的本質主義概念時」，就會將體現政治能動性的理論探索和自由辯論扼殺，變成不同人群之間的殘酷鬥爭和無情打擊。[26] 這裡存在三個問題：一，如果共產黨的階級代表性日益模糊是搞文革的其中一個原因，而階級概念僵化又是文革走向暴力的原因，那汪暉理想中的「階級」概念應該是「既不能模糊也不能僵化」，這究竟是一個怎麼樣的狀態？汪暉並沒有說明。二，政治能動性為什麼表現為「理論探索和自由辯論」，而不是「殘酷鬥爭」和「無情打擊」？既然汪暉將敵我關係也作為政治主體間的關係的一種，那為何「殘酷鬥爭」和「無情打擊」不是政治能動性的體現？三，上面這個解釋有循環論證的嫌疑，因為它將文革中的暴力歸因於階級鬥爭的擴大化，又將階級鬥爭的擴大化的根源追溯到「階級概念的去政治化」，但按照他前面的定義，文革中的暴力本身就是「去政治化」的體現。這裡「去政治化」在因果鏈上是否多餘？在〈十月革命與中國革命〉中，他所給出的分析也難以讓人滿意：「階級概念的僵化和盧森堡所批評的漠視民主形式的布爾什維克傳統，以解決人民內部矛盾的方式解決黨內政治分歧的可能性喪失了或部分地喪失了。」[27] 這無非在「階級概念的去政治化」，多加了「漠視

---

26 《去政治化的政治》，頁35。
27 《世紀的誕生》，頁410。

民主」和敵我矛盾擴大化，但在汪暉的定義裡，後兩者本身就是「去政治化」的內容。不禁讓人懷疑，汪暉自己也不清楚因與果的關係。

文化與政治

　　我們可以總結一下：汪暉所理解的「政治」是將一個動態的、非本質主義的、強調主觀能動性的、使主體置於複雜關係之中相互博弈、對抗與轉化的領域。這些不僅是政治的定義，甚至可以說是汪暉自己的方法論本身。章永樂在對他的《現代中國思想的興起》進行評論時寫道：「每當面對一個二元對立時，汪暉的典型思維方式是避免非此即彼的選擇。他對二元對立似乎有一種本能的反感，更偏向於在中間地帶建立關聯。對他來說，靜態的對立通常會錯失歷史的複雜性，而他試圖解構這些對立，將歷史的動力學從堅硬的概念框架下解放出來。這一本能幫助汪暉發現新的問題，設定新的議程。」[28]

　　因此，對於汪暉來說，「政治」的表現形態有：政治辯論、理論探索、社會自治、黨—國體制內的政治鬥爭（汪暉對「黨—國」有特殊的用法，我們會在後面討論），以及政治組織和言論領域的空前活躍；而「去政治化」則表現為：消解社會自治可能性的兩極化的派性鬥爭、將政治辯論轉化為權力鬥爭的政治模式、將政治性的階級概念轉化為唯身分論的本質主義階級觀。[29]

　　在對新文化運動的一篇文章和一個訪談中，汪暉對「政治」的

28　章永樂，〈過去的未來：評汪暉《現代中國思想的興起》〉，https://mp.weixin. qq.com/s/tHnyVvsHsLQa5exVvULX7g

29　這些都是汪暉的原話，見《去政治化的政治》，頁36。

用法又有了一定程度的拓展。這兩篇都出現在2009年，正是他剛出版《去政治化的政治》的第二年。文章是〈文化與政治的變奏——戰爭、革命與1910年代的思想戰〉（結集出版兩次，名字均有改動），訪談是〈什麼是「五四」文化運動的政治？〉。在裡面，「政治」不僅具有本節開頭所說的特徵，而且還體現了和別的領域的聯繫以及相互轉化的可能性。

在〈文化與政治的變奏〉中，汪暉講到陳獨秀為什麼要以一種與政治斷裂的方式來介入政治，引用了一段陳獨秀的話：「我們不是忽略了政治問題，是因為十八世紀以來的政治已經破產，我們正要站在社會的基礎上造成新的政治；我們不是不要憲法，是要在社會上造成自然需要新憲法的實質。」[30] 舊的政治——國家的政治、政黨的政治、議會的政治出了大問題，故而要與其決裂，回到社會去創造新的政治的基礎，這就是「新文化運動」的宗旨。

在〈什麼是「五四」文化運動的政治？〉，汪暉對政治與文化、倫理與價值的關係，進行了較為清楚的論述：

> 新文化運動中的文化不是一個可以和政治區分開來的範疇，文化和政治的對峙只是一個策略，是陳獨秀他們用以介入政治的策略。但這個策略又不僅是策略，因為從文化入手介入政治，意味著要對什麼是政治重新開始考慮。這是價值問題，也是評判問題。這也是為什麼「態度」在這場運動中居於如此重要的位置。所有的政治都有自己的文化。文化是強烈自主的力量，是創造政治的力量。主義是文化也是政治。如果政黨政治，只

---

30 陳獨秀，〈我的解決中國政治方針〉，轉引自《世紀的誕生》，頁207。

是結構性的權力，沒有真正的主義、思想、價值，只能是去政
治化的政治。政治衝突在一定意義上就是價值觀的衝突，就是
文化思想的衝突。新文化運動一個很重要的貢獻，在於它為新
的政黨政治提供了新的文化基礎，在於它為政治提供了倫理內
核——政治的核心是倫理和價值，政治對抗和辯論的核心也是
倫理和價值。[31]

　　這裡必然牽扯到新左派最喜歡提到的「文化政治」的概念。所
謂的「文化政治」，汪暉在同一篇文章裡有深入的解釋，即在一種
特殊的歷史環境下，文化本身也是政治，政治通過文化的方式展現，
在對社會的文化進行革新的同時，政治的內涵發生了改變，政治的
邊界得到了擴大，原本是「國家的政治、政黨的政治、議會的政治」，
現在納入了「家庭、性別、階級、語言、文學、勞動」等。在文化
運動中，人們不僅提出新的政治問題，也創造新的倫理和價值，這
些新的倫理和價值又創造新的政治運動。[32]
　　在上述的引文裡，汪暉再次提到了「去政治化的政治」，那說
明他在這裡對「政治」的用法與「去政治化」所謂的「政治」的用
法是一致的，文化政治裡的「政治」與去政治化裡的「政治」具有
同樣的內涵。汪暉也強調在中國的古典詞根和拉丁文的詞根中，「文
化」都是動態的過程，[33]而他的「政治」也是動態的過程，故新文
化運動裡的文化即「與（傳統）政治斷裂的政治」，而「以國家為
中心」的政治則為「去政治化的政治」，文化與政治是可以相互轉

31　《世紀的誕生》，頁350。
32　同上，頁349。
33　同上，頁208。

化的，政治與別的領域並沒有必然的界線。

　　值得一提的是，這樣一種文化與政治的關係，竹內好在《魯迅》
中有過十分類似的表達：「魯迅的文學，就其體現的內容來講，顯
然是很政治化的，他被稱為現代中國的有代表性的文學者，也是就
政治意義而言的，然而，其政治性卻是因拒絕政治而被賦予的政治
性。」[34] 考慮到汪暉也是研究魯迅出身，很難想像他從未看過竹內
好的魯迅研究，但不管汪暉在這裡是否隱瞞了他對竹內好的「借
鑒」，這樣一種「政治」的概念，似乎難以納入「國家主義」的範
疇。事實上，在〈什麼是「五四」文化運動的政治？〉中，汪暉的
一些表達，可能離「反國家主義」還要更接近一點。比如他說，新
文化運動的任務是要「在社會的基礎上造成新的政治」，以反擊以
國家為中心的政治，在〈文化與政治的變奏〉中，他甚至這麼說過：
「將國家作為中心的政治，亦即『國家主義』政治，是『去政治化
的政治』。」[35] 從字面上來說，汪暉對國家主義是持批判態度的。
他也說到陳獨秀想要通過談論文化與社會，將政治從「國家與政治
完全一致」這個關係中解放出來，那說明汪暉認為建制外的政治要
比建制的政治要更具本真性。當然，他這是在民國的語境下談的，
而且他很快就話鋒一轉：「新政治也不等同於對國家、政黨等概念
的否定，而是要重新賦予這些概念新的內涵，或者從新的價值出發
去規範其政治性。」[36]「新政治」當然就是指後來的革命政治和社
會主義政治了，那在新政治下國家與政治是什麼關係呢？

34　竹內好，《近代的超克》（北京：生活・讀書・新知三聯書店，2005），
　　頁19。
35　同上，頁207。
36　同上，頁351。

政黨國家化

　　這裡我們又要回到〈去政治化的政治〉一文。我們前面提到汪暉講的「黨—國」和一般說的「黨國」並不是一回事，後者指的是「一黨專政的國家」或「一黨專政下的國家政權」，但汪暉的「黨—國」指的是以政黨政治為中心的國家體制，所以在他看來，不管是一黨專政還是多黨合作甚至於競爭都可以叫做「黨—國」。汪暉認為在黨—國體系裡，政黨既是政治組織，也是政治運動，它們的目的是用自身的價值和理想去重塑國家和社會，但隨著它們在執政過程中慢慢變成國家體制的主體，政黨與它們各自的社會基礎的關係逐漸模糊，政黨的政治理念與其政治實踐的關係也日益缺乏內在連貫性，政黨自身在一定程度上淪為國家機器的一部分，於是黨—國體制就變成了「國—黨」體制。[37] 汪暉把這個過程叫做「政黨國家化」，政黨的社會基礎與群眾聯繫逐漸弱化，政黨成為「準國家機構」，唯一的功能是凝聚民意，從事選舉，同時獲得國家的補助款作為選舉活動經費。在〈代表性斷裂〉中，他說道：「政黨國家化是指政黨日益服從於國家的邏輯，不但其職能而且其組織形態，逐漸地與國家同構，從而喪失了政黨作為政治組織和政治運動的特徵。」政黨國家化的一個標誌是「代表性斷裂」，集中表現為政黨一方面超越先前的階級範疇，宣稱其代表普遍性，另一方面卻與大眾，尤其是處於底層的大眾更加疏遠。[38] 這在當代西方和當代中國

37　《去政治化的政治》，頁7。
38　〈代表性斷裂與「後政黨政治」〉，https://www.douban.com/note/341640296/?dt_dapp=1

一樣都發生了，所以他才會提到「60年代的消逝」。

　　汪暉將仍處於運動中的一黨專政與多黨政治統稱為「黨一國」，抹煞了它們之間的差別，這種做法必然會引來爭議。有的人認為，即便我們可以同意毛澤東時代有一定程度的政治參與，但西方國家有組建政黨的自由，而中國的多黨合作制有名無實，更加不能產生新的政黨，難以想像沒有組黨自由的情況下居然可以大談特談「政治參與」，而且汪暉似乎還認為毛時代中國的政治參與水準比資本主義下的西方還要更高一點。當他說60年代後的中西方體制都可以稱為「國一黨」時，爭議恐怕就更大了。即使西方的政黨確實出現了「代表性斷裂」，但其多黨制基礎還在，國家與政黨不可能如中國那般同構化。而且看汪暉的〈去政治化的政治〉與〈代表性斷裂〉兩篇文章裡提到西方多黨民主制的問題，其實是把多種問題混合成一種來講（政治趨同、官僚化、議會與市場關係日趨緊密），以前的主要問題和現在的主要問題也未必是同一個問題（比如近年來的政治激化）汪暉的類比，其實是在混淆一黨專政與多黨競爭的差別，也是將不同的議題混為一談。

　　不管怎麼說，他畢竟提到了中國的政黨國家化，並對此表達了批判的態度，這說明他確實可能不是一般理解的那種國家主義者。不過即便是這樣，汪暉對中國的政黨國家化的批判也有很多讓人困惑的地方。汪暉認為存在著兩種政黨國家化的形態：一種是前改革時期的政黨官僚化，另一種是在市場化過程伴隨政府公司化的趨勢而產生的政黨與資本的聯姻。這裡便讓人感到費解：將官僚化作為政黨國家化的形態是可以的，但「政黨與資本的聯姻」為何可以稱為「政黨國家化」？

　　在汪暉的筆下，新自由主義的氾濫與政黨國家化的趨勢是相伴相生的，這兩者之間有著千絲萬縷的關係，所以當他批判政黨國家

化，其實更有可能是在批判新自由主義。關於政黨與資本的聯姻，他在《去政治化的政治》裡有更詳細的描述。汪暉認為，當代中國的「去政治化」，也存在著一個「政治交易」的過程，掌握政治權力的傳統政治精英和特殊利益集團、跨國資本進行交易，前者利用自己的權力搞「產權改革」，讓後者不公正地占有大量利益，再在「產權明晰、法制化」等名義下將這種不公正的占有合法化。因此，「權力精英和資產階級之間的分界逐漸模糊，政黨逐漸從一個階級性的組織轉化為一個去階級化的組織」，同時，新的社會不平等也被「自然化」了，即被合法化為自然競爭以後的結果。[39] 對90年代以來「私有化」過程中隱藏的不公正性，秦暉在多篇文章中也有過揭露，我對此並沒有太大的異議，但這個過程和政黨國家化的關係，汪暉並沒有說清楚。如果說政黨國家化是政黨所代表的階級越來越不清楚，政黨原本所承諾的政治價值與其政治實踐越來越脫離聯繫，那汪暉上面所描述的，就不是政黨國家化，而是政黨利益集團化，因為它所代表的階級並非不清楚，而是從無產階級轉向了以特殊利益集團和跨國資本為代表的資產階級，同樣地，它與其原本所承諾的政治價值（社會主義的平等）確實脫離了聯繫，但它並非沒有承諾新的政治價值（資本主義的效率和發展）。

在《去政治化的政治》中，汪暉有一個非常特別的邏輯，即在毛時代，政治與國家、政治與政黨、政黨與國家之間不僅是分離的，而且處於一種緊張的關係之中，[40] 而在改開以後，政治、政黨、國家這種分離而緊張的關係就消失了。在我看來，這實際上是轉移了問題的焦點。真正該追問的是「政治權力與社會的關係」，而非「政

39　《去政治化的政治》，頁37。
40　同上，頁19。

黨與國家的關係」。在毛時代，不管政黨與國家是一體的還是處於緊張關係之中，政治權力實實在在地滲透到社會生活的方方面面，而改開以來，中國共產黨為了激發民眾從各個方面發展經濟的積極性，倒是給了社會一點自由的空間，儘管這點自由並無太多制度上的保障，且逐漸被收走，但自由派正是在這一層面上支持「去政治化」的。況且，即便毛時代的政黨與國家之間處於緊張關係，但這種緊張關係並沒有帶來汪暉所肯定的言論自由和政治自由；它帶來的無非是相互對立相互猜疑的政治權威之間的殘酷鬥爭，所謂的「四大自由」、「三代會」等，不過是曇花一現，反倒是軍隊對國家的影響力在文革期間達到頂峰。

　　最重要的是，汪暉所說的「國一黨」體制和「政黨國家化」，其實都跟我們一般說的「國家主義」不是一回事，如果硬要類比的話，可能更接近於馬克斯・韋伯所說的「理性化」（rationalization）。我們一般說的「國家主義」，至少有三重含義：一，認為國家的意志和利益凌駕於一切社會、經濟、文化等領域的意志和利益；二，支持國家的權力擴張以及運作方式；三，國家的目標界定了整個社會的目標，也界定了個人的身分與目標。關於這三點，我們必須放在1949以後的政治語境裡來看：儘管汪暉認為「以國家為中心」的政治是「去政治化的政治」，但他針對的是民國政治而發；儘管他提過「建立有關市場的民主制度，扼制反市場的力量轉化為國族中心主義、國家主義和極權主義」，[41]但他並沒有說過這樣的民主制度具體是怎麼樣的，尤其是，這樣的民主制度與一黨專政如何並存。汪暉批判「政黨國家化」，不僅不等於在批判「國家主義」，反而更有可能的是，他在用「國家」作為擋箭牌，通過批判國一黨，為

41　同上，頁138。

國家背後真正壟斷政治權力的政黨打掩護，「國家」再怎麼被發難，中國共產黨及其背後的「元神」都毫髮無損。他確實不是一般的國家主義者，他比一般的國家主義者聰明太多。

汪暉的悖論

　　我們再重複一下前面的判斷：上述的歧異並不代表存在一個階段性的轉向，這種矛盾性的論述貫穿了汪暉的各個時期。汪暉的國家主義傾向最為明顯的幾篇是〈中國崛起的經驗及其面臨的挑戰〉（2010）、〈中國道路的獨特性與普遍性〉（2011）、〈東西之間的「西藏問題」（外二篇）〉（2011）、〈二十世紀中國視野下的抗美援朝戰爭〉（2013），但〈代表性斷裂〉成稿於2012年7月，〈十月革命與中國革命〉寫於2017年。

　　對同一個問題，我們能看到他經常有不同的態度。比如他在〈去政治化的政治〉和〈代表性斷裂〉裡明確地批判「政黨和資本的聯姻」，而寫於這兩篇中間的〈中國崛起〉雖然也強調了「政黨國家化」所帶來的一系列問題，但明顯更側重於表達社會主義國家代表大多數人民利益的宗旨，並且強調中國的改革在金融體制、土地制度、國企制度上始終穩健，沒有脫離那個宗旨。[42]

　　即便在同一篇裡，都經常能發現兩種傾向並存的狀態。比如在批判性最強的〈去政治化的政治〉一文中，汪暉講到知識分子和社會批判所產生的「去國家過程」並沒有提供「重新政治化」的效果，而是被納入另一層次的「去政治化」過程。「在當代中國，『反社

42　《中國崛起的經驗及其面臨的挑戰》，https://www.douban.com/group/topic/11494817/

會主義的意識形態』以一種反國家的表象掩飾了它與新型國家及其
合法性之間的內在的聯繫,從而不過是一種反國家的國家(亦即『帝
國』)意識形態,這種新型國家意識形態本身具有超國家的性質,
從而也經常表現為從一種跨國主義的角度抨擊『國家』的立場。」[43]

　　這乍看像是對「買辦主義」的批判,但汪暉有一些話好像在說
這種新自由主義的反國家主義,其實還不夠徹底,因為他們還並不
是真正地反對國家政權,而只是反對國家的意識形態(社會主義)
和國家機器,比如說,新自由主義者一邊展現著反國家的姿態,另
一方面卻又要求法制化和制度化,而後者正是國家建構的重要組成
部分。在後面他還說:「政治鬥爭主要集中在由誰來掌握國家政權
或國家政權的價值取向為何這一關鍵問題上,一旦取消國家政權與
國家機器的區分,也就等於取消了政治活動的場域和政治鬥爭的必
要性,而將一個政治性的問題轉化為非政治的或去政治化的『去國
家過程』。」[44]

　　我們前面在講到「政治」的概念時確實一直忽略了汪暉說的第
二點,即政治與「領導權」問題具有密切的聯繫。結合上面這段話,
汪暉的意思有沒有可能是:光批判國家機器是不夠的,還要對政權
本身進行批判,甚至光批判也是不夠的,還要奪取政權本身?當然,
他應該也並不支持新自由主義者奪權,因為那樣建立起來的社會,
依然是「去政治化」的。那倘若有這樣一批人,他們既想建立一個
有廣泛民主參與的社會,又不讓市場和資本介入這種民主,這樣的
一批人去奪權,汪暉是不是會支持?如果是的話,那汪暉的立場大
約和納粹上臺前的德國法學家施米特有異曲同工之處。施米特曾經

43　《去政治化的政治》,頁52。
44　同上,頁53。

提醒魏瑪政府，要動用政治決斷，將納粹這種反憲法的政黨除去，否則魏瑪共和國終將難以保全，最後納粹上臺，他沒有太多心理障礙就接受了納粹的統治，因為在他看來，希特勒才是那個敢於決斷的主權者。施米特並不是一開始就支持納粹，他只是想看到有政治決斷力的擔綱者，誰有政治決斷力他就支持誰。類似地，汪暉對於現政權也未必有多認同，他只是想看到「政治」，誰能讓「政治」復歸他就支持誰。

這個推測有一點大膽。在對這個推測有進一步評論之前，我們先來看看汪暉對另一種國家主義的態度。這也方便我們對他的立場有一個更全面的理解。這種國家主義就是《東方雜誌》1910-1920年的主編杜亞泉的國家主義。杜亞泉的國家主義，和我們在「政黨國家化」一節的定義並不完全吻合。綜合杜亞泉的幾篇文章和汪暉的解讀，他的「國家主義」有以下含義：一，以國家為中心，將國權置於個人權利之上；[45]二，捍衛國家的統一與獨立；三，關注國家自身的連續性；四，中國不是一個簡單的民族國家，而是一個文明國家。如果要說汪暉是一個國家主義者，那汪暉可能更接近於杜亞泉這種意義上的國家主義者。

杜亞泉用他的國家主義來反對「政治主義」，這種政治主義與汪暉所說的「政治」沒有太大關係，指的就是民主憲政主義，即以政府為中心，以改造國家內部環境為重心，講究群己權界，伸張民權，限制國家權力。在杜亞泉看來，以民國當時的處境，倘若過於強調「政治主義」，則國家難免產生內部分裂，外敵也會乘虛而入。[46]其時的首要任務，是保全國家，一方面是保全中國的領土，另一

45　傖父，〈接續主義〉，轉引自《世紀的誕生》，頁220。
46　《世紀的誕生》，頁244。

方面是保全中國的文明。

　另一邊，杜亞泉又是陳獨秀的論敵，在「東西文明能否調和」上打過多次筆仗。但值得一提的是，陳獨秀所批判的「以國家為重心」的政治，和杜亞泉所批判的「政治主義」，都有同一個靶子，那就是議會政治和政黨政治，在這一點上，他們並無太大異議。他們的分歧，在於中國的未來應該往何處去。杜亞泉認為，中國不需盲目崇拜和照搬西方的政治模式，而應該結合自身的文明傳統，探索適合自己的政制。而陳獨秀考慮的是如何通過文化上的革新，創造出新的政治主體，新的政治問題，新的政治價值，新的政治倫理。

　這兩者都是汪暉所贊許的，前者體現在《中國現代思想的興起》，後者則體現在《去政治化的政治》、《世紀的誕生》等文集中。汪暉對於杜亞泉抱有相當大的同情，對其著墨之處明顯多於陳獨秀。他評論杜亞泉的一些話，隱隱然有自我代入之感：「政府之大小問題既不能放置在傳統與現代的二元關係中討論，也不能放置在民主與專制的二元關係中進行分析，而只能放置在現代政治自身的危機中加以考察。」[47] 更恰當的說法是，他的立場像是對陳獨秀和杜亞泉的一種綜合，或者說，「進則陳獨秀，退則杜亞泉」。並非巧合的是，杜亞泉本人就曾提出過調和的思想。比如1918年，杜亞泉發表〈矛盾之調和〉，其中提到：兩種對立主義之間如果存在某些相似或重疊，即可使之調和（如社會主義與國家主義）。[48] 在〈新舊思想之折衷〉，杜亞泉又斷言「新文明將誕生於中國傳統與20世紀歐洲新文明的調和之中」。[49] 借用黑格爾的術語，如果說杜

47　同上，頁242。
48　同上，頁267。
49　同上，頁268。

亞泉和陳獨秀是正題和反題,那合題應該是從杜亞泉這一邊產生的。

進步主義者如何對待汪暉的理論建構

在〈中國「新自由主義」的歷史根源〉一文的開頭,汪暉有這麼一段意味深長的話:「針對新自由主義的理論實踐和社會運動包含了各種相互矛盾的要素——激進的、溫和的、保守的要素。在我看來,當代中國社會的進步力量的主要任務就是避免這些要素向保守的方向(包括那些試圖回到舊體制的方向)發展,並努力促成這些要素的轉化,使之成為在中國和世界範圍內爭取更為廣泛的民主和自由的動力。」[50]

這篇文章寫於2000年,值自由主義與新左派論戰正酣之時,從引文措辭來看,汪暉自詡為「進步力量」的一部分。20年過去了,自由主義內部分化成保守派和進步派(尤其在川普敗選之後),進步派的自由主義者在許多公共議題上的立場與女權主義者、新生代的左翼更為接近。那麼,這些廣義的進步主義者要如何對待汪暉的論述?

這裡不得不提到2018年佳士運動中短暫地出現在歷史舞臺的那批毛左青年。在文革這個問題上,他們與汪暉的立場十分接近,比如他們認為文革的發起是毛為了解決黨內官僚化日趨嚴重的問題,文革是反對血統論和唯身分論的,文革的「四大自由」和大民主要比西方的憲政民主制度更優越,整人和武鬥不符合文革的精神……他們對未來的政治籌畫大抵也與汪暉在《去政治化的政治》一書中表達出來的傾向類似:抵制政黨和資本的聯姻,讓工農階級真正地

---

50 《去政治化的政治》,頁100。

當家作主。但他們對於現政權的態度要比汪暉明確得多，也果斷地將自己的理念付諸實際行動。其他進步主義派別未必認同他們對歷史的詮釋和對現狀的判斷，但對他們言行一致這一點，基本都是認同的。

汪暉對文革的詮釋，與歷史事實有關的部分可以交由歷史學家去辨析，我們在這裡只講理論層面的問題。首先正如我們在前面所說，他的「階級」概念並不明確，儘管他做出了抽象的說明，也給出了例子。一方面，他在〈去政治化的政治〉一文以及其他多篇文章中反對階級概念的僵化，並認為這使得文革開始走向去政治化；另一方面，他在多處地方對政黨的階級代表性日益模糊作出批判，認為這種國一黨體制是去政治化的。

這就讓人很困惑了：如果不存在一個相對清楚的判斷一個人的階級歸屬的辦法，如何能確定某個政黨的階級代表性已經變得模糊？如果存在這樣的一個辦法，那階級概念又是因何變得僵化？既不能模糊，又不能僵化，這其中的度如何把握？我們並不是質疑汪暉本人有做出這個判斷的能力，但他並沒有很清晰地講出來該如何判斷，我們也不質疑有這樣的一種判斷的方法存在，但問題是，這種方法很明顯不能讓普通群眾輕易地掌握，或即便大部分人掌握了，判斷上也肯定會出現分歧，這種判斷上的難度和分歧，難道不也會讓階級鬥爭走向暴力化嗎？同樣一個人，有些群眾判斷他是剝削階級的一員，另一些群眾判斷不是，判斷「是」的人決定訴諸暴力，因為「革命不是請客吃飯」，這個汪暉要怎麼說？

歸根到底，汪暉也沒有將階級概念僵化如何導致暴力說清楚。一種可以設想到的情況是，一個按照一般的階級歸類法會被歸為剝削階級的人，倘若將其階級意識和以及他和其他階級主體關係考慮在內，或許就被歸為勞動人民的一分子，這樣他就不應當遭遇到暴

力。但汪暉沒有想到，倘若將階級意識和以及他和其他階級主體關係考慮在內，那一個原本被歸為勞動人民的人也有可能被歸為剝削階級，從而遭遇暴力對待。

汪暉當然也表達過反對將階級鬥爭訴諸暴力，因為人是可以改造的，用暴力就等於否定了人的主觀能動性。如果汪暉的意思是反對一切在階級鬥爭中訴諸暴力的行動，那這在馬克思主義傳統裡不太容易站得住腳，因為革命導師們並沒有完全反對暴力，毛澤東那段完全的話是：「革命不是請客吃飯，不是做文章，不是繪畫繡花，不能那樣雅致，那樣從容不迫，文質彬彬，那樣溫良恭儉讓，革命是暴動，是一個階級推翻另一個階級的暴烈的行動。」當然，我們絕對可以想到一些說辭去對這段話進行限定，但還是那個問題：普通的勞動人民怎麼去判斷什麼時候才可以訴諸暴力，什麼時候不行？

這就是為什麼路線鬥爭總容易演變成充滿暴力的派性鬥爭，因為對階級的判斷裡充滿了各種主觀性，革命時代的人們，總是很容易把那些與自己觀點對立的人判定為階級敵人，而對於什麼時候能對階級敵人使用暴力，什麼時候不行，這裡面的判斷一樣充滿了主觀性。我們不否定這樣一種可能性，即那些具有革命者人格的人是可以做出準確的判斷的，但當偉大領袖把這種權力下放給普通的老百姓，那有什麼能保證他們每一次都能做出正確的判斷？所以汪暉那種「不僵化」的階級的概念，在根本上無法避免讓階級鬥爭走向暴力化。

這就可以解釋為什麼汪暉會用「去政治化」來解釋文革的失敗，因為他根本給不出真正有說服力的解釋。「去政治化」這個概念之所以能在學界和部分公共輿論界流行，因為它確實把握住改開以後的一個重要趨向，但用它來解釋文革的失敗，那就純粹是濫用了。

階級鬥爭擴大化，根源是階級概念的「去政治化」，文革走向暴力，根源也是「去政治化」，那為什麼會「去政治化」？汪暉沒有任何解釋，因為再解釋下去，就要觸碰到他的根本立場了。「去政治化」在文革的這條因果鏈中就是一個冗餘的概念，用了奧康姆剃刀以後，這條因果鏈也沒剩下什麼有價值的東西了。

　　與其說用「去政治化」來解釋文革的失敗體現了某種與自由主義不相容的洞見，不如說這代表了一些左翼不願正視他們的理論和現實的巨大落差，不願直面他們的理論付諸實踐所造成的慘痛教訓。如今「去政治化」這個概念的普遍用法與汪暉的原意已經有所差別，除了本文「去政治化的政治」那節說的「去意識形態化」和「去階級鬥爭化」，有時也會指拋開政治權力的因素來討論問題。對於這種概念運用上的演變，我們不妨將錯就錯，繼續沿用，但不必打包接受汪暉對「去政治化」所賦予的理論使命。

　　在我看來，汪暉最有貢獻的部分，在於他的「政治」概念。強調「政治」概念的學者，遠的有施米特和阿倫特，近的有羅爾斯和尚塔爾・墨菲，汪暉的「政治」概念與他們的有相似之處，但又不太相同。除此之外，我們也能在陳獨秀、毛澤東、葛蘭西和哈貝馬斯那裡，找到汪暉的「政治」概念的影子。

　　汪暉的「政治」概念，概而言之，有四點，除了他自己總結的「主觀能動性」、「領導權」、「政治主體間的關係」以外，還有「動態聯繫」。汪暉對主觀能動性的強調對應著他對政治參與和社會運動的重視，這個與阿倫特的「政治」概念類似，阿倫特的「政治」概念幾乎和公共性的「行動」是綁定在一起的。與後者不同的是，汪暉的「政治」概念並不獨立地形成一個領域，更沒有與社會的其他部分區隔來開，這一點在他論述陳獨秀的主張時得到充分的體現。汪暉講到「政治」要重視領導權的問題，無疑受到葛蘭西的

影響，但隱約也能看到一點施米特關於主權者討論的痕跡。「政治主體間的關係」包括「敵友關係」和「對話關係」，「敵友關係」當然受益於毛澤東和施米特的論述，而「對話關係」則有阿倫特的交往性行動和哈貝馬斯的交往行為理論在前。至於「動態聯繫」，這是我幫汪暉概括出來的，在他論述「階級」概念以及陳獨秀對「文化與政治」的看法時，都可以看出汪暉的「政治」概念是講究動態聯繫的，即一方面不做本質主義的判定，另一方面又強調它與其他領域的可轉化性。這就是為什麼我認為他的「政治」概念背後有他一整套方法論的精神。

　　既然對政治動能性的強調是汪暉「政治」概念的重要部分，那便涉及到一個極其重要的問題：如何理解汪暉關於政治參與和社會運動的論述？在〈中國「新自由主義」的思想根源〉裡，他有這樣一段話：

　　在這裡，特別需要探討的是如何通過社會運動和制度創新之間的互動關係形成民主的監督機制，從而不是一般地依賴國家監督新貴階層，而是通過各個不同層次的民主機制阻止國家擅權和地方集團的腐敗。在這個意義上，通過何種力量和何種方式在各個不同層次形成公共空間是極為重要的。在我看來，這一混合制度必須建立在一個基本前提之上，即普通公民通過社會運動、公共討論等形式在不同層次推進關於公共決策的公開討論。在這裡，社會運動與不同層次的公共空間的形成是一個特別重要的中間環節，即公共討論和社會運動不僅發生在全國性的公共空間之中，而且也發生在各種地方性的公共空間之中，從而使得普通公民能夠在公共範疇中發現與他們日常生活安排

密切相關的社會議題。[51]

　　這一番話我是支持的，任何一個對國家主義持批判立場的人都不會不支持。在〈去政治化的政治〉一文中，他說：「在今天，對任何權力的分析都必須置於一個權力網路的關係之中，從任何一個單一方向上將自己塑造成反對者都是可疑的。」[52] 這不就是第三波女權主義講的「交叉性」（intersectionality）嗎？要注意到階級、性別、種族、性傾向等多個維度的壓迫存在交叉疊加的可能性。在〈代表性斷裂〉裡他又說：

> 說今天不存在20世紀意義上的階級政治，並不意味著不存在活躍的階級運動和公民政治，這些運動以不同的形式介入政治的、經濟的、生態的和文化的議題。社會運動具有政治潛能，但未必能夠產生新的政治，原因是在金融資本主義條件下，社會運動也常為資本體制所滲透。

　　要警惕市場和資本對社運的滲透，這也沒有錯。
　　他說的話孤立地看都沒有錯，但如果我們注意到他上面那些話的語境，就會發現，他對政治參與和社會運動的強調，都是在批判新自由主義的語境中展開的，他幾乎沒有在談到國家的壓迫性時提及政治參與和社會運動，也甚少談到為了保障人民有進行政治參與和發起社會運動的權利，國家需要建立什麼樣的制度。而且上一段引用的兩句話，帶著一種對「完美抗爭者」的苛求，他似乎在說，

---

51 《去政治化的政治》，頁133。
52 《去政治化的政治》，頁54。

只要你不是全方位的反對者，你就不算一個反對者，你的運動只要有任何一點資本參與（比如福特基金曾經資助過中國的一些非政府組織），你就不是真正的社運。

　　最嚴重的是，汪暉從沒有想到，在當下的中國，國家本身正在成為多維度壓迫的核心。帶有自由主義色彩的維權律師和公益組織可能不是汪暉同情的對象，那他是否知道2018年以來，女權組織和宗教團體也逐漸成了政治打擊的對象，這些組織的領導者，有的被迫流亡，有的身陷囹圄。今年變本加厲，在中國的公共平臺上，有一大批女權行動派的帳號被封禁，LGBTQ社團也被全面噤聲。不僅如此，連與汪暉立場最為接近的左翼社團和左翼青年，也在2018年的運動被鎮壓以後消失在公共領域。如果汪暉是個真誠的批判者，那他為何對上述情況表示沉默？

　　我個人認為，汪暉的沉默，不僅僅在於他的左翼立場不夠真誠，還在於他對中國共產黨寄予了過大的希望和偏愛。在汪暉看來，中國共產黨不僅是共產主義理想在現世的唯一可能載體，而且還是接續帝制中國和社會主義中國的唯一可能力量。汪暉同時代的「國家主義者」也有用理論接續帝制中國和社會主義中國的野心，但汪暉和他們的進路並不完全一樣。甘陽曾提出「通三統」，即儒家、毛澤東、鄧小平三統，但對於三統如何打通，他講得十分籠統。另外有一些學者，如劉小楓、康曉光、貝淡寧（Daniel Bell）認為中國共產黨領導的核心在於「賢能政治」（meritocracy），帝制中國所推崇的也是一種賢能政治，這便是文明接續之所在。而汪暉對於社會主義中國的認可，固然有反帝國主義和現代化這些內容，但他最心心念念的部分，是土地革命、人民戰爭和文化大革命，從表面上來說，這些與中華文明的政治傳統不僅難以相容，甚至相互排斥。這也是為什麼，他的國家主義同道基本上都對文革持負面看法。

　　然而，如果說汪暉這條進路是有可能成功的，即將帝制中國的傳統與社會主義中國最具革命性的部分打通，那只能借助竹內好的理論。事實上，我認為汪暉目前的工作都是在按照竹內好設定的思路上前進，後者在多篇文章中表達過「只有自我否定才能讓自我再生」的理念。他在講到自己為什麼要解散中國文學研究會時說：「對我而言，研究會該是不斷成長的。它永遠要不斷地自我否定。不包含死的生，不發出疑問的思想，不以自己本身的力量完成生成發展的文化，這一切對於我而言是毫無意義的。」[53] 在另一處，他又說：「只有通過行為，只有依靠自我否定的行為，創造才會發生。」[54]

　　竹內好對中國的近代化（現代化）評價很高，而反過來認為日本近代化是失敗的。日本近代化的失敗，在於太輕易地接受了歐洲近代的理念，沒有經過實質的抵抗，以至於失去了「主體性」，失去了「理想」。相比之下，中國雖然有一百年的時間淪為半殖民地，但卻有「高遠」的理想，[55]對歐洲近代的理念做出了真正的「抵抗」，這種抵抗的極致體現就是魯迅的文學。[56] 用他的術語來說，近代的日本是「轉向」，而中國是「回心」。「如果說轉向是向外運動，回心則向內運動。回心以保持自我而反映出來，轉向則發生於自我放棄。回心以抵抗為媒介，轉向則沒有媒介。」[57]

　　一般認為，日本在近代化過程中保留了更多本民族的精神傳統（比如武士道）、國家建制（天皇制）和生活方式，所以它並不是全盤的西化，但竹內好不這麼看。他認為，日本文化是轉向型的文

53　《近代的超克》，頁171。
54　同上，頁173。
55　同上，頁282。
56　同上，頁204-208。
57　同上，頁212-213。

化，正因為它近代以來沒有發生過革命這樣的「歷史斷裂」，所以
也不曾有過「割裂過去以新生，舊的東西重新復甦再生」這樣的歷
史變動。「在日本，新的東西一定會陳舊，而沒有舊的東西之再生」。
[58] 不管竹內好對中日兩國的近代化的理解是否準確，但其思路是相
當明顯的：如果我們「在割裂過去以新生，舊的東西重新復甦再生」
的意義上理解中國的革命（包括土改、人民戰爭和文革），或者說，
如果將社會主義革命視作中國通過自我否定來達到自我重生的「媒
介」（在竹內好那裡，中國的這個媒介是魯迅），那在理論上，這
樣的文明接續似乎是說得通的。表面上中國的革命是對帝制中國的
否定（反封建），實際上，中華文明只有通過全方面的社會革命，
才能重獲新生，且這樣的現代化，是從內產生的，是具有主體性的。

　　汪暉並沒有在自己的著作和文章中將這個思路言明，相比他的
同道們從帝制中國和社會主義中國找尋相似性的土辦法，這一進路
似乎是高明的，但也有弊端。竹內好是一個純粹的學者，但汪暉是
一個左翼學者，這是兩者身分最大的不同。並不是說純粹的學者就
沒有政治立場，而是說他的立場和理論可以不指向任何的政治行
動，但左翼學者，尤其是汪暉這種對政治能動性如此強調的左翼學
者，不能僅限於「解釋世界」，還要「改造世界」。用「自我否定
以自我重生」來接續帝制中國和社會主義中國，這個過程中，「革
命」是媒介，是這個歷史理論的一個環節，理論完成以後各個環節
就固定下來了，同樣地，「革命」也固定下來了。對中國革命的討
論變成一種懷舊，對革命者人格的呼喚變成一種「向先烈致敬」，
逐漸地「靜態化」、「景觀化」了，全然喪失了他所強調的「政治
性」。

58　同上，頁213。

結語

在本文結束之際，必須澄清一些觀點：首先，我並非純粹站在自由主義者的角度去批判新左派，事實上，我贊同汪暉所說的，自由主義／新左派的二分沒有太大的意義，[59]自由主義內部確實可以區分出進步派和保守派，新左派的許多問題意識也值得繼承。但我不認為國家主義／反國家主義的區分是虛假的，正如我前面所說，國家已經成為多維度交叉性壓迫的核心，否定這些壓迫的存在，或者為這些壓迫辯護，都需要相當高明的理論來支持。事實上，我認為任何一個嚴肅的當代中國政治的討論者都不能迴避這個問題，致力於消解國家主義／反國家主義的區分，或者將這種區分還原為左／右之爭，都是缺乏深度的。

然而區分國家主義與反國家主義，不是說要把任何一個參與公共討論的人，都硬性地劃分為國家主義者或反國家主義者。汪暉便不是一個可以簡單地歸類為國家主義者的人，比如他對官僚化以及權力和資本的交易是批判的，對言論自由、組織多樣化、政治參與和社會運動是持肯定態度的。然而他的許多論述是曖昧不清的，甚至是自相矛盾的，這裡面當然有他的方法論的原因，但他對於反對者的苛求與對於執政黨的寬容，他「景觀化」的左翼立場和他拳拳的接續文明的野心，確實形成了鮮明的對比。這不僅使得他的「批判性」話語容易被整合進總體的維穩機制之中，失去大部分的批判效力，而且對於進步力量的「政治化」不能起到任何提綱挈領或鼓舞人心的作用，只會讓裡面的人產生意念上的迷失、方向上的錯亂。

我們在「汪暉的悖論」一節中提到杜亞泉的「國家主義」，如

59　《去政治化的政治》，頁144。

果要說汪暉是個國家主義者，那他應該更接近杜亞泉的這種「國家主義」，即一方面要中國的獨立統一，另一方面要中國的文明接續。如果說陳獨秀涉及的是「文化政治」，那杜亞泉涉及的是「文明政治」，而當代中國新左派所主張的「文化政治」，其實已經綜合了陳獨秀的「文化政治」和杜亞泉的「文明政治」。如果說誰有可能完成那個接續中華文明的理論使命，那汪暉也是有力的候選人之一。這樣一種使命降臨到汪暉的身上，革命、左翼立場、進步主義對他來說，除了作為他理論內部的花瓶和擺設，還會有其他功能嗎？

汪暉可能是真的反對政黨國家化，或政黨與國家的合一，但他沒有考慮到的是，不管政黨和國家是否合一，只要沒有一個對政治權力的運作進行約束且保障人民基本政治參與權利的制度，那來自政治權力的壓迫就必然會產生，而汪暉所崇尚的政治能動性，要麼不會出現，要麼會與暴力同時出現。政黨與國家的分離，儘管也是政治能動性的條件之一，但並不是關鍵，沒有制度性的保障，政黨與國家的分離，則會逐漸走向派性鬥爭和暴力衝突，而政黨與國家的合一，則會鎮壓一切不同的聲音，所以無非是在全面衝突和全面壓制之間循環而已。汪暉妄想通過一個「去政治化」的概念，避開根本制度上的反思，這正是左翼版本的「掩耳盜鈴」。

如果汪暉有一套政治理論的話，那他的理論在根本上是「去政治化」的，即便按照他自己對「去政治化」的定義也是如此。

陳純，廣州中山大學哲學系博士，研究領域主要為倫理學、政治哲學和價值現象學，2020年出版《自由主義的重生與政治德性》。

致讀者

　　本期《思想》出刊之時，全世界陷在新冠病毒的籠罩之下已經滿兩年。疫情對各個社會的衝擊方式以及幅度不一，但是其影響是全面的，並且很可能相當持久，即使疫情有消退之日，人類的生活與互動方式也將不同於以往。

　　本刊在前年曾經發表台灣大學高等研究院組織的一次論壇集稿，作為41期《新冠啟示錄》的專輯，對疫情的整體意義從不同學科進行了探討。隨著疫情進入第二年，清華大學社會所林文源教授主持的「記疫」網站上積累的資料與文獻更形可觀，經本刊編委汪宏倫教授倡議，邀請參與網站「對話」活動的幾位學者撰稿，再次針對covid-19在台灣引發的諸多議題進行多學科的討論。執筆寫作「致讀者」之時，新變種Omicron正掀起又一波大規模流行，歐洲、美國、印度都進入前所未見的感染高峰，台灣也重現疫情。2022年大概不可能擺脫新冠的騷擾，所以不斷的關注與討論當是必要的。我們會延續本刊的一貫宗旨，希望接下來把焦點擴展到其他華人社會對這次疫情的反思，繼續擴充「記疫共同體」的內涵與外延。

　　中共的少數民族政策一向爭議很多，忽思慧、李舵兩位談中國社會主義與清真飲食的文章，敘述清真飲食從革命時期到「前三十年」在中國的地位，值得讀者重視。讀者無妨先讀該文的「餘論」，對於兩位作者的問題意識會有更深的體會。兩位作者顯然認定社會主義志在追求「普遍的解放」，因此對清真飲食——乃至於其他少數民族的生活需求——的尊重，乃是「社會主義實現普遍解放的一

種必要途徑」。但他們也看出即使在中國社會主義革命的「玫瑰色」時期，已經出現了問題，預示著日後的各種緊張。其實，「普遍解放」的革命理想能不能驅散民族主義的幽靈，在俄國革命時期已經引起懷疑。在國際共運的高潮期，蘇共對各國革命路線的干預，也經常以蘇聯的利益為優先。換言之，社會主義解放的「普遍」，在民族問題——特別是少數民族——上經常觸礁。今天大家喜歡設定一個「中國模式」，但是中國模式的社會主義有沒有／如何維繫「普遍解放」的理想，就更難以聞問了。

　　本期王長江教授寫知識分子，重申知識分子的「獨立性、批判性、超然性」，思考如何在制度上維護知識分子的這些特性，可能令台灣某些知識人覺得疲乏，但是這篇廣徵博引的長文在中國語境當然是有感而發，並且擲地有聲，並無空話。王教授在中共黨內從事高級幹部的培訓工作，熟悉馬列主義傳統的知識分子觀點，對其他傳統的知識分子理論也有通透的掌握。在文章中他雖然不曾涉及中國知識界的具體狀態，但是顯然他意在言外，有期待但更有憂慮。

　　在中國大陸的人文學界，現代文學是具高度活力、也有影響力的一個學門。畢竟20世紀中國左派的思想史，相當程度上是在中國現代文學的發展歷史中展開的。到了今天，新左派的最踏實的一塊園地，依然是現代文學研究。姚新勇教授在本期對新左派文藝批評的整理與檢討，幫助我們對這個領域有所了解，有興趣的讀者請注意。

編者

2022年1月小寒後